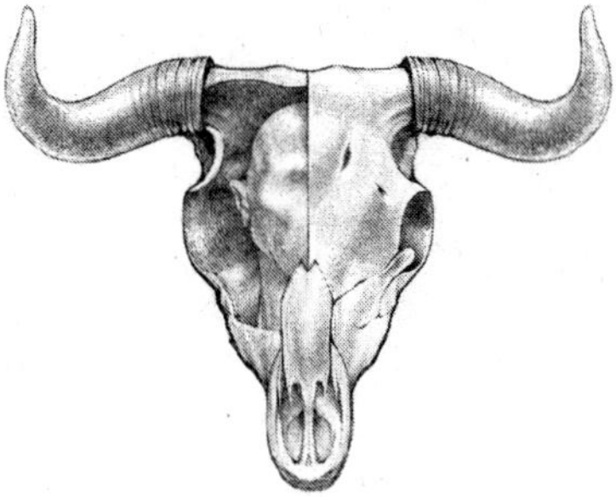

[BRIEF INTERVIEWS WITH HIDEOUS MEN]

DAVID FOSTER WALLACE

[КОРОТКИЕ ИНТЕРВЬЮ С ПОДОНКАМИ]

ДЭВИД ФОСТЕР УОЛЛЕС

Перевод с английского Сергея Карпова

Москва
Издательство АСТ

УДК 821.111-31(73)
ББК 84(7Сое)-44
У63

Серия «Великие романы»

David Foster Wallace
BRIEF INTERVIEWS WITH HIDEOUS MEN

Перевод с английского: *Сергей Карпов*
В оформлении использована иллюстрация
Михаила Емельянова

Дизайн обложки: *Юлии Межовой*

Настоящим автор благодарит за щедрую и непредвзятую поддержку фонд Ланнана, фонд Джона Д. и Кэтрин Т. Макартуров, The Paris Review, персонал и менеджеров круглосуточного семейного ресторана Denny's в городе Блумингтон, штат Иллинойс

Благодарность также выражена различным изданиям, в которых отрывки из этой книги впервые появились в самых разнообразных формах: Between C&G, Conjunctions, Esquire, Fiction International, Grand Street, Harper's, «Лучшие американские рассказы 1992» от Houghton Mifflin, Mid-American Review, New York Times Magazine, Open City, The Paris Review, Ploughshares, Private Arts, Santa Monica Review, spelunker flophouse и Tin House.

Уоллес, Дэвид Фостер.

У63 Короткие интервью с подонками / Дэвид Фостер Уоллес.— Москва: Издательство АСТ, 2020.— 352 с.— (Великие романы).

ISBN 978-5-17-113337-5

Посвящается Бен-Эллен Сицилиано и Элис Р. Далл,
отвратительным слушательницам sine pari[1]

Радикально сжатая история постиндустриальной жизни

Когда их представили, он сострил, чтобы понравиться. Она натужно рассмеялась, чтобы понравиться. Потом они в одиночку разъехались по домам, уставившись прямо перед собой с одинаковыми гримасами.

Тому, кто их представил, они оба не нравились, хоть он и притворялся, что это не так, по своему обыкновению ни в коем случае не желая испортить хорошие отношения. А то ведь никогда не знаешь, правда же правда же правда же.

Смерть — это еще не конец

Пятидесятишестилетний поэт, нобелевский лауреат, поэт, известный в американских литературных кругах как «поэт поэтов» или иногда просто «Поэт», лежал на веранде, с голой грудью, умеренно упитанный, в слегка наклоненном шезлонге, на солнце, читал, полулежа, умеренно, но не критично упитанный, обладатель двух Национальных книжных премий, премии Национального круга книжных критиков, Приза Ламонт, двух грантов от Национального фонда искусств, Prix de Rome, стипендии фонда Ланнан, медали Макдауэлла и прижизненной награды Милдред и Гарольда Страусс от Американской академии и института искусств и литературы, почетный президент PEN-клуба, поэт, которого два разных поколения американцев называли голосом своего поколения, пятидесятишестилетний, он лежал в невлажных плавках XL Speedo в постепенно меняющем наклон полотняном шезлонге, стоявшем на облицованном плиткой настиле у домашнего бассейна, поэт, который был в числе первых десяти американцев, получивших престижный «Грант Гения» от фонда Джона Д. и Кэтрин Т. Макартуров, один из трех ныне живущих американских нобелевских лауреатов по литературе, 170 см, 82 кг, глаза карие, линия волос неровная из-за того, как непоследовательно приживались/отторгались трансплантаты от различных брендов «Системы по наращиванию волос», он сидел или лежал — или, если говорить точнее, просто «откинулся» — в черных плавках Speedo у домашнего бассейна в форме почки [i], на облицованном плиткой настиле у бассейна в переносном шезлонге, чья спинка уже была отклонена на четыре щелчка до угла в 35° отн. мозаичной облицовки, в 10:20 утра 15 мая 1995 года, четвертый из списка самых антологизируемых поэтов в истории американской художественной литературы, у зонтика, но не в самой тени, он читал «Ньюсуик» [ii], пользуясь скромным брюшком как наклонной подставкой для журнала,— а также во вьетнамках,— подложив руку под затылок, вторую свесив, чтобы водить по охряно-бурым узорам на дорогой испанской керамической плитке, иногда смачивая палец, чтобы перевернуть страницу, в корректирующих очках, чьи линзы благодаря химической обработке затемнялись пропорционально интенсивности света, на второй руке — наручные часы среднего качества и цены, на ногах — вьетнамки из заменителя резины, лодыжка лежит на лодыжке, а колени слегка расставлены под безоблачным и ослепительным небом с ползущим наверх и направо солнцем, поэт смачивал палец не слюной или потом, а конденсатом с тонкого матового стакана чая со льдом, который сейчас стоял на границе тени, падающей от тела, сверху слева от шезлонга, и который надо было переставить, чтобы тот остался в прохладе, поэт праздно

---

[i] А также первый за 94 года выдающейся истории Нобелевской премии по литературе поэт американского происхождения, получивший заветную Нобелевскую премию по литературе.

[ii] Но не обладатель стипендии фонда Джона Саймона Гуггенхайма: после трех отказов в начале творческого пути у него были основания полагать, что на суждения комитета стипендии Гуггенхайма влияло нечто личное и/или политическое, и Поэт решил, что будь он проклят, пусть его гром разразит, если он еще раз наймет в помощники аспиранта, чтобы тот заполнил три утомительных экземпляра формы на стипендию фонда Гуггенхайма, и когда-либо снова пройдет утомительный презренный фарс «объективного» рассмотрения.

поводил пальцем по стеклу стакана, прежде чем праздно поднять смоченный палец к странице,— впрочем, их он переворачивал изредка, страницы журнала «Ньюсуик» от 19 сентября 1994 года, читал о реформе здравоохранения в США и о трагическом рейсе USAir № 427, читал аннотации и положительные отзывы на популярные документальные книги «Горячая зона» и «Грядущая чума», иногда переворачивал несколько страниц подряд, пропуская отдельные статьи и аннотации, выдающийся американский поэт, ему осталось четыре месяца до пятидесяти семи лет, поэт, которого «Тайм», главный конкурент «Ньюсуика», однажды, как это ни абсурдно, нарек «почти что воплощением подлинного литературного бессмертия среди ныне живущих литераторов», его голени почти без волос, овальная тень открытого зонта понемногу сужается, подошвы вьетнамок из заменителя резины шагренированы с обеих сторон, лоб поэта усеивали капельки пота, загар темный и интенсивный, внутренняя часть бедер почти без волос, пенис тесно свернулся колечком в тесных плавках, бородка клинышком тщательно расчесана, на железном столике пепельница, он не притрагивался к чаю со льдом, изредка откашливался, время от времени слегка ерзал в пастельном шезлонге, чтобы праздно почесать предплюсну большим пальцем другой стопы, при этом не снимая вьетнамок и не глядя ни на одну из ног, словно бы погрузившись в изучение журнала, справа — голубой бассейн и наискосок слева — задняя рольдверь из толстого стекла, а между ним и бассейном — круглый столик из белого плетеного железа, пронзенный в центре огромным пляжным зонтом, тень которого уже не достает до бассейна, достигший всего поэт читал свой журнал в своем шезлонге у своего бассейна за своим домом. Бассейн и настил у дома окружены с трех сторон деревьями и кустарником. Уже давно высаженные, они тесно переплелись, спутались и служат, по сути, той же цели, что и забор из красного дерева или стена из мелкого камня. Разгар весны, деревья и кустарники в цвету, ярко-зеленые и спокойные, они отбрасывали сложные тени, и небо целиком голубое и спокойное, так что вся замкнутая композиция с бассейном, верандой, поэтом, шезлонгом, столиком, деревьями и задним фасадом дома очень спокойна, и безмятежна, и практически безмолвна, слышно только тихое бульканье насоса в бассейне и изредка самого поэта, который откашливается или листает журнал «Ньюсуик»,— ни птиц, ни далеких газонокосилок или кусторезов, ни устройств для борьбы с сорняками, ни самолетов над головой, ни приглушенных звуков из бассейнов домов по обеим сторонам от дома поэта — ничего, кроме дыхания бассейна и изредка горла поэта: все спокойно, безмятежно, замкнуто, даже ни намека на ветерок в листьях деревьев и кустарников, безмолвная живая, ограждающая флора неподвижна, зелена, живописна, вездесуща и не похожа ни на что на свете ни видом, ни сутью [iii].

[iii] Это не совсем правда.

Вечно наверху

С днем рождения. Тринадцатилетие — дело серьезное. Считай, что ты впервые выходишь в свет. Твое тринадцатилетие — шанс для других узнать, как много важного сейчас с тобой происходит.

Узнать о том, что изменилось за последние полгода. У тебя уже семь волосинок в левой подмышке. Двенадцать в правой. Жесткие опасные спирали хрупких черных волос. Хрустких, звериных волос. А у гениталий их уже столько, что ты со счета сбился. И это не всё. Голос у тебя стал глубоким, скрипучим и прыгает между октавами без всякого предупреждения. Лицо начинает блестеть, если долго не умываться. И прошлой весной у тебя две недели что-то жутковато болело в животе, а потом опустилось изнутри: теперь твоя мошонка полная и уязвимая — груз, который надо защищать. Приподнятый, стянутый тугими плавками, которые полосуют ягодицы красными разводами. Ты дорос до новой хрупкости.

И сны. Уже месяцами тебе снятся ни на что не похожие сны: влажные, оживленные и какие-то чужие, в них полно податливых изгибов, неистовых поршней, тепла и падений с большой высоты; и ты пробуждаешься, веки трепещут, и вот прилив, поток и пронзитнльное, поразительное чувство, словно разряд из таких глубин, о которых ты и не подозревал, судороги пронизывающей сладкой боли, острые звезды на черном потолке спальни от уличных фонарей, чьи лучи пробиваются сквозь жалюзи, и между ног шепчет густой белый джем, сочится и липнет, стынет на коже, твердеет и исчезает в утреннем душе, оставляя только заскорузлые узлы бледных твердых звериных волос, и в их влажном переплетении — чистый сладкий запах, и тебе не верится, что он — из тебя.

* * *

Запах больше всего напоминает этот бассейн: сладкая соль хлорки, цветок с химическими лепестками. У бассейна сильный ясный синий запах, хотя ты знаешь, что он не такой сильный, когда ты в самой синей воде, как сейчас, когда ты, наплававшись, облокотился о бортик на мелководье, и там вода по бедра плещет туда, где все изменилось.

Вокруг старого общественного бассейна на западной окраине Тусона — ограда из рабицы цвета олова, украшенная яркой гроздью пристегнутых велосипедов. За ней — черная горячая парковка, полная белых линий и блестящих машин. Унылое поле сухой травы и жестких сорняков, пушистые головки одуванчиков взрываются и снежат на усиливающемся ветру. А за всем этим — горы, подрумяненные круглым медленным сентябрьским солнцем, зазубренные, острые углы их вершин все четче и чернее проявляются на фоне темно-красного уставшего света. На этом фоне из колючих соединенных пиков получается зубчатая линия, ЭКГ умирающего дня.

У края неба облака набирают цвет. Вода в нежно-голубых блестках, по-пятичасовому теплая, и запах бассейна, как тот самый запах, соприкасается с химической дымкой внутри тебя, внутренней темнотой, которая искажает свет по своему разумению, смягчает разницу между тем, что уходит, и тем, что начинается.

Сегодня твой день. За обедом, на день рождения, ты попросил пойти в бассейн. Хотел отправиться один, но день рождения — семейный праздник, и семья хочет быть с тобой. Это мило, и ты не можешь объяснить, почему хотел пойти один, и на самом деле, по правде, может, и не хотел пойти один, так что они здесь. Загорают. Твои родители загорают. По их шезлонгам весь день можно было отмечать время, они вращались, отслеживая дугу солнца на пустынном небе, прожаренном до корочки. Рядом на мелководье играют в Марко Поло [2] твоя сестра с группой худеньких девочек из ее класса. Сейчас водит она — ее Марко уже оПолили. Она с закрытыми глазами вертится на окрики, крутится, как втулка, в колесе из визжащих девчонок в купальных шапочках. На ее шапочке — рельефные резиновые цветы. Старые обвисшие розовые лепестки дрожат, когда она вслепую мечется на звук.

На другом конце бассейна — место для прыжков в воду и вышка с доской. Позади на настиле — К ФЕ, а по бокам — прикрученные над цементными входами в темные влажные душевые кабинки и раздевалки серые металлические рупоры, откуда идет радиомузыка, нестройно-плоская и звонко-тонкая.

Семья тебя любит. Ты смышленый и тихий, уважаешь старших — но и хребет у тебя есть. В целом ты молодец. Присматриваешь за младшей сестрой. Ты ее союзник. Тебе было шесть, когда ей было ноль, и ты болел свинкой, когда ее принесли домой в очень мягком желтом одеялке; ты поцеловал ее в ножки, чтобы она не подхватила свинку. Родители сказали, что это хорошее предзнаменование. Что оно задает тон. Теперь им кажется, что они не ошиблись. Они гордятся тобой во всех отношениях, довольны, и удалились на дружелюбную дистанцию, откуда излучают гордость и удовлетворение. Вы все хорошо ладите.

С днем рождения. Большой день, большой, как свод всего юго-западного неба. Ты все продумал. Вон высокая доска. Скоро они захотят уходить. Залезай и вперед.

Стряхни чистую синюю воду. Ты прохлорированный, рыхлый и мягкий, разваренный, подушечки пальцев — в морщинках. В глазах — туман от запаха слишком чистого бассейна; он преломляет свет до нежного цвета. Постучи по голове ладонью. С одной стороны вялое эхо. Наклони голову и подпрыгни — и сразу внезапное тепло, восхитительное, и согретая мозгом вода холодеет на ракушке уха. Жестяная музыка слышится отчетливее, крики — ближе, больше движения в большей воде.

Бассейн для такого позднего часа переполнен. Тут и тощие детишки, и зверино-волосатые мужчины. Непропорциональные мальчишки — сплошь шеи, ноги и узловатые мослы, впалые груди, чем-то напоминающие птичьи. Как у тебя. Тут и старики, неуверенно двигаются на тонких ногах по мелководью, поводя в воде руками, чужие в любой стихии.

И девочки-женщины, женщины, все в изгибах, как музыкальные инструменты или фрукты, кожа под светло-коричневым лаком, лифчики купальников на деликатных узелках хрупких цветных ниток поддерживают таинственный вес, плавки сидят низко, обхватывают плавные выступы бедер, совсем непохожих на твои,— чрезмерные изгибы и извивы легко сливаются с одеждой, которая поддерживает и вмещает мягкие окружья как что-то драгоценное. Ты почти понимаешь.

Бассейн — система движения. Здесь всё: круги, дуэли брызгами, нырки, гонки, бомбочки, салочки, прыжки с высоты, Марко Поло (твоя сестра все еще водит, сейчас расплачется, она уже слишком долго водит, игра балансирует на грани жестокости, спасать или опозорить — не твое дело). Два чистых ослепительно-белых мальчишки в плащах из хлопковых полотенец носятся вдоль бортика, пока спасатель окриком в мегафон не превращает их в истуканов. Спасатель бурый, как дерево, на животе вертикальная полоска светлых волос, на голове шляпа исследователя джунглей, на носу белый треугольник крема. Одну из ножек вышки обвила рукой девочка. Ему скучно.

Теперь вылезай и иди мимо родителей, которые загорают и читают, не поднимая взгляд. Забудь о полотенце. Остановишься ради полотенца — придется говорить, а говорить значит думать. Ты уже решил для себя, что люди боятся в основном из-за того, что много думают. Иди прямо к глубокому концу. Над ним огромная железная башня грязно-белого цвета. С ее вершины выступает языком доска. Бетонный край бассейна жесткий и горячий под прохлорированными ногами. Каждый следующий отпечаток стоп все тоньше и слабее. Они съеживаются позади тебя на горячем камне и исчезают.

В бассейне под вышкой, который совершенно сам по себе, свободен от судорожного балета голов и рук, качаются линии пластиковых сосисок. Он синий как энергия, маленький, глубокий и идеально квадратный, окаймлен плавательными дорожками, К ФЕ, горячим голым бортиком и выгнутой вечерней тенью от вышки и доски. Он тих и спокоен, и исцеляется, разглаживается между падениями.

В них есть ритм. Как у дыхания. Как у машины. Очередь к доске изгибается вдаль от лестницы, ведущей на вышку. Очередь движется по своей кривой, выпрямляется у подножия. Один за другим люди подходят к лестнице и поднимаются. Один за другим, как удары сердца, достигают языка доски на вершине. А там замирают, на одну и ту же крошечную паузу, равную удару сердца. И ноги несут их к концу, где все, одинаково притопнув, подпрыгивают, вытянув и согнув руки, словно описывая что-то округлое, совершенное; тяжело приземляются на край доски, чтобы та подбросила их вверх и вперед.

Швыряющая машина, линии заторможенных движений в сладком хлористом тумане. Снизу ты видишь, как люди бьются о холодную синюю скатерть бассейна. Каждое падение плюмажем взметает белизну, которая опадает на себя, разбегается и шипит. Потом посреди белизны появляется чистая синева и ширится, как пудинг, обновляя поверхность. Бассейн исцеляет сам себя. Три раза, пока ты идешь к вышке.

Ты в очереди. Оглядись. Стой со скучающим видом. В очереди почти не говорят. Все в себе. Большинство смотрят на лестницу, со скучающим видом. Почти все скрестили руки, озябнув от усиливающегося вечернего ветерка, который сушит созвездия чисто-синих хлорных капель, покрывающих спины и плечи. Кажется невозможным, что всем может быть настолько скучно. Позади тебя край тени от вышки, черный язык от образа доски. Система теней огромная, длинная, перекошенная, сходится с основанием вышки под острым вечерним углом.

Почти все в очереди к доске смотрят на лестницу. Мальчики постарше смотрят на попы девочек постарше, когда те поднимаются выше. Попы в мягкой тонкой ткани, натянутом упругом нейлоне. Хорошие попы двигаются вверх по лестнице как маятники в жидкости, передавая нежный код, который не взломать. При виде ног девочек ты думаешь о ланях. Стой со скучающим видом.

Гляди мимо. Гляди через бассейн. Все отлично видно. Твоя мама в шезлонге, читает, щурится, подняв лицо к солнцу, чтобы загорели щеки. Она не смотрела, где ты. Попивает что-то сладкое из блестящей банки. Твой папа лежит на животе, живот у него большой, спина напоминает горб кита, плечи кудрявятся звериными спиральками, кожа промаслена и пропитана красно-коричневым от слишком сильного загара. Твое полотенце свисает с шезлонга, и его уголок качается — мама задела, отгоняя пчелу, которой нравится банка. Пчела тут же вернулась и как будто неподвижно висит над банкой сладким пятнышком. Твое полотенце — большая морда медведя Йоги.

В какой-то момент очередь позади тебя стала больше, чем впереди. И вот, наконец, перед тобой никого, не считая троих на тесной лестнице. Женщина на нижних ступеньках смотрит вверх, на ней обтягивающий черный нейлоновый купальник, закрытый. Она поднимается. Сверху трясет, потом долгое падение, потом плюмаж воды и бассейн вновь исцеляется. Теперь на лестнице двое. По правилам бассейна на лестнице не должно быть больше одного человека, но спасатель об этом никогда не кричит. Это он своим криком устанавливает настоящие правила.

Женщине перед тобой не стоит носить такой обтягивающий купальник. Ей столько же лет, сколько твоей маме, она такая же большая. Слишком большая и слишком белая. Она переполняет купальник. Бедра сзади сдавлены тканью и похожи на сыр. На ногах под белой кожей резкие загогулины холодных синих трещин-вен, как будто там, в ногах, что-то треснуло, болит. Как будто ногам, исписанным арабской вязью холодной разбитой синевы, больно оттого, что их так стискивает. От них ноги заболели у тебя.

Ступеньки очень тонкие. Неожиданно. Тонкие круглые железные ступеньки со скользкой и влажной тканью. От запаха влажного железа в тени ты чувствуешь во рту привкус металла. Каждая ступенька вдавливается в подошвы и мнет их. Глубоко, больно. Чувствуешь себя тяжелым. Как же тогда себя чувствует толстая женщина перед тобой? Перила по бокам лестницы тоже очень тонкие. Ты как будто не держишься. Остается надеяться, что женщина держится крепко. И, конечно, издалека казалось, что ступенек меньше. Ты же не дурак.

Пройдено полпути, над тобой стоит толстая женщина, на лестнице под ногами — крепкий лысый мускулистый мужчина. Доска высоко над головой, невидима отсюда. Но она дрожит и тяжело шлепает по воздуху, и, черт, ты видишь сквозь тонкие ступеньки падение человека, эти несколько метров, обрамленных лестницей,— колени у груди, чтобы упасть бомбочкой. В поле зрения — огромный восклицательный знак пены, рассеянные шлепки сменяются мощным шипением. Затем опять немой звук исцеления бассейна — и новая синева.

Еще тонкие ступеньки. Держись крепче. Радио здесь громкое, один из динамиков над бетонным входом в раздевалку — на уровне головы. Прохладный сырой дух из раздевалки. Схватись за железные прутья покрепче, развернись и посмотри вниз, увидишь, как под тобой покупают закуски и прохладительные напитки. Ты смотришь на них сверху: чистая белая шапочка продавца, рожки мороженого, дымящиеся латунные холодильники, акваланги с сиропами, змеи шланга с газировкой, выпуклые коробки с соленым попкорном, горячие на жаре. Теперь когда ты над ними, то видишь все.

Ветер. Чем выше, тем ветреней. Ветер слабый; в тени холодит твою влажную кожу. На лестнице в тени твоя кожа очень белая. Ветер еле слышно свистит в ушах. Еще четыре ступеньки до верхушки. От них больно ногам. Они тонкие и дают знать, сколько ты весишь. На лестнице у тебя настоящий вес. Земля хочет тебя вернуть.

Теперь ты смотришь поверх лестницы. Видишь доску. Там женщина. На ее лодыжках, сзади, два рубчика красных, болезненных на вид мозолей. Она стоит у начала доски, ее лодыжки у тебя перед глазами. Теперь ты над тенью вышки. Крепкий мужчина под тобой смотрит в обрамленное ступеньками пространство, где упадет женщина.

Она замирает на тот самый удар сердца. Все происходит так быстро. От этого тебе холодно. Вдруг она уже на конце доски — вверх, вниз, доска выгибается, словно не хочет, чтобы на ней стояли. Потом уходит вниз, хлопает и жестоко швыряет женщину вверх и вперед, ее руки описывают тот самый круг и она пропадает. Исчезает в один жуткий миг. Проходит время, прежде чем ты слышишь удар внизу.

Слушай. Тебе не нравится, как она пропадает во времени перед всплеском. Как камень в колодце. Но ты думаешь, что она так не думала. Она была в ритме, запрещающем думать. А теперь и ты стал его частью. Ритм кажется слепым. Как у муравьев. Как у машины.

Ты решаешь, что об этом надо подумать. Иногда нормально делать что-то страшное, не раздумывая, но не тогда, когда страшно как раз не думать. Не тогда, когда не думать — неправильно. В какой-то момент неправильности накопились грудой: притворная скука, вес, тонкие ступеньки, боль в ногах, нарезанное лестницей пространство, которое сливается только в исчезновении, занимающем время. Ветер на лестнице, которого никто не ожидает. Доска выступает из тени в свет, и ты не видишь дальше ее конца. Когда все оказывается иначе, надо подумать. Это должно быть обязательно.

Лестница под тобой полна людей. Забита, через каждые пару ступенек. Лестницу кормит непрерывная сплошная очередь, что тянется назад и изгибается во мрак наклонной тени от вышки. Люди в очереди сложили руки. У тех, что на лестнице, болят ноги, и они все смотрят наверх. Это машина, которая движется только вперед.

Заберись на язык вышки. Доска тянется так далеко. А время тоже тянется, пока ты там стоишь. Время замедляется. Густеет, а твое сердце выбивает все больше и больше ударов с каждой секундой, с каждым движением в системе бассейна внизу.

Доска длинная. Там, откуда ты стоишь, кажется, что она тянется в никуда. Она отправит тебя туда, куда нельзя заглянуть из-за ее длины, и кажется неправильным покоряться ей, даже не подумав.

Если взглянуть с другой стороны — та же доска всего лишь длинная тонкая плоская штука, покрытая грубым белым пластиком. Белая поверхность очень жесткая, рябая и разлинована бледным, водянистым красным цветом, который, тем не менее все еще красный, а не розовый,— это капли старой воды из бассейна, на которые падает свет вечернего солнца над острыми горами. Жесткий белый пластик доски влажный. И холодный. Ноги невероятно чувствительны, болят от тонких ступенек. Чувствуют твой вес. Над началом доски есть перила. Не такие, как только что были на лестнице. Толстые и очень низкие,— чтобы держаться за них, надо почти согнуться. Они только для виду, никто за них не держится. Если держаться, потратишь время и собьешь ритм машины.

Длинный жесткий белый пластик или стеклопластик доски в прожилках печального, почти розового цвета дешевой конфеты.

Но в конце белой доски, на краю, где надо давить всем своим весом, чтобы подбросило, есть два участка темноты. Две плоские тени на свету. Два нечетких черных овала. На конце доски два грязных пятна.

Они от всех тех, кто прошел до тебя. Когда ты встаешь там, ноги еще чувствительные, вмятины от ступенек не прошли, больно ступать по жесткой мокрой поверхности, и ты видишь, что эти два темных пятна — от человеческой кожи. Кожи, стертой с ног резким исчезновением людей с реальным весом. Тут было так много людей, что трудно посчитать, не сбившись. Вес и трение от их исчезновения оставляют крошечные частички мягкой нежной кожи — частички, шелуху и завитки кожи,— и те пачкаются, темнеют и буреют, крошечные и размазанные под солнцем на конце доски. Они копятся, размазываются и смешиваются. Темнеют двумя овалами.

Вне тебя время не идет. Поразительно. Внизу вечерний балет в замедленном движении, размашистые движения мимов в синем желе. Если бы ты захотел, то мог бы по-настоящему остаться тут навсегда, так быстро вибрируя внутри, что застыл бы неподвижно во времени, как пчела над чем-нибудь сладким.

Но им же надо было вымыть доску. Любой, кто задумается хоть на секунду, поймет, что надо было отмыть конец доски от человеческой кожи, от двух черных скоплений, оставшихся от прошлого,— от пятен, которые отсюда похожи на глаза, слепые и косые глаза.

Там, где ты сейчас, тихо и спокойно. Ветер радио крики плеск — не здесь. Нет времени и нет звуков, только кровь скрипит в голове.

Вид и запах: вот что значит быть наверху. Запахи сокровенны, по-новому чисты. Запах хлорки — цветок особый, но из него к тебе поднимаются и другие, словно снег из семян сорняков. Ты чувствуешь ярко-желтый попкорн. Сладкое масло для загара, как горячий кокос. Хот-доги или корн-доги. Тонкая и жесткая нотка очень темного «Пепси» в бумажных стаканчиках. И особый запах многих тонн воды, которые стекают с многих тонн кожи, он валит, как пар над новой ванной. Звериный жар. Здесь, наверху, он реальнее всего.

Смотри. Ты видишь всю сложность, синее и белое, коричневое и белое, вымоченное в водянистых блестках темнеющего на глазах красного цвета. Всё. Вот что люди называют прекрасным видом. И ты знал, снизу не покажется, что ты забрался так высоко наверх. Но теперь ты видишь, как же ты высоко. Еще там, внизу, ты знал, что никто не сможет этого понять.

Он говорит позади тебя, смотрит на твои лодыжки, этот крепкий лысый мужчина: Эй, пацан. Они хотят знать. Ты тут на весь день или что вообще за дела. Эй, пацан, ты в порядке.

Все это время шло время. Нельзя убить время сердцем. Все требует времени. Чтобы замереть, пчелам приходится двигаться очень быстро.

Эй, пацан, спрашивает он, Эй, пацан, ты в порядке.

На твоем языке расцветают металлические цветы. Больше нет времени на размышления. Теперь, когда время вернулось, у тебя его больше нет.

Эй.

И вот медленно чужие взгляды разбегаются вовне, от лестницы, как круги по воде. Вот твоя уже зрячая сестра и ее тощая белая ватага показывают на тебя пальцами. Мама смотрит на мелководье, где ты недавно был, прикрывает глаза ладонью. Кит ворочается и дрожит. Смотрит вверх спасатель, смотрит вверх девочка у его ног, он тянется к мегафону.

Внизу, в невероятной дали, жесткий бортик, закуски, жестяная музыка — внизу, где ты был раньше; очередь непрерывна, у нее нет заднего хода; да и вода, конечно, мягкая, только когда ты в ней. Посмотри вниз. Теперь она двигается на солнце, в ней полно твердых монеток света, отливающих красным, они простираются в дымку из твоей собственной сладкой соли. Монетки дробятся на новые луны, длинные осколки света из сердца печальных звезд. Квадратный бассейн — холодная синяя простыня. Холод — это та же твердость. Та же слепота. Тебя застали врасплох. С днем рождения. Все ли ты продумал. Да и нет. Эй, пацан.

Два черных пятна, резкость — и исчезновение в колодце времени. Высота не проблема. Все меняется, когда возвращаешься вниз. Когда бьешься всем своим весом.

Так что из этого ложь? Твердость или мягкость? Тишина или время?

Ложь в том, что есть либо одно, либо другое. Неподвижная парящая пчела движется быстрее, чем думает. Она в небе, и сладость внизу сводит ее с ума.

Доска кивнет, и ты уйдешь, и только глаза кожи слепо косятся в забитое облаками небо, в проколотый свет, и он льется за острый камень, который и есть вечность. Вечность. Войди в кожу и исчезни.

Привет.

Короткие интервью с подонками

КИ № 14 08/96
СЕНТ-ДЭВИДС, ПЕНСИЛЬВАНИЯ

Мне это стоило всех сексуальных отношений. Не знаю, зачем я так делаю. Я далек от политики, всегда был далек. Я не из тех, которые «Америка, вперед!», читают газеты, пройдет ли там Бьюкенен. Вот занимаюсь этим с какой-нибудь девушкой, не важно с какой. И когда я кончаю. Тогда и начинается. Я не демократ. Я даже не голосую. Один раз сорвался и позвонил насчет этого на радио, доктору на радио, анонимно, и он поставил диагноз — неконтролируемые выкрики непроизвольных слов или фраз, часто оскорбительных или нецензурных, официально называется «копролалия». Только когда я кончаю и начинаю кричать — это не оскорбления, ничего непристойного, а всегда одно и то же, и всегда так странно, хотя вряд ли даже оскорбительно. По-моему, просто странно. И непроизвольно. Как будто эти слова выходят так же, как выходит сперма, такое ощущение. Не знаю, откуда это взялось, и ничего не могу с собой поделать.

Вопрос.

«Победа Силам Демократической Свободы!» Только намного громче. Как бы реально кричу. Непроизвольно. Я об этом даже не думаю, пока сам не слышу. «Победа

Силам Демократической Свободы!» Только громче: «*ПОБЕДА...*»

Вопрос.

Ну, психуют, а вы как думаете? А я просто умираю от стыда. Даже не знаю, что сказать. Что сказать, если крикнул: «Победа Силам Демократической Свободы!», когда кончил?

Вопрос.

Мне было бы не так стыдно, если бы не было так охренненно странно. Если бы я сам был в курсе, что это значит. Понимаете?

Вопрос...

Боже, мне теперь адски стыдно.

Вопрос.

Да в том-то и дело, что *нет* никакого второго раза. Я же говорю, мне это стоило всего. Я вижу, как они психуют, и мне стыдно, и я больше им не звоню. Даже если пытаюсь объяснить. Но есть и те, кто ведет себя так, будто им все равно, и ничего страшного, и они всё понимают, и с ними мне совсем стыдно, ведь это же так охрененно странно — кричать «Победа Силам Демократической Свободы!», когда отстреливаешься,— и я вижу, что на самом деле они психуют и просто снисходят до меня, и притворяются, что понимают, и именно такие в итоге чуть ли не бесят, и мне даже не стыдно больше им не звонить или избегать,— тех, которые говорят: «По-моему, я полюблю тебя и таким».

КИ № 15 08/96
БРИДЖУОТЕРСКОЕ ИСПРАВИТЕЛЬНОЕ
ЗАВЕДЕНИЕ, ОТДЕЛЕНИЕ НАБЛЮДЕНИЯ
И ОЦЕНКИ, БРИДЖУОТЕР, МАССАЧУСЕТС

Это склонность, и, если принять во внимание минимальное принуждение и безвредность, она, по сути, доброкачественная — думаю, вы согласитесь. И в целом, к вашему сведению, на удивление редкие случаи требуют какого-либо принуждения.

Вопрос.

С психологической точки зрения истоки этой склонности кажутся очевидными. Надо добавить, все психологи сходятся во мнениях на этот счет как здесь, так и там, снаружи. Так что все чистенько.

Вопрос.

Ну, мой отец, можно сказать, по естественной склонности не был хорошим человеком, но тем не менее усердно старался хорошим человеком быть. Сдержанным и тому подобное.

Вопрос.

Вы поймите, я же их не пытаю, не жгу.

Вопрос.

Склонность моего отца к гневу, особенно [неразборчиво или искажено] в очередной раз в травмпункте, и боялся собственной несдержанности и склонности к бытовому насилию, это какое-то время накапливалось, и наконец он прибегнул — не сразу, после долгого периода безуспешных психотерапевтических консультаций,— к практике сковывать собственные запястья наручниками за спиной, когда не мог сдерживаться. Дома. В быту. Знаете, такие вроде бы незначительные бытовые инциденты, которые действуют на нервы. Через какое-то время это самоограничение начало прогрессировать, и чем больше он злился, тем больше принуждал нас его ограничивать. Часто все оканчивалось тем, что бедняга лежал на полу гостиной, связанный по рукам и ногам, и орал от ярости, приказывал нам засунуть этот ебаный кляп прямо ему в пасть. Уж не знаю, представляет ли эта деталь хоть какой-то интерес для тех, кому не выпала честь увидеть все собственными глазами. Мы пытались засунуть кляп и не лишиться пальцев. Зато теперь мы можем объяснить мои склонности, проследить их истоки и увязать концы с концами, все славно и чистенько, правда же.

КИ № 11 06/96
ВЕНА, ВИРДЖИНИЯ

Ладно, я, так, да, но погоди секунду, да? Я хочу, чтобы ты попыталась меня понять. Да? Слушай. Я знаю, что я мрачный. Знаю, что иногда замыкаюсь в себе. Знаю, что тогда со мной сложно, да? Ладно? Но каждый раз, когда я мрачнею или замыкаюсь в себе, ты думаешь, будто я ухожу или готовлюсь тебя бросить,— вот это меня бесит. Вот это, что ты все время боишься. Это изматывает. От этого кажется, что мне надо как бы скрывать свое настроение, а то ты тут же решишь, что дело в тебе, и я готовлюсь тебя бросить и уйти. Ты мне не веришь. Не веришь. Я не говорю, будто, учитывая нашу историю, я заслуживаю особого доверия вот так с потолка. Но ты ведь совсем мне не веришь. Как бы у меня нет права на ошибку, что бы я ни делал. Да? Я же сказал — обещаю, что не уйду, и ты ответила, будто веришь, что теперь-то я с тобой надолго, но на самом деле не веришь. Да? Просто признай, ладно? Ты мне не веришь. Я все время как на минном поле. Понимаешь? Не могу же я постоянно тебя успокаивать.

Вопрос.

Нет, я не говорю, что *это* успокаивает. Сейчас я хочу, чтобы ты поняла — так, слушай, бывают приливы и отливы, да? Иногда люди увлечены больше, иногда меньше. Просто такова жизнь. Но нельзя все время быть на приливе. Тогда кажется, что никакого прилива нет. И знаю, что я в чем-то виноват, да? Знаю, что из-за прошлых случаев ты не чувствуешь себя в безопасности. И я уже ничего не могу с этим поделать, да? Но сейчас мы живем в настоящем. И сейчас мне кажется, что стоит мне не захотеть разговаривать с тобой, или чуток помрачнеть, или замкнуться, как ты сразу думаешь, будто я планирую тебя бросить. А это мне всю душу переворачивает. Понимаешь? Просто душу переворачивает. Может, если бы я любил тебя меньше или относился хуже, я бы пережил. Но я не могу. Так что да, вот зачем сумки. Я ухожу.

Вопрос.

И я — вот именно такой реакции я и боялся. Так и знал, что ты подумаешь, будто правильно все это время боялась и не чувствовала себя в безопасности, и не верила. Знал, что начнется: «Видишь, ты обещал, что не уйдешь, а сам уходишь». Так и знал, но все равно попытаюсь все объяснить, да? И знаю, это ты тоже вряд ли поймешь, но — подожди — просто послушай и, не знаю, попытайся вникнуть, хорошо? Готова? То, что я ухожу, *не* подтверждение твоих страхов. *Нет.* Я ухожу *из-за* них. Да? Можешь ты понять? Твой страх — вот чего я не выношу. Твои недоверие и страх — вот с чем мне приходится бороться. И я больше не могу. Выдохся. Если бы я любил тебя меньше, может, я бы пережил. Но на меня это давит, это постоянное чувство, что я тебя все время пугаю и ты никогда не чувствуешь себя в безопасности. Можешь ты понять?

Вопрос.

С твоей точки зрения, это иронично, я понимаю. Да. И понимаю, что теперь ты меня ненавидишь. И я долго готовился к твоей ненависти и этому выражению на лице, что все страхи и подозрения полностью подтвердились,— ты бы сама видела, да? Клянусь, если бы ты сейчас видела свое лицо, любой бы понял, почему я ухожу.

Вопрос.

Прости. Я не хотел все это так вываливать. Прости. Дело не в тебе, да? В смысле, значит, это со мной что-то не так, раз ты не можешь мне доверять после стольких недель или жить с нормальными приливами и отливами, не думая постоянно, что я готовлюсь уйти. Не знаю, что, но, значит, что-то не так. Ладно, и я знаю, у нас с тобой и в прошлом все было не очень, но клянусь, я говорю абсолютно серьезно, и выкладывался я на сто и больше процентов. Богом клянусь, выкладывался. Прости, пожалуйста. Я бы все отдал, лишь бы не делать тебе больно. Я люблю тебя.

Я всегда буду любить тебя. Надеюсь, ты мне веришь, но сам я уже тебя убеждать не могу. Только, прошу, поверь, что я выкладывался. И не думай, что это из-за тебя. Не мучай себя. Из-за нас, я ухожу из-за нас, да? Можешь ты понять? Что это не то, чего ты так все время боялась? Да? Можешь ты понять? Можешь просто понять, что, *может*, была неправа, хотя бы *в теории*? Хотя бы в этом можешь уступить, как думаешь? Потому что мне-то сейчас тоже не очень весело, да? Так уходить, видеть такое твое лицо, которое навсегда останется у меня в памяти. Можешь ты понять, что я тоже сильно переживаю? Можешь? Что ты не одна такая?

КИ № 3 11/94
ТРЕНТОН, НЬЮ-ДЖЕРСИ (ПОДСЛУШАНО)

Р——: В общем схожу последний как обычно и там все дела.

А——: Ага просто сиди и отдыхай себе на кресле до последнего почему всем постоянно надо вскочить как только приземлились и толкаться в проходах и ты тупо стоишь с сумками толкаешься потеешь пять минут только чтобы...

Р——: Ты погоди и наконец выхожу я с самолета и в такое знаешь место у гейта зона для встречающих и думаю как обычно возьму такси до...

А——: И вот кстати самое паршивое в наших командировках когда выходишь в зону для встречающих и видишь как всех встречают с визгами-объятиями и водилы лимузинов держат имена на табличках а твоего имени там нет и я...

Р——: Заткнись блин на секунду потому что слушай говорю потому что к моему приходу там уже было почти пусто.

А——: То есть говоришь люди к этому моменту в массе своей рассосались.

Р——: Кроме одной девушки у веревки стоит смотрит в этот проход и видит меня а я вижу ее потому что там уже никого нет кроме нее наши глаза встретились и все дела и что она делает она вдруг падает на колени рыдает ручьем и все дела бьет кулаками по ковру царапает вырывает клочки и нитки из этой дешевки у которой низкополимерный клей перестает держать прям в день покупки и в итоге через пять лет утраивает расходы на ТО ну уверен ты и так это отлично знаешь и вся свернулась бьет и рвет продукт ногтями, так согнулась что ну знаешь даже сиськи видно. Полная истерика и с ручьями и все такое.

А——: Очередное теплое приветствие Дейтона за наши гребаные командировки, рады вас приве...

Р——: Нет на самом деле оказывается на самом деле когда я ну знаешь подхожу спросить Вы в порядке что случилось и все такое и заодно попялиться и должен сказать там просто охренительные сиськи под таким знаешь обтягивающим топом как бы трикотажным топом под курткой пока она на коленях хлещет себя по щекам и все проводит проверку на прочность продукта аэропорта и говорит мол парень в которого она влюбилась и все дела сказал мол тоже ее любит да только был уже помолвлен еще до их встречи и любви с первого взгляда и в общем туда-сюда слово за слово хреном по столу пока я подставляю плечо ее горю но наконец значит наконец тот парень чухнулся и наконец говорит что покоряется любви к этой девчонке с сиськами и сделает предложение и говорит что поедет и скажет той девчонке в Талсе где он живет с которой помолвлен о девушке здесь и порвет с той из Талсы и наконец покорится и сделает предложение этой истеричке с сиськами ведь она его любит больше жизни и чувствует что у них родные «души» ну и все эти девчачьи сопли и чувствует что вот наконец господи после стольких гондонов с одним и тем же на уме наконец радость наконец ей кажется она встретила парня которому может доверять и любить и сливаться с ним «душами» и всякие сопли и ванилька и тог...

А——: И бла-бла-бла.

Р——: Бла и говорит тогда полетел этот парень в Талсу чтобы разорвать помолвку с первой девушкой как и обещал чтобы потом прилететь обратно в объятия этой девушки, которая с салфетками «Клинекс» и сиськами навыкат стоит в Дейтоне у ворот с ручьями из глаз перед вашим покорным слугой.

А——: Ох какая *неожиданность*.

Р——: Завали блин и мол он кладет руку на сердце все такое и клянется что вернется к ней и будет на рейсе с таким-то номером и временем а она клянется что будет там с сиськами его встречать, и говорит всем друзьям рассказала мол наконец у нее по-настоящему и мол он порвет и вернется к ней и она вылизывает дом к его возвращению и фигачит себе прическу с таким спреем ну как они умеют и капает духами на свою ну ты знаешь зону и все дела обычная тема и надевает свои лучшие розовые джинсы а я кстати сказал что она в таких розовых джинсах и на каблучках что так и говорят трахни меня типа на миллионах языков мира...

А——: Хе-*хе*.

Р——: К этому моменту мы уже в маленькой типа кофейне прямо напротив ворот USAir ну такой отстойной без кресел где приходится со сраным кофе за два бакса стоять у столиков пока чемодан с образцами сумка и все говно лежат на бюджетной плитке которая даже без подогрева и уже начинает загибаться на стыках и я подаю ей «клинексы» и подставляю плечо и все дела как она пропылесосила тачку и даже заменила освежитель на зеркале заднего вида и пришкандыбала в аэропорт вовремя чтобы встретить рейс номер такой-то на котором этот так называемый достойный доверия парень мамой блин клялся прилететь.

А——: А парень гондон старой школы.

Р——: Заткнись и вот она говорит что он даже звонил был звонок да пока она размазывает последнюю каплю по своей зоне и заливает спреем прическу чтобы она так торчала и готовиться шкандыбать в аэропорт звонит телефон и это парень и в трубке шипение и помехи и она говорит он говорит мол он звонит с небес и как это романтично звонит ей с телефона знаешь который висит на спинке кресла перед тобой в котором еще надо свою карточку проводить и говорит...

А——: На этих штуках тариф шесть баксов в минуту просто грабеж и плюс еще платить вдвое больше если звонишь в регион над которым летишь а потом перелетаешь в сосед...

Р——: Но я не об этом ты вообще будешь слушать я о том что эта девушка говорит как она приехала пораньше в зону для встречающих и уже готовит свои ручьи уже от любви и ванильки и признания и наконец доверия и стоит мол радостная и доверчивая как жалкая дурочка мол и наконец прибывает рейс и мы всей толпой вываливаемся из этого такого самолетного коридора и его нет в первой волне и его нет во второй волне и народ теперь идет такими маленькими волнами кучками как будто этот самолет типа как посрал знаешь...

А——: Боже как вспомнить сколько раз я сидел в гребаном самолетном туа...

Р——: И говорит как жалкая как полная дурочка она все не теряет веры все смотрит пялится на народ из-за плетеной веревки-ограждения такой темно-бордовой веревки из восьми типов нитей и с прикольными псевдобархатными кисточками и все обжимаются и все встречаются или идут на выдачу багажа а она ждет что этот парень будет в следующей волне, кучке а потом в следующей и в следующей и все такое ждет.

А——: Несчастная глупышка.

Р——: Мол в конце концов я схожу последним как обычно и никого после меня кроме экипажа они с этими своими маленькими аккуратными одинаковыми сумочками почему-то бесят меня эти аккуратные сумочки и в общем всё и я последний и она...

А——: То есть говоришь это не из-за тебя она кричала и била по полу просто ты был последний и ты не тот гондон. Урод наверное даже звонок подделал а помехи если включишь бритву «Ремингтон» получаются помехи как...

Р——: И говорю тебе ты в жизни не видел никого чтоб слова «разбитое сердце» ты думаешь это просто слова бла-бла но посмотришь на эту девушку как она колотит себя по голове что была такой дурой так рыдает что почти дышать не может и все дела, обхватывает себя трясется бьет по столу с такой дурью что приходится чашку убрать чтоб не перевернулась и мол мужики козлы и все подруги говорили нельзя никому верить а она наконец встретила того кому думала можно реально доверять отдаться и покориться и жить и они правы она дурочка мужики просто козлы.

А——: В основном мужики козлы, тут ты прав, хе-хе.

Р——: И я короче стою там держу кофе и я даже уже поздно и я даже не хочу эту хрень без кофеина подставляю плечо и душа у меня должен сказать душа у меня так и болит за эту девчонку с разбитым сердцем. И я клянусь ты в жизни не видал разбитого сердца как у той девчонки с сиськами, и я ей говорю что она права и что парень козел и даже ее не заслуживает и что правда все мужики козлы и что у меня за нее душа болит и все такое.

А——: Хе-хе. Ну и что потом было?

Р——: Хе-хе.

А——: Хе-хе-*хе*.

Р——: И ты еще спрашиваешь?

А——: Ох ты и сволочуга. Ох гондон.

Р——: Ну ты понял в смысле а что еще-то.

А——: Ну ты и гондон.

Р——: Ну ты понял.

КИ № 30 03/97
ДРУРИ, ЮТА

Должен признать, это главная причина, почему я на ней женился,— мысль, что лучше не найти, потому что у нее осталось красивое тело даже после того, как она родила. Подтянутая и хорошая, и ноги хорошие — родила, но не распухла, не появились вены, не обвисла. Наверно, звучит мелочно, но как есть. Я всегда ужасно боялся жениться на красивой женщине, а потом она родит и распухнет, а мне все равно придется заниматься с ней сексом, потому что я подписался заниматься с ней сексом всю оставшуюся жизнь. Наверно, звучит мерзко, но в этом случае ее как будто для меня протестировали — она родила и не распухла, так что я понял, что это отличный выбор, чтобы подписаться, нарожать детей и спокойно заниматься сексом. Мелочно звучит? Скажите, что думаете. Или истинная правда о таких вот вещах всегда звучит мелочно — ну? знаете, истинные причины? Что думаете? Как оно звучит?

КИ № 31 03/97
РОЗУЭЛЛ, ДЖОРДЖИЯ

Но хочешь знать, как стать по-настоящему великим? Как Великий Любовник ублажает даму? Да, все эти ваши примитивные угодники всегда скажут, что и так знают, что они эксперты и прочее. Это не сигарета, девочка, держи дым в легких. Большинство из этих мужиков ни черта не рубит, как ублажить даму. Вообще. А многим из них и плевать, сказать по правде. Вот тебе первый тип мужика, такой беляш с пивом на диване, примитивная свинья. Такой мужик и свою-то жизнь не замечает, а когда дело доходит до занятия любовью — о, он чистейший эгоист. Он хочет все, что дают, и пока дают — больше его ничего не волнует. Это такой тип, который залезает на нее и начинает, а как кончает, слезает и давай храпеть. Ты полегче. О, пожалуй, это и есть старомодный стереотипный мужик, в годах, в браке двадцать лет и даже не знает, кончила его жена хоть раз или нет. Даже не подумает спросить. Кончает *он*, а это главное, что его волнует.

Вопрос.

Я говорю не о таких мужиках. Это, скорее, животные — залез, слез и точка. Держи вот тут, ближе к концу, и вдыхай не так много, как с обычной сигаретой. Лучше подержать в легких и дать разойтись. Это моя, я сам выращиваю, у меня целая комната в «Майларе» и с лампами, девочка, ты не поверишь, почем она тут идет. Эти мужики — всего лишь животные, они в той игре, о которой мы тут говорим, даже не участвуют. Нет, потому что мы тут говорим о втором основном типе мужика — мужике, мнящем себя Великим Любовником. И для таких реально важно считать себя Великими. У них это отнимает кучу времени — они мнят себя Великими и считают, что знают, как ублажить женщину. Вот это и есть твои чуткие угодники. Да, они выглядят полной противоположностью того белого быдла, которому вообще насрать. Хорошо, но ты полегче. Но да, не думай теперь, что такие мужики чем-то лучше, чем вот те примитивные свиньи. То, что они мнят себя Великими Любовниками, не значит, что им на нее не насрать так же, как белому быдлу, и в глубине души они в постели ровно такие же эгоисты. Просто мужик такого типа в постели заводится от мысли, что он Великий Любовник, от которого дамочка в постели сойдет с ума. Для них главное — удовольствие женщины и дарить ей это удовольствие. Эта вся тема такого типа.

Вопрос.

О, скажем, например, они час за часом трудятся языком над киской, учатся не кончать, держатся часами, знают все точки джи и позы экстаза и прочее. Бегают в «Барнс энд Ноубл» за всеми последними книжками по женской сексуальности, чтобы всегда быть в курсе, что там творится. Судя по твоему взгляду в никуда, догадываюсь, ты сталкивалась с таким угодником разок-другой — лосьон после бритья с феромонами, клубничное масло, массаж и касания, он все знает о мочке уха и какой румянец что значит, и об ареоле, и обратной стороне коленки, и такой новой маленькой ультрачувствительной точке, которую, говорят, нашли прямо позади джи,— этот тип мужика знает все, и можешь не сомневаться, он даст *тебе* знать, что знает, как... так, дай сюда. Я тебе покажу. Вот, и да, девочка, можешь не сомневаться, *такой* тип мужика хочет знать, кончила она или нет, и сколько раз, и что никого лучше у нее не... и вот так. Видишь? Когда выдыхаешь, лучше даже не видеть дыма вообще. Это значит, он весь в тебе. Ты же вроде бы говорила, что уже курила. Это тебе не обычное подзаборное сено беляшей. Каждый раз, как женщина кончит, для этого мужика — как зарубка на ружье. Вот как он это понимает. Она слишком хороша, чтобы половину выдыхать, это как купить «порш» и ездить на нем только в церковь. Нет, он ставит зарубки, этот мужик. Наверное, хороший способ их сравнить. Два типа. Эта твоя свинья делает зарубку каждый раз, как вставит, вот и все зарубки, им по фиг. Но так называемый мужик типа Великого Любовника ставит зарубку каждый раз, как кончает она. Но и тот и другой всего лишь ставят зарубки. В глубине души они на самом деле одного типа. У них разные темы, но все же их интересует только своя, в постели, а дамочке в глубине души будет казаться, будто ее так или иначе использовали. Это если у дамы есть какое-никакое чутье, но это другая история. А теперь, девочка, когда остается мало, не берешь и не давишь каблуком, как с обычной сигаретой. Тут лучше смочить палец и нежно зажать на конце, и затушить, и сохранить, у меня есть, где сохранить. Лично у меня особый подход, но этот ваш вот почему их никто не выбрасывает. Сама подумай, встречала когда-нибудь такую коробочку от фотопленки в мусоре.

Вопрос.

Нет, но вот тебе классический симптом, как отличить этих твоих Великих Любовников: в постели они кучу времени трудятся языком у киски дамы, снова и снова, пока она не кончит семнадцать раз подряд, но потом — сама смотри, найдется ли на всем белом свете способ, чтобы *дама* уговорила его и взяла *его* драгоценную письку в рот. Ничего подобного, он сразу начнет: «О нет детка дай я все сам я хочу видеть как ты снова кончишь детка о детка ты просто лежи а уж я займусь любовной магией»,— и прочее в том же духе. Или выучит эту свою особую корейскую хрень и сделает ей глубокий массаж, или притащит особое черемуховое масло для массажа ног и рук — и тут, девочка, должен признать, что, если тебе ни разу не делали качественный массаж рук, считай, ты вовсе не жила, поверь мне,— но даст ли он дамочке ответить самой и потереть ему спинку хоть раз? Никак нет, ни в коем разе. Потому что вся тема мужика такого типа в том, что это *он* тут дарит удовольствие, спасибо большое, мэм. Видишь, у меня совсем другая, крышка завинчивается и с герметичной подкладкой, чтобы карман не пропах, они еще те поганые вонючки, а потом прямиком в этот маленький кармашек, и смотри, он выглядит так, что — о, тут же может быть что угодно. Потому что здесь эти самые угодники и прокалываются. Вот почему я испытываю презрение к мужикам, которые мнят, будто они Божий дар для женщин. Потому что этот самый первый тип беляша хотя бы в чем-то честен — они хотят вставить, слезть, и точка. Тогда как этот примитивный угодник мнит себя таким чутким и знающим, как ублажить даму, только потому, что знает про клиторальное всасывание и ишиацу, и видеть их за делом в постели — как видеть какого-нибудь тупорылого механика в белой спецовке, раздутого от собственной важности, когда он работает над «поршем». Они мнят себя Великими Любовниками. Они думают, что благородны в постели. Нет, подстава в том, что они *эгоистичны* в своем благородстве. Они не лучше тех свиней, просто похитрее. Теперь тебе захочется пить, теперь тебе лучше глотнуть «Эвиан». От этой дури во рту сохнет только так. Я ношу с собой бутылочки «Эвиан» во внутреннем кармане, видишь? Сшито на заказ. Давай, бери, тебе лучше попить. Давай.

Вопрос.

Девочка, без проблем, оставь себе, тебе уже через полминуты захочется еще выпить. Я клянусь, ты говорила, что уже пробовала. Надеюсь, я тут не совращаю мормонку из Юты, а? «Майлар» лучше фольги, отражает больше света, тот весь уходит в растение. Сейчас есть особые семена, из которых растения вырастают не выше, чем досюда, но это смертельно, это смерть на блюдечке. В Атланте таких мужиков, кажется, особенно много. Чего они не понимают, так это, что их тип для дам с каким-никаким чутьем — еще хуже, чем обычные залезающие-слезающие свиньи. А тебе бы понравилось просто лежать, чтоб тебя обрабатывали, как «порш», а ты так и не почувствовала *себя* благородной, и сексуальной, и опытной в постели, и тоже Великой Любовницей? Хм-м? Хм-м? Вот тут мужики типа угодников и проигрывают. Они хотят быть единственным Великим Любовником в постели. Забывают, что у дамы тоже есть чувства. Кто захочет лежать и чувствовать себя неблагородной и жадной, пока какой-то яппи с «поршем» выделывается с Тантрическими Тучами и Дождем Полулотоса и про себя делает зарубки, сколько раз ты кончила? Если прополоскать во рту, то будет лучше, «Эвиан» тут реально отлично помогает, и плевать, что это вода для тупорылых яппи, если она годная, понимаешь, да? Главное, за чем надо следить,— если мужик, когда перейдет вниз, если он держит одну ладонь у тебя на животе, чтобы реально убедиться, кончаешь ли ты,— о, вот тогда ты сразу поймешь. Он хочет убедиться. Этот сукин сын не Любовник, он только выделывается. На тебя ему насрать. Хочешь мое мнение? Хочешь знать, как реально стать Великим, чтобы ублажить ее, хочешь знать то, что не просчитал даже один парень из тысячи?

Вопрос.

Хочешь?

Вопрос.

Секрет в том, чтобы давать дамочке наслаждение и уметь его принимать, с равной техникой и с равным удовольствием. Или хотя бы убедить *ее* в этом. Не забывать, что дело в *ней*. Давай, вылизывай ей киску, пока она умолять не начнет, конечно, давай, но допусти и ее до своей письки, и даже если она не подарок — о, так терпи и убеди ее в том, что она еще какой. И, типа, даже если она считает, что массаж спины — это какие-то смешные карате-удары по позвоночнику, о, так дай ей и веди себя так, будто впервые столкнулся с таким шикарным карате. Если мужик хочет быть истинным Великим Любовником, так пусть подумает о *ней* хоть одну хренову секунду.

Вопрос.

Я нет, девочка, нет. В смысле, обычно да, но, боюсь, я уже дунул. Реальный провал мужиков такого типа, подражателей Великому, в том, что они думают, будто женщина, если свести к сути, дура. Будто все, чего она хочет,— просто лежать и кончать. Реальный секрет: представь, что она думает так же, как ты. Что она хочет видеть себя Великой Любовницей, которая в постели может взорвать мозг любому мужчине. Дай ей. Хоть раз в жизни задвинь самомнение на задний план. Угодники думают, что если взорвут мозг дамочке, то они и победили. *Хер* там.

Вопрос.

Но тебе одной будет мало, девочка, поверь. Тут в паре кварталов есть рыночек, и если мы... эй, осторожней...

Вопрос.

Нет, сделай так, чтобы она решила, будто взорвала *тебе* мозг. Вот чего они реально хотят. Вот тогда ты реально и истинно победил — если она думает, что тебе ее не забыть. Никогда в жизни. Сечешь?

КИ № 36 05/97
ФИЛИАЛ СТОЛИЧНОГО КОНСУЛЬТАЦИОННОГО ЦЕНТРА ПО РАБОТЕ С НАСЕЛЕНИЕМ В СЛУЧАЕ ДОМАШНЕГО НАСИЛИЯ
АВРОРА, ИЛЛИНОЙС

И я решил обратиться за помощью. Я осознал, что настоящая проблема вовсе не в ней. Я понял, что она вечно будет изображать жертву моего злодейства. Я был не в силах ее изменить. Она не та часть проблемы, на которую я, ну знаете, могу повлиять. И я принял решение. Я решил попросить помощи для *себя*. Теперь я знаю — это мой лучший поступок в жизни, пусть и самый трудный. Это было непросто, но теперь моя самооценка выросла. Я остановил спираль стыда. Я научился прощать. Я *нравлюсь* себе.

Вопрос.

Кто?

Очередной пример проницаемости некоторых границ (XI)

Как и во всех остальных таких снах, я с кем-то, кого знаю, но не знаю откуда, и вдруг он говорит мне, что я слепой. То есть буквально слепой, незрячий. Или в присутствии этого человека я вдруг осознаю, что я слепой. Дальше, когда я это осознаю, мне становится грустно. Мне невероятно грустно из-за того, что я слепой. Этот человек откуда-то знает, как мне грустно, и предупреждает, что слезы могут повредить глаза, и слепота будет только хуже, но я ничего не могу поделать. Я сажусь и плачу изо всех сил. Я просыпаюсь в слезах и плачу так сильно, что реально ничего не вижу. Из-за этого я плачу еще сильнее. Моя девушка волнуется и просыпается, и спрашивает, что случилось, и успевает пройти минута, если не больше, пока я не приду в себя и не пойму, что спал и теперь проснулся, и на самом деле я не слепой, и плачу без причины, и я рассказываю девушке про сон, и слушаю ее мнение. Потом весь день на работе я постоянно помню о зрении, глазах и как это хорошо — видеть цвета и лица людей и точно знать, где я, и как это хрупко — человеческий механизм глаза и способность видеть,— как легко это потерять, и как я постоянно вижу слепых с тросточками и странными лицами, и всегда думаю, что на них интересно взглянуть на пару секунд, но никогда не думаю, что это имеет отношение ко мне или моим глазам, и что на самом деле это просто удачное совпадение, что я зрячий, а не один из слепых, которые встречаются в метро. И весь день на работе, когда я об этом думаю, у меня глаза на мокром месте, я готов расплакаться, и от слез удерживают только низкие офисные перегородки и то, что все меня видят и будут волноваться, и весь день после сна идет наперекосяк, и это чертовски утомляет, как бы сказала моя девушка — эмоционально изматывает, и я ухожу пораньше, и иду домой, и я такой усталый и сонный, что глаза слипаются, и, добравшись до дома, я бухаюсь в постель где-то около 16:00 и более-менее отключаюсь.

Личность в депрессии

Личность в депрессии переживала жуткую и нескончаемую эмоциональную боль, и сама невозможность поделиться этим чувством или выразить его была компонентом боли и усиливала фундаментальный ужас перед нею.

Так, отчаявшись описать эмоциональную боль или выразить ее чрезвычайность людям вокруг, личность в депрессии описывала обстоятельства, и прошлые, и настоящие, связанные с болью, с ее этиологией и причинами, в надежде передать хотя бы что-то из контекста боли, ее — так сказать — форму и текстуру. К примеру, родители личности в депрессии, которые развелись, когда она была еще маленькой, использовали ее как пешку в своих отвратительных играх. В детстве ей были нужны услуги ортодонта, и каждый из родителей заявил — не без оснований, учитывая поистине медичивские двусмысленности формулировок договора о разводе, о чем личность в депрессии всегда упоминала, рассказывая о мучительной борьбе родителей за оплату ортодонтии,— что платить должен другой. И ядовитый гнев каждого родителя из-за мелочного, эгоистичного отказа другого платить изливался на дочь, которая вновь и вновь слышала от них, что другой не любит никого, кроме себя. Оба родителя были весьма состоятельными, и каждый втайне признавался личности в депрессии, что он/а, разумеется, если до этого дойдет, готов/а сполна оплатить нужную личности в депрессии ортодонтию и еще добавить сверху, что это, по сути, вопрос не денег или здоровья зубов, но «принципа». И личность в депрессии всегда старалась, уже во взрослом возрасте описывая близкой подруге обстоятельства борьбы из-за стоимости ортодонтии и последствия этой борьбы в виде эмоциональной боли, признавать, что, вполне возможно, в глазах каждого из родителей все выглядело именно так (т. е. вопросом «принципа»), но, к сожалению, не того «принципа», который учитывал бы нужды дочери или ее чувства, возникающие из-за эмоционального посыла, согласно которому для родителей сведение мелочных счетов друг с другом было куда важнее ее челюстно-лицевого здоровья,— а если смотреть с определенной точки зрения, это было неким видом родительского невнимания, пренебрежения или даже прямого жестокого обращения, очевидно связанного — здесь личность в депрессии почти всегда добавляла, что ее психотерапевт согласна с такой оценкой,— с бездонным, хроническим взрослым отчаянием, от которого она страдала каждый день и из которого не надеялась выбраться. И это только один пример. Всякий раз, когда личность в депрессии во время телефонных разговоров с участливыми подругами вспоминала об этом болезненном и травмирующем обстоятельстве из прошлого, в среднем она употребляла четыре вставных извинения, как и своего рода преамбулу, в которой пыталась описать, как больно и страшно чувствовать себя неспособной артикулировать саму мучительную боль хронической депрессии, как больно и страшно вместо этого перечислять примеры, ведь те, вероятно, казались другим, как она всегда спешила признать, муторными, или полными жалости к себе, или же они напоминали о людях, которые нарциссически одержимы своими «несчастным детством» и «несчастными жизнями», купаются в боли и настаивают на утомительно долгом пересказе жизненных обстоятельств друзьям, желающим проявить поддержку и участие, и тем наскучивают и отталкивают их.

Подруг, с которыми личность в депрессии связывалась в поисках поддержки и которым старалась открыться, чтобы поделиться хотя бы контекстуальной формой непрерывных психических терзаний и чувства изоляции, было около пяти, и они подвергались регулярной ротации. Психотерапевт личности в депрессии — с высшей ученой степенью как по психологии, так и по медицине, самонареченный адепт той школы психотерапии, где принято считать, что для любого взрослого с эндогенной депрессией на пути к выздоровлению важна культивация и регулярное использование поддерживающего сообщества,— называла подруг личности в депрессии Системой Поддержки. Приблизительно пять сменяющихся участниц Системы Поддержки, как правило, либо с детства знали личность в депрессии, либо она делила с ними комнату в общежитиях на разных этапах обучения, и все они были участливыми и психически относительно здоровыми женщинами, которые теперь жили в самых разных далеких городах, и личность в депрессии вживую не видела их уже многие годы, но часто звонила им поздно вечером, по межгороду, в поисках заботы, поддержки и всего лишь пары верно подобранных слов, которые могли бы помочь ей реалистично взглянуть на отчаяние, сфокусироваться и собраться с силами, прорваться сквозь эмоциональные терзания следующего дня, и личность в депрессии всегда начинала разговор с участницами Системы Поддержки с извинений, что портит им настроение или кажется скучной, полной жалости к себе или отталкивающей, или отвлекает от активных, ярких, в основном безболезненных дальнегородних жизней.

Также личность в депрессии взяла за правило во время связи с участницами Системы Поддержки никогда не приводить в качестве *причины* непрерывной депрессии во взрослом возрасте такие обстоятельства, как бесконечная битва ее родителей за ортодонтию. Искать виноватого слишком легко, говорила она; это достойно жалости и презрения; и, кроме того, она была по горло сыта поисками виноватого, наслушавшись за эти годы долбаных родителей, их постоянных взаимных обвинений и препирательств, которыми те обменивались из-за нее, через нее, используя ее (т. е. личности в депрессии, когда та была ребенком) чувства и нужды как боеприпасы, как будто ее собственные чувства и нужды были не более чем полем боя или театром конфликта, оружием, которое родители применяли друг против друга. Они вложили куда больше интереса, страсти и эмоциональных способностей в ненависть друг к другу, и никто из них ничего подобного не продемонстрировал по отношению к самой личности в депрессии, в чем она время от времени признавалась до сих пор.

Психотерапевт личности в депрессии, школа которой отвергала перенос отношений как терапевтический ресурс, и потому доктор намеренно воздерживалась от конфронтаций, утверждений со словом «должен» и всех нормативных, оценочных, основанных на «авторитете» теорий в пользу более нейтрально-ценностной биоэкспериментальной модели и творческого применения аналогий и нарратива (включая, хотя и не требуя в обязательном порядке, использование кукол-перчаток, пенопластового реквизита и игрушек, ролевые игры, человеческие скульптуры, методику отражения, психодраму и в уместных случаях тщательно прописанные и раскадрованные Реконструкции детства), испробовала следующие препараты в попытке помочь личности в депрессии облегчить острый аффективный дискомфорт и добиться прогресса в ее (т. е. личности в депрессии) пути хоть к какому-то подобию наслаждения нормальной взрослой жизнью: «Паксил», «Золофт», «Прозак», «Тофранил», «Велибутрин», «Элавил», «Метразол» в комбинации с односторонней электросудорожной терапией (добровольный двухнедельный стационарный курс в региональной клинике по лечению расстройств настроения), «Парнат» с литиевыми солями и без, «Нардил» с «Ксанаксом» и без. Ничто не принесло значительного облегчения от боли и чувства эмоциональной изоляции, превращавших каждый час личности в депрессии в неописуемый ад на земле, а у многих лекарств вдобавок был побочный эффект, который она нашла невыносимым. В настоящий момент личность в депрессии принимала только маленькие дневные дозы «Прозака» для снятия симптомов, присущих синдрому дефицита внимания, и «Ативана» — мягкого транквилизатора без привыкания — от панических атак, из-за которых часы в токсично дисфункциональной и лишенной поддержки рабочей обстановке становились настоящим адом. Психотерапевт мягко, но настойчиво делилась ее (т. е. психотерапевта) уверенностью, что лучшим лекарством для ее (т. е. личности в депрессии) эндогенной депрессии будет культивация и регулярное использование Системы Поддержки, с которой личность в депрессии могла связаться, поделиться и на которую могла опереться в поисках безусловной заботы и поддержки. Точный состав Системы Поддержки и один-два особых, «центральных», самых доверенных ее членов со временем подвергались определенным переменам и ротации, которые психотерапевт называла абсолютно нормальными и хорошими, ведь только рискуя и обнажая уязвимости, что необходимо для углубления поддерживающих отношений, можно узнать, какая дружба будет отвечать нуждам личности в депрессии и до какой степени.

Личность в депрессии чувствовала, что доверяет психотерапевту, и точно так же прикладывала усилия, чтобы стать с ней совершенно открытой и честной, насколько возможно. Она призналась психотерапевту, что, кому бы ни звонила вечером по межгороду, всегда старалась не забывать поделиться убеждением, что обвинять в постоянной неописуемой взрослой боли травмирующий развод ее (т. е. личности в депрессии) родителей или их циничное использование ее в своих целях с лицемерным притворством, что каждый заботится о ней больше другого,— плаксиво и жалко. В конце концов, родители,— как помогла ей увидеть психотерапевт,— делали что могли, учитывая их эмоциональные ресурсы на тот момент. И в конце концов, как всегда добавляла личность в депрессии, слабо усмехаясь, она получила нужное лечение у ортодонта. Бывшие знакомые и соседи по комнате, составлявшие Систему Поддержки, часто желали личности в депрессии, чтобы она не была к себе так строга, на что та часто невольно начинала рыдать и отвечала, что она из того неприятного типа жутких знакомых — и прекрасно это понимает,— которые звонят в неудобное время и нудят, и нудят о себе, и, чтобы повесить трубку, приходится предпринимать не одну неловкую попытку. Личность в депрессии говорила, что до ужаса четко осознает, какое безрадостное бремя представляет для подруг, и в междугородних звонках взяла за правило выражать огромную благодарность за то, что у нее есть подруга, которой можно позвонить, поделиться и почувствовать участие и поддержку, хоть и ненадолго, пока требования полной, радостной, активной жизни не получат понятное преимущество и не вынудят ее (т. е. подругу) повесить трубку.

Нестерпимые ощущения стыда и неполноценности, которые личность в депрессии переживала, когда поздно вечером звонила по межгороду участницам Системы Поддержки и обременяла их неуклюжими попытками артикулировать хотя бы общий контекст эмоциональных терзаний, были той проблемой, над которой вместе усиленно работали и она, и психотерапевт. Личность в депрессии призналась, что, когда сопереживающая подруга, с которой она делилась своими чувствами, наконец, говорила, что ей (т. е. подруге) ужасно жаль, но ничего не поделать, надо *обязательно* повесить трубку, и наконец отцепляла нуждающиеся пальцы личности в депрессии от своей юбки, клала трубку и возвращалась к яркой, насыщенной дальнегородней жизни, личность в депрессии почти всегда оставалась сидеть, слушая пчелиный гул гудка и чувствуя себя еще более изолированной, неполноценной и презренной, чем до звонка. Психотерапевт поощряла ее соприкоснуться с этим чувством токсичного стыда при попытке связаться с другими в поисках общения и поддержки, чтобы изучить его и детально проработать. Личность в депрессии призналась психотерапевту, что когда бы она (т. е. личность в депрессии) ни звонила по межгороду участнице Системы Поддержки, то во время разговора почти всегда представляла на лице подруги выражение одновременно скуки, жалости, отвращения и абстрактной вины и почти всегда думала, что она (т. е. личность в депрессии) может различить по все более длинным паузам и/или утомительным повторениям поощрительных клише скуку и раздражение, которые всегда чувствуешь, когда кто-то тебя обременяет. Она призналась, что отлично представляет, как теперь, когда поздно вечером звонит телефон, подруги вздрагивают, или во время разговора нетерпеливо поглядывают на часы, или беззвучно показывают беспомощность жестами или выражениями людям в комнате с ними (т. е. другим людям в комнате с «подругами»), и эти беззвучные жесты и выражения становятся отчетливее и отчаяннее по мере того, как личность в депрессии все не умолкает и говорит, говорит. У психотерапевта была примечательная подсознательная привычка или тик: она складывала кончики всех пальцев на коленях, внимательно слушая личность в депрессии, и вертела пальцами так, что сцепленные руки образовывали различные замкнутые фигуры — т. е. куб, сферу, пирамиду, правильный цилиндр,— а потом их изучала или рассматривала. Личности в депрессии эта привычка не нравилась, хотя она сама первой была готова признать:

все дело в том, что эта особенность привлекала внимание к пальцам и ногтям психотерапевта, и личность в депрессии невольно сравнивала их со своими.

Личность в депрессии поделилась и с психотерапевтом, и с Системой Поддержки еще одним крайне отчетливым воспоминанием: однажды в третьем по счету интернате она видела, как ее соседка по комнате говорила по телефону с каким-то неизвестным парнем, показывая жестами и выражениями, какое отвращение и скуку вызывает у нее (т. е. у соседки) звонок, и эта уверенная в себе, популярная и привлекательная соседка в конце концов изобразила преувеличенную пантомиму, как кто-то стучит в дверь, сопровождая ее отчаянным выражением лица, пока личность в депрессии не поняла, что должна открыть дверь, выйти наружу и громко постучать, тем самым давая соседке предлог повесить трубку. В школьном возрасте личность в депрессии никогда не говорила об инциденте с телефонным звонком и лживой пантомимой этой соседки — с которой личность в депрессии никогда не связывалась и не созванивалась, вспоминала ее с какой-то ненавистью и стыдом, за что сама себя презирала, даже не пыталась остаться с ней на связи после завершения бесконечного второго семестра второго курса,— но она (т. е. личность в депрессии) все же поделилась этим терзающим воспоминанием со многими подругами в Системе Поддержки, а еще чувством о том, как невыносимо ужасно и жалко она бы себя почувствовала, если бы оказалась на месте безымянного, неизвестного парня на другом конце провода, парня, который честно пошел на эмоциональный риск позвонить и пообщаться с уверенной в себе соседкой, не подозревая, что он — нежеланное бремя, унизительным образом не подозревая о беззвучной пантомиме скуки и презрения на другом конце провода, и как личность в депрессии чуть ли не больше всего на свете боялась оказаться в позиции человека, из-за которого приходится беззвучно просить кого-то в комнате разыграть предлог повесить трубку. Потому личность в депрессии всегда заклинала любую подругу, с которой беседовала по телефону, как только ей (т. е. подруге) станет скучно, или она почувствует раздражение, или как только ее позовут другие, более срочные или интересные дела, ради Господа Бога быть открытой и откровенной и ни в коем случае не тратить на разговор с личностью в депрессии ни единой *секунды* больше, чем ей (т. е. подруге) искренне хотелось бы потратить. Личность в депрессии, конечно, прекрасно понимала, как она заверяла психотерапевта, какой жалкой может показаться такая нужда в заверениях, что ее слова вполне можно понять не как прямое разрешение повесить трубку, но, скорее, как нуждающуюся, полную жалости к себе, достойную презрения манипулятивную мольбу *не* вешать трубку, не вешать трубку *ни в коем случае*. Когда бы личность в депрессии ни делилась своей тревогой от того, чем может «показаться» или «предстать» какое-либо заявление или действие, психотерапевт[i] усердно поддерживала ее в исследованиях ощущений того, какой она «кажется» или «выглядит» для других.

Унизительно; женщина в депрессии чувствовала себя унизительно. Она сказала, что во время разговоров по межгороду с подругами детства поздно вечером, когда у тех, очевидно, были свои дела, жизни и насыщенные, здоровые, участливые, интимные, заботливые отношения с партнером, она чувствовала себя унизительно; постоянно извиняться за то, что кому-то досаждаешь, или несдержанно благодарить кого-то только за то, что он

---

[i] Личности в депрессии сцепленные пальцы психотерапевта почти всегда напоминали разные виды многообразных геометрических клеток; личность в депрессии не делилась с психотерапевтом этой ассоциацией, потому что ее символическое значение было слишком очевидным и простым, чтобы тратить на него время сеансов. Ногти психотерапевта были длинными, изящными и ухоженными, тогда как ногти личности в депрессии из-за навязчивой привычки были так коротко обкусаны и обгрызены, что гипонихий иногда выдавался и спонтанно кровоточил.

твой друг,— унизительно и достойно жалости. Родители личности в депрессии наконец поделили оплату ее ортодонтии; их юристы наняли третейского судью, чтобы найти компромисс. Также третейский суд понадобился, чтобы выработать расписание общей оплаты интернатов и летних лагерей Здорового образа жизни, уроков гобоя, машины и страховки на случай аварий, а также косметической операции, необходимой, чтобы исправить порок развития позвоночника и передние крылья носового хряща у личности в депрессии, из-за которых нос у нее был каким-то мучительно выдающимся пятачком, именно поэтому, а также из-за внешних ортодонтических фиксаторов, которые приходилось носить двадцать два часа в сутки, каждый взгляд в зеркала, висевшие в комнатах интернатов, был бы невыносим любому человеку на ее месте. И все же в год, когда отец личности в депрессии снова женился, он — либо проявив редкую незамутненную заботу, либо решив нанести coup de grâce, чтобы, по словам матери, довершить ее (т. е. матери) чувства унижения и ненужности,— целиком оплатил уроки катания на лошади, брюки-джодпуры и умопомрачительно дорогие сапоги, нужные личности в депрессии, чтобы получить допуск в Клуб жокеев ее предпоследнего интерната, ведь несколько его участниц были единственными девушками в этом конкретном интернате, которые, как чувствовала личность в депрессии, в слезах рассказав об этом отцу по телефону одним поистине ужасным вечером, хотя бы как-то принимали ее в свой круг и у которых было хотя бы минимальное сопереживание или сострадание, и с ними личность в депрессии не чувствовала себя такой уродиной с пятачком и брекетами, неполноценной и отверженной, что даже выйти из комнаты и поужинать в столовой было для нее ежедневным великим личным подвигом.

Третейский судья, к услугам которого согласились обратиться юристы родителей для помощи в выработке компромиссов при оплате детских нужд личности в депрессии, был высокоуважаемым специалистом по решению конфликтов, его звали Уолтер Д. («Уолт») Деласандро-мл. В детстве личность в депрессии никогда не встречала и даже не видела Уолтера Д. («Уолта») Деласандро-мл., хотя тогда ей в бесчисленных случаях показывали его визитку — где в скобках и поощрялось неформальное обращение,— и упоминали его имя вкупе с тем фактом, что он требовал за свои услуги поразительные 130 долларов в час плюс расходы. Несмотря на общее нежелание, которое испытывала личность в депрессии,— ведь она отлично знала, как это напоминает очередные поиски виноватого,— психотерапевт поддержала ее в решении пойти на риск и поделиться с участницами Системы Поддержки важным эмоциональным прорывом, которого она (т. е. личность в депрессии) достигла во время Уикенда экспериментального терапевтического лечения с фокусом-на-Внутреннем-ребенке, хотя она рискнула записаться туда и без всяких предубеждений открыть разум новому опыту лишь благодаря поддержке психотерапевта. В Палате драматерапии Малыми группами ЭТЛФ-В-Р другие члены ее Малой группы играли роли родителей личности в депрессии, близких, юристов и прочих эмоционально токсичных персонажей из ее детства и в кульминационной фазе драматерапии медленно окружали личность в депрессии, надвигаясь вместе так, что она не могла ни сбежать, ни избежать, ни преуменьшить угрозу, при этом драматически озвучивая (т. е. малая группа озвучивала) заранее прописанные тексты, призванные пробудить заблокированную травму, из-за чего почти сразу на личность в депрессии нахлынули терзающие эмоциональные воспоминания и давно погребенная травма, что повлекло за собой появление Внутреннего Ребенка личности в депрессии и катарсическую истерику, во время которой она колотила пенопластовой битой велюровые подушки, визжала непристойности и заново переживала давно подавляемые и гноящиеся эмоциональные раны, и одна из них[ii] — глубокая рудиментарная ярость из-за того, что Уолтер Д. («Уолт») Деласандро-мл. получал от ее родителей 130 долларов в час плюс расходы за то, что встал между ними и играл роль посредника и буфера для дерьма с обеих сторон, пока ей (т. е. личности в депрессии-ребенку) приходилось исполнять, по сути, те же копрофагские услуги на более-менее ежедневной основе совершенно *бесплатно, за так*, услуги, требовать исполнения которых от чувствительного ребенка не только нечестно и неправильно, но из-за которых в итоге родители, перевернув все вверх ногами, заставили личность в депрессии чувствовать *себя виноватой* в невероятной стоимости услуг специалиста по решению конфликтов Уолтера Д. Деласандро-мл., в *детстве*, как будто постоянные стычки и оплата Уолтера Д. Деласандро-мл. начались только по *ее* избалованной пятачковой кривозубой вине, а не просто из-за в высшей степени извращенной, блядь, неспособности ебаных родителей общаться, честно делиться и решать свои извращенные, дисфункциональные проблемы. Это упражнение и катарсическая ярость позволили личности в депрессии соприкоснуться с некоторыми действительно важными проблемами обиды, по словам руководителя Малой группы Уикенда экспериментального терапевтического лечения с фокусом-на-Внутреннем-Ребенке, и могли означать для личности в депрессии настоящую переломную точку на пути к исцелению, если бы только ярость и избиение велюровых подушек настолько эмоционально не измотали, не опустошили, не травмировали и не смутили личность в депрессии, что она почувствовала, будто у нее не осталось выбора, кроме как улететь той же ночью обратно домой и пропустить остаток Уикенда ЭТЛФ-В-Р и Обработку Малой группой ее эксгумированных чувств и проблем.

[ii] (т. е. одна из гноящихся ран)

Конечный компромисс, к которому пришли личность в депрессии и психотерапевт, проработав непогребенные обиды и последующие вину и стыд за то, что опять же могло легко показаться очередными поисками виноватого и жалостью к себе в ходе Терапевтического Уикенда, заключался в том, что личность в депрессии пойдет на эмоциональный риск связаться и поделиться сомнениями и переживаниями по поводу этого опыта с Системой Поддержки, но только с двумя-тремя элитными, «центральными» участницами, которые в текущий момент, как казалось личности в депрессии, были настроены к ней наиболее сострадательно и поддерживали без осуждения. Самым важным условием компромисса было то, что личности в депрессии можно открыть свои колебания из-за решения поделиться обидами и осознаниями, а также сообщить, что она понимает, какими жалкими и обвиняющими они (т. е. обиды и осознания) могут показаться ее подругам, и сообщить, что она делится этим потенциально жалким «прорывом» только по твердому и недвусмысленному настоянию психотерапевта. Одобряя это условие, психотерапевт возражала лишь против предложенного личностью в депрессии использования слова «жалкий» в попытке поделиться с Системой Поддержки. Психотерапевт сказала, что тут скорее подходит слово «уязвимый», чем «жалкий», так как ее нутро (т. е. нутро психотерапевта) подсказывало, что предложенное личностью в депрессии слово «жалкий» кажется не только полным ненависти к себе и даже в чем-то манипулятивным, но также выражает нужду в одобрении. Слово «жалкий», как откровенно поделилась с пациенткой психотерапевт, часто казалось ей своего рода механизмом защиты, с помощью которого личность в депрессии оборонялась от возможных негативных суждений слушателя, ясно обозначая, что она сама осуждает себя куда строже, чем хватит духу у любого человека. Психотерапевт аккуратно отметила, что не осуждает, не критикует и не отвергает использование личностью в депрессии слова «жалкий», но только хочет открыто и честно поделиться чувствами, вызванными этим словом в контексте их отношений. Психотерапевт, которой тогда оставалось жить меньше года, в этот момент взяла короткий тайм-аут, чтобы еще раз поделиться с личностью в депрессии ее (т. е. психотерапевта) убеждением, что ненависть и жалость к себе, токсичная вина, нарциссизм, нуждаемость, манипуляции и многие другие основанные на стыде манеры поведения, которые обычно встречаются у взрослых с эндогенной депрессией, лучше всего понимать как психологические механизмы защиты, воздвигнутые Внутренним Ребенком с рудиментарной раной против возможности травмы и покинутости. Такие манеры поведения, другими словами,— примитивная эмоциональная профилактика, чье настоящее назначение — исключить близость; это своеобразная психическая броня, призванная держать других на расстоянии, чтобы они (т. е. другие) не могли подойти к личности в депрессии близко в эмоциональном плане и нанести раны, что послужат отголоском глубоких рудиментарных ран, полученных личностью в депрессии еще ребенком,— ран, которые личность в депрессии подсознательно настроена подавлять любой ценой. Психотерапевт — которая в холодное время года, когда из-за большого количества окон в ее кабинете становилось прохладно, надевала мантилью из вручную выдубленной коренными американцами шкуры оленя, и та становилась жутковатым и влажным на вид фоном телесного цвета для замкнутых фигур, которые, пока психотерапевт говорила, образовывали ее соединенные руки на коленях,— заверила личность в депрессии, что не пытается читать лекцию или навязывать ей (т. е. личности в депрессии) свою модель этиологии депрессии. Скорее, ей просто на интуитивном уровне показалось приемлемым в этот конкретный момент поделиться своими чувствами. Разумеется, сказала психотерапевт о своем видении их терапевтических отношений, острое хроническое расстройство настроения личности в депрессии можно и само по себе рассматривать как эмоциональный защитный механизм: т. е., пока острый аффективный дискомфорт личности в депрессии занимает ее и отвлекает все эмоциональное внимание, можно избежать соприкосновения с глубокими рудиментарными ранами детства, которые она (т. е. личность в депрессии) все еще была детерминирована подавлять [iii].

Несколько месяцев спустя, когда психотерапевт внезапно и неожиданно скончалась — из-за того, что по-

---

[iii] Психотерапевт личности в депрессии всегда была предельно аккуратна, чтобы не показалось, будто она осуждает или винит личность в депрессии за то, что та цепляется за свою защиту, или предполагает, что личность в депрессии так или иначе сознательно *выбрала* хроническую депрессию или *выбрала* цепляться за депрессию, терзания из-за которой вынуждали ее (т. е. личность в депрессии) чувствовать себя так, будто ей досталось больше, чем способен вынести человек. Это отречение от осуждения или навязывания собственных ценностей было в духе терапевтической школы, в рамках которой уже почти пятнадцать лет клинической практики психотерапевт развивала свою философию исцеления, важную для комбинации безусловной поддержки и полной честности в выражении чувств; именно из них рождался участливый профессионализм, столь необходимый для продуктивного терапевтического пути к аутентичности и внутриличностной целостности. Защиты против близости, как гласила теория психотерапевта, почти всегда были задержавшимися в развитии или рудиментарными механизмами самосохранения; т. е. однажды они были допустимы и необходимы и, вполне вероятно, оберегали беззащитную детскую психику от потенциально невыносимых травм, но почти во всех случаях они (т. е. защитные механизмы) недопустимо закостенели или задержались в развитии и во взрослом возрасте уже не отвечали требованиям окружения и даже, как ни парадоксально, причиняли куда больше травм и боли, чем предотвращали. Тем не менее психотерапевт с самого начала обозначила, что не собиралась давить, понукать, умасливать, спорить, агитировать, дезориентировать, хитрить, разглагольствовать, стыдить или манипулировать, чтобы личность в депрессии избавилась от своей задержавшейся в развитии или рудиментарной защиты, пока сама не почувствует, что готова пойти на риск и довериться собственным внутренним ресурсам, чувству собственного достоинства, персональному росту и терапии, чтобы сделать это (т. е. покинуть гнездо своих защитных механизмов и свободно, радостно воспарить).

лиция назвала «случайным» токсичным сочетанием кофеина и гомеопатического средства для подавления аппетита, которое, учитывая медицинское прошлое психотерапевта и ее знание химических соединений, только человек в очень глубокой стадии отрицания не принял бы за намеренное,— не оставив никакой записки, кассеты или поощряющих последних слов кому-либо из знакомых и/или клиентов, которые, несмотря на изнуряющие страхи, изоляцию, механизмы защиты и рудиментарные раны от травм прошлого, приходили к психотерапевту сблизиться и впустить в свой эмоциональный мир, хотя и становились при этом уязвимыми к возможным травмам из-за утраты и покинутости, личность в депрессии получила еще одну травму из-за новой утраты и покинутости, и та показалась ей настолько сокрушительной, а последовавшие за ней терзания, отчаяние и безнадежность — такими невыносимыми, что теперь она, как ни иронично, была вынуждена отчаянно и неоднократно связываться с Системой Поддержки на еженощной основе, иногда обзванивая трех или даже четырех подруг за вечер, иногда названивая одним и тем же подругам по два раза за ночь, иногда в очень поздний час, не раз даже, как была до тошноты уверена личность в депрессии, разбудив их или оторвав от здоровой, радостной сексуальной близости с партнером. Другими словами, инстинкт самосохранения в турбулентности пробудившихся чувств шока, скорби, утраты, покинутости и горечи из-за предательства после внезапной смерти психотерапевта побудили личность в депрессии забыть о врожденных чувствах стыда, неполноценности и смущения из-за того, что она может показаться кому-то жалким бременем, и всем весом опереться на сострадание и эмоциональное участие Системы Поддержки, несмотря на то что это, как ни иронично, была одна из двух областей, в которых личность в депрессии яростнее всего сопротивлялась советам психотерапевта.

Если даже не считать сокрушительных проблем покинутости, неожиданная смерть психотерапевта не могла случиться в более неподходящий момент с точки зрения пути к выздоровлению личности в депрессии, ведь она (т. е. подозрительная смерть) произошла именно тогда, когда личность в депрессии уже начала разбираться и прорабатывать некоторые центральные проблемы, что были связаны со стыдом и обидой, возникшими из-за самого терапевтического процесса, и тем отпечатком, который близкие отношения типа «психотерапевт-пациент» накладывали на ее (т. е. личности в депрессии) изоляцию и невыносимую боль. В рамках процесса скорби личность в депрессии поделилась с поддерживающими ее участницами из Системы Поддержки тем, что она переживала значительную травму, боль и чувство изоляции, как она сейчас поняла, даже в самих отношениях с психотерапевтом — над этим осознанием, по ее словам, они с психотерапевтом как раз вместе работали и изучали его. Вот один из примеров, которым поделилась личность в депрессии во время междугороднего звонка: она столкнулась и боролась во время терапии с чувством, как бы иронично и унизительно это ни прозвучало,— если вспомнить о дисфункциональной озабоченности ее родителей деньгами и чего ей в детстве стоила эта озабоченность,— того, что сейчас, во взрослом возрасте, ей приходится платить психотерапевту 90 долларов в час, чтобы та ее внимательно слушала, честно и сочувственно отвечала; т. е. личность в депрессии оказалась вынуждена *покупать* терпение и сочувствие, созналась она психотерапевту, и это было унизительно и достойно жалости, а также вызывало отголосок той самой детской боли, которую она (т. е. личность в депрессии) так хотела забыть. Психотерапевт — внимательно и без осуждения выслушав то, что, как позже женщина в депрессии призналась Системе Поддержки, можно было легко интерпретировать как скопидомное нытье из-за дороговизны психотерапии, и после долгой и взвешенной паузы, когда и психотерапевт, и личность в депрессии смотрели на яйцевидную клетку, которую психотерапевт в этот момент сложила пальцами, сцепленными на коленях,[iv] — ответила, что, хотя на чисто интеллек-

[iv] Психотерапевт — которая была существенно старше личности в депрессии, но моложе матери личности в депрессии и которая, не считая состояния ногтей, не напоминала мать ни физически, ни стилистически, — иногда раздражала личность в депрессии своей привычкой составлять пальцевую клетку на коленях и менять формы этой клетки, и разглядывать их геометрическое разнообразие во время сеансов. Однако, когда со временем терапевтические отношения углубились в плане близости и доверия, вид пальцевых клеток нервировал личность в депрессии все меньше и меньше, пока не стал едва заметной помехой. Куда более проблематичной в плане доверия и самооценки для личности в депрессии стала привычка психотерапевта время от времени поглядывать на большие солнцеобразные часы на стене позади легкого замшевого кресла, в котором во время сеансов привычно устраивалась личность в депрессии, поглядывать так быстро и почти украдкой, что со временем личность в депрессии все больше и больше волновало даже не то, что она (т. е. психотерапевт) смотрела на часы, но то, что она, видимо, пыталась это *скрыть* или *замаскировать*. Как признавала личность в депрессии, она чрезвычайно болезненно относилась к возможности того, что кому-либо, с кем она пытается связаться и поделиться, втайне скучно или неприятно, или отчаянно хочется как можно скорее избавиться от нее, и потому она с невероятной бдительностью подмечала любые движения или жесты, демонстрирующие, что слушатель следит за временем или хочет, чтобы то шло поскорей, она всегда подмечала, как психотерапевт быстро поглядывала вверх, на стену, либо вниз, на тонкие элегантные наручные часики, циферблат которых скрывался от взгляда личности в депрессии под тонким запястьем психотерапевта; в результате, когда подходил к концу первый год их терапевтических отношений, женщина в депрессии ударилась в слезы и поделилась тем, что чувствовала себя униженной или незначительной каждый раз, когда психотерапевт как будто пыталась скрыть, что желает знать, сколько времени прошло. Большая часть работы личности в депрессии с психотерапевтом в первый год ее (т. е. женщины в депрессии) пути к исцелению и внутриличностной цельности касалась ощущения, что она невероятно и отталкивающе скучна, или косноязычна, или жалким образом зациклена на себе и не способна поверить, что со стороны человека, с которым она связалась ради поддержки, ее встречают искренний интерес, сострадание и забота; и на самом деле первый значительный прорыв в терапевтических отношениях, как рассказала участницам Системы Поддержки личность в депрессии в период терзаний после смерти психотерапевта, наступил, когда личность в депрессии под конец второго года терапевтических отноше-

туальном, или «головном», уровне она могла бы со всем уважением не согласиться с сутью, или «пропозициональным содержанием», того, о чем говорила личность в депрессии, тем не менее она (т. е. психотерапевт) всецело поддерживает ее в любых признаниях о чувствах, которые в ней

ний успешно соприкоснулась с внутренними стержнем и ресурсами, чтобы суметь с напором поделиться с психотерапевтом, что она (т. е. вежливая, но напористая личность в депрессии) предпочла бы, чтобы психотерапевт открыто смотрела на солнцеобразные часы или открыто поворачивала запястье и смотрела на наручные часы, а не, как кажется, считала — или, по крайней мере, со сверхчувствительной точки зрения личности в депрессии казалось, будто психотерапевт так считала,— что личность в депрессии можно обхитрить, превратив вероломное наблюдение за временем в какой-нибудь жест, притворяющийся случайным взглядом на стену или рассеянным движением клеткообразной пальцевой фигуры на коленях.

Еще один важный момент терапевтической работы, которого личность в депрессии и психотерапевт достигли вместе — и о котором психотерапевт высказалась, что, по ее личным ощущениям, это плодотворный скачок роста и повышение уровня доверия и честности между ними, — случился на третий год терапевтических отношений, когда личность в депрессии наконец созналась, что еще ей казалось унизительным, когда с ней говорят так, как с ней говорит психотерапевт, т. е. личность в депрессии чувствовала покровительственное, снисходительное отношение и/или отношение как к ребенку в те моменты их совместной работы, когда психотерапевт начинала снова и снова утомительно сюсюкать о том, какие у нее для личности в депрессии существуют терапевтические философии, цели и желания; плюс не говоря о том — раз уж об этом зашла речь, — что она (т. е. личность в депрессии) также иногда чувствовала унижение и обиду, когда психотерапевт поднимала взгляд от клетки пальцев на личность в депрессии и на ее (т. е. психотерапевта) лицо снова возвращалось привычное выражение спокойствия и безграничного терпения — признаться, она знала (т. е. личность в депрессии знала), что это выражение предназначено передавать неосуждающие внимание, интерес и поддержку, но тем не менее иногда, с точки зрения личности в депрессии, оно скорее передавало эмоциональную отстраненность, врачебную дистанцию, словно личность в депрессии вызывала исключительно профессиональный интерес, а не вовлеченные личные интерес, сопереживание и сочувствие, которых, как иногда казалось, ей смертельно не хватало всю жизнь. Это злило, созналась личность в депрессии; она часто чувствовала злобу и обиду из-за того, что была лишь объектом профессионального сочувствия психотерапевта или милосердия и абстрактной вины ее якобы «подруг» из жалкой «Системы Поддержки».

(т. е. в личности в депрессии [v]) вызывают сами психотерапевтические отношения, чтобы можно было их вместе проработать и исследовать безопасные и подходящие среды и контексты для их выражения.

---

[v] Хотя женщина в депрессии, как она позже признавалась Системе Поддержки, жадно искала на лице психотерапевта следы негативной реакции, пока она (т. е. женщина в депрессии) открывалась и выташнивала все свои потенциально отталкивающие чувства от терапевтических отношений, тем не менее к этому моменту сеанса она достигла такой эмоциональной честности, что смогла открыться еще больше и со слезами поделиться унизительной и даже жестокой мыслью, что, например, сегодня (т. е. в день плодотворно честных и важных рабочих отношений личности в депрессии и психотерапевта), в момент, когда время приема личности в депрессии у психотерапевта истечет и они встанут с кресел и сухо обнимутся на прощание до следующей встречи,— что в этот самый момент все на вид вовлеченные и личные внимание, поддержка и интерес психотерапевта без труда сместятся с личности в депрессии на следующую жалкую презренную ноющую зацикленную на себе *дурочку* с пятачком, брекетами и толстыми ляжками, которая как раз ждала снаружи, читая потрепанный журнал, ждала, когда можно будет ввалиться и на час жалко вцепиться в край мантильи психотерапевта в таких отчаянных поисках лично заинтересованного друга, что она даже готова платить в месяц за жалкую временную иллюзию друга столько же, сколько за свою ебаную *квартиру*. Личность в депрессии отлично понимала, уступила она,— подняв руку с нервно обкусанными пальцами, чтобы психотерапевт не перебивала,— что профессиональное отстранение психотерапевта на самом деле не так уж несовместимо с настоящей заботой и что аккуратное сохранение профессионального, а не личного уровня заботы, поддержки и обязательств означало, что на эти поддержку и заботу можно рассчитывать, и она всегда Будет Рядом С личностью в депрессии, и та не падет жертвой превратностей неминуемых конфликтов и недопониманий или естественных флуктуаций личного настроения и эмоциональной способности к сопереживанию психотерапевта в конкретный день, которые были характерны для менее профессиональных и более личных межличностных отношений; не говоря уже, что ее (т. е. психотерапевта) профессиональное отстранение означало, что как минимум в пределах прохладного, но милого домашнего кабинета психотерапевта и отведенных совместных трех часов каждую неделю личность в депрессии может быть полностью честна и открыта и не бояться, что психотерапевт воспримет эти чувства близко к сердцу и разозлится, или станет холодной, или осуждающей, или насмешливой, или нетерпимой, или даже застыдит, или засмеет, или бросит личность в депрессии; на самом деле, как ни иронично, сказала личность в депрессии, она слишком хорошо понимала,

Воспоминания личности в депрессии о терпеливых, внимательных и неосуждающих ответах психотерапевта даже на ее (т. е. личности в депрессии) самые злобные детские, слабоумные жалобы, казалось, вызывали новые, еще более невыносимые чувства утраты и покинутости, как и свежие волны обиды и жалости к себе, в высшей

что психотерапевт была для нее — или по крайней мере для изолированной, терзаемой, нуждающейся, жалкой, эгоистичной, избалованной, раненой частички Внутреннего Ребенка личности в депрессии — абсолютно *идеальным* другом: т. е., в конце концов, вот есть человек (он же психотерапевт), который всегда Будет Рядом С ней, будет слушать, и по-настоящему заботиться, и сопереживать, и оставаться эмоционально доступным, и вкладываться, и проявлять участие, и поддерживать личность в депрессии, но при этом не требовать абсолютно ничего взамен в плане сопереживания или эмоциональной поддержки или чтобы личность в депрессии хоть раз по-настоящему заботилась или хотя бы помнила о реальных чувствах и нуждах психотерапевта как живого человека. Личность в депрессии также прекрасно знала, заверила она, что, по сути, именно 90 долларов в час и делали симулякр дружбы в терапевтических отношениях столь идеально односторонним: т. е. единственным ожиданием или требованием, которое психотерапевт предъявляла личности в депрессии, были прописанные в контракте 90 долларов; при удовлетворении этого единственного требования все отношения фиксировались исключительно на личности в депрессии. На рациональном, интеллектуальном, «головном» уровне личность в депрессии полностью осознавала все эти реалии и баланс, объяснила она психотерапевту, и потому, конечно, у нее (т. е. у личности в депрессии) не было разумной причины или повода чувствовать те пустые, нуждающиеся, детские чувства, которыми она только что, беспрецедентно рискнув с эмоциональной точки зрения, поделилась; и все же личность в депрессии созналась психотерапевту, что на каком-то примитивном, эмоционально интуитивном уровне, или уровне «нутра», она чувствовала, как унизительно, оскорбительно и достойно жалости, что из-за хронической эмоциональной боли, изоляции и неспособности связываться с людьми она вынуждена тратить 1080 долларов в месяц, чтобы оплачивать, по большому счету, лишь воображаемого друга, который помогал осуществиться по-детски нарциссическим фантазиям о том, как ее эмоциональные нужды удовлетворяются без взаимного удовлетворения, сопереживания или даже принятия во внимание чужих эмоциональных нужд, без тех самых направленных на другого сопереживания и внимания, которые, как в слезах созналась личность в депрессии, она уже отчаялась в себе отыскать. Здесь личность в депрессии вставила,

степени отталкивающие, как отлично знала личность в депрессии, в чем и заверила подруг из Системы Поддержки, близких подруг, которым личность в депрессии к этому времени звонила почти постоянно, иногда даже посреди дня, с рабочего места, набирая междугородние рабочие номера близких подруг и упрашивая их отнять время у

что часто волновалась, несмотря на множественные травмы, от которых настрадалась в попытках отношений с мужчинами, что именно ее неспособность выбраться из токсичной нуждаемости, Быть Рядом С другим и по-настоящему эмоционально *отдаваться* и превратила попытки создать близкие, взаимные, участливые партнерские отношения с мужчинами в такую терзающую унизительную всеобъемлющую катастрофу.

Далее личность в депрессии, как она позже рассказывала избранным элитным «центральным» участницам Системы Поддержки после смерти психотерапевта, вставляла в плодотворной беседе с психотерапевтом, что ее (т. е. личности в депрессии) обиды по поводу цены терапевтических отношений в размере 1080 долларов/месяц возникли, по сути, не столько из-за дороговизны — такие траты она может себе позволить, свободно признавала она, — сколько из-за унизительной *идеи* платить за искусственную одностороннюю дружбу и исполнение нарциссических фантазий, а потом горько рассмеялась (т. е. личность в депрессии горько рассмеялась во время оригинальной вставки в беседу с психотерапевтом), чтобы показать, как в своей оговорке, будто спорная здесь не сама трата, но «принцип», слышала и узнавала ненамеренный отголосок холодных, щепетильных, эмоционально недоступных родителей. На самом деле ей казалось,— как личность в депрессии позже призналась поддерживающим подругам,— что эта плата за терапию по 90 долларов в час была чуть ли не выкупом или «деньгами за крышу», которые освобождали личность в депрессии от обжигающего внутреннего стыда и досады из-за звонков отдаленным бывшим подругам, которых она, блин, уже годами {не видела} и с которыми у нее не осталось законного права считаться подругами, звонить без спросу по ночам и вторгаться в функциональные и радостные благодаря блаженному неведению — пусть даже, может, и в чем-то поверхностные — жизни, и бесстыдно опираться на них, и постоянно связываться, и пытаться артикулировать суть ужасной и непрерывной боли от депрессии, хотя именно из-за этих боли, отчаяния и одиночества она и стала, как сама знала, слишком эмоционально изголодавшейся, нуждающейся и зацикленной на себе, чтобы когда-нибудь в ответ по-настоящему Быть Рядом С дальнегородними подругами, если те захотят связаться, поделиться и опереться в ответ, т. е. она (т. е. личность в депрессии) отличалась

собственных интересных, стимулирующих карьер и выслушать, поддержать, поделиться, вести диалог, помочь личности в депрессии найти способ проработать эту скорбь и утрату и выжить. Ее извинения за обременение

такими достойными презрения жадностью и нарциссической всенуждаемостью, что только идиот бы подумал, будто участницам «Системы Поддержки» они не бросились в глаза и не оттолкнули и будто те не оставались на связи только из неприкрашенного и самого абстрактного милосердия, постоянно закатывая глаза, корча гримасы, глядя на часы и желая, чтобы телефонный разговор наконец закончился или чтобы она (т. е. жалкая и нуждающаяся личность в депрессии на том конце провода) названивала кому угодно, только не ей (т. е. скучающей, отвращенной, закатывающей глаза якобы «подруге»), или чтобы в прошлом ее не отправляли жить в одну комнату с личностью в депрессии, или даже не отправляли учиться в ту самую школу-интернат, или даже чтобы личность в депрессии не родилась и не существовала, так что все это было совершенно невыносимо, жалко и унизительно, «если сказать по правде», если психотерапевту так хотелось услышать «совершенно честное признание без цензуры», которое, по ее заверениям, «[ей] всегда так хотелось [услышать]», что, как личность в депрессии позже созналась Системе Поддержки, она с насмешкой прошипела в лицо психотерапевту, тогда как на ее лице (т. е. лице личности в депрессии во время плодотворного, но все более гадкого и унизительного терапевтического сеанса на третьем году) была, как она себе представляла, гротескная смесь ярости, жалости к себе и полнейшего унижения. Из-за живо представшего перед воображением собственного яростного лица личность в депрессии начала в этот момент под конец сеанса совершенно искренне всхлипывать, хныкать, шмыгать и сопеть, как она позже поделилась с доверенными подругами. Потому что нет, если психотерапевт действительно хотела правды, всей сокровенной правды уровня «нутра» под защитными злостью и стыдом, поделилась личность в депрессии, почти свернувшись в позу эмбриона под солнцеобразными часами и всхлипывая, но сделав сознательный выбор не заботиться вытирать глаза или даже нос, то личность в депрессии {по-настоящему} чувствовала, что это *по-настоящему* нечестно, когда она чувствует себя в состоянии — даже здесь, на сеансе с доверенной и сочувствующей психотерапевтом,— чувствует себя в состоянии поделиться только болезненными обстоятельствами и прозрениями касательно депрессии, ее этиологии, текстуры и множества симптомов, но не могла по-настоящему общаться, артикулировать и выразить {сами} ужасные непрерывные терзания депрессии, терзания, что являлись первостепенной и невыносимой реалией каждой черной минуты ее жизни,— т. е. не могла поделиться *самим* чувством, тем, как она ежедневно себя {чувствовала} из-за депрессии, истерически рыдала она, беспрестанно колотя

подруг в дневные часы на рабочих местах были затейливыми, запутанными, многословными, барочными, безжалостно самокритичными и практически постоянными, как и выражения благодарности Системе Поддержки

по замшевым подлокотникам мягкого кресла,— или связаться, общаться и выразить кому-нибудь, кто мог не только выслушать, понять и позаботиться, но и мог бы суметь действительно {почувствовать} ее с ней (т. е. почувствовать то, что чувствовала личность в депрессии). Личность в депрессии созналась психотерапевту, что {действительно} представляла, что ей {действительно} по-настоящему катастрофически не хватало способности как-то по-настоящему, действительно буквально «поделиться» ею (т. е. непрерывной пыткой хронической депрессии). Она сказала, что депрессия кажется настолько определяющей и фундаментальной в ее сущности и человечности, что неспособность поделиться внутренним ощущением депрессии или даже описать, на что это похоже, напоминает, например, отчаянное желание, на грани жизни и смерти, описать солнце в небесах, но все же при этом быть в состоянии или иметь разрешение только показывать на тени на земле. Она так устала показывать на тени, всхлипнула она. Потом она (т. е. личность в депрессии) тут же осеклась и горько рассмеялась над собой, и извинилась перед психотерапевтом за такую витиевато мелодраматическую и полную жалости к себе аналогию. Всем этим позже личность в депрессии поделилась с Системой Поддержки, пересказывая все в мельчайших деталях и иногда по несколько раз за вечер во время процесса скорби после смерти психотерапевта от гомеопатического кофеинизма, в том числе ее (т. е. личности в депрессии) реминисценцию о том, как реакция психотерапевта в виде сочувствующего и неосуждающего внимания ко всему, что наконец открыла, излила, прошипела, выплюнула, проныла и прохныкала личность в депрессии во время травматического плодотворного прорыва на сеансе, была такой внушительной и бескомпромиссной, что она (т. е. психотерапевт) даже моргала куда реже, чем любой непрофессиональный слушатель, с каким когда-либо делилась личность в депрессии лицом к лицу. Две текущих самых доверенных «центральных» участницы Системы Поддержки личности в депрессии заметили, почти дословно, что, похоже, психотерапевт личности в депрессии была особенной, и, очевидно, личности в депрессии ее очень не хватает; а одна особенно ценная, сопереживающая и элитная физически больная «центральная» подруга, на которую личность в депрессии во время процесса скорби опиралась сильнее, чем на кого-либо другого, предложила, что единственный самый подходящий способ выразить любовь и почтить память психотерапевта, и скорбь личности в депрессии от утраты,— попытаться стать для себя такой же особенной, заботливой и неослабевающе участливой подругой, какой была покойный психотерапевт.

только за то, что они Были Рядом С Ней, только за то, что позволили снова почувствовать способность доверять и рисковать связываться с людьми, пусть даже немного, ведь, как говорила личность в депрессии, она чувствовала, что после резкого и молчаливого ухода психотерапевта с новой сокрушительной ясностью узнала — говорила она в микрофон от наушников рабочего телефона,— как далеко находятся люди и как их мало, тех, с кем она могла хотя бы надеяться по-настоящему, без терзаний общаться, делиться и создавать здоровые, открытые, доверительные, взаимные, участливые отношения, на которые можно опереться. Например, ее рабочее окружение — о нем личность в депрессии утомительно ныла уже много раз, что с готовностью признавала, — было совершенно дисфункциональным и токсичным, а совершенно лишенная поддержки эмоциональная атмосфера превращала саму идею установить с коллегами взаимную участливую связь в гротескную шутку. А попытки личности в депрессии вырваться из эмоциональной изоляции, связаться с людьми и попробовать завести и культивировать заботливых подруг и отношения в обществе с помощью церковных групп, холистических курсов йоги и полезного питания или общественных духовых оркестров и тому подобного оказались настолько мучительными, поделилась она, что она едва ли не умоляла психотерапевта отказаться от своего мягкого предположения, будто личность в депрессии должна постараться и все это пробовать. Ну а что до идеи снова сесть в седло, рвануть на гоббсовский мясной рынок «мира свиданий» и вновь попытаться найти и установить здоровую, любящую, функциональную связь с мужчинами в плане физической близости и партнерских отношений или хотя бы просто как у близких и поддерживающих друзей — на этих словах личность в депрессии горько смеялась прямо в микрофон наушников, в которых сидела у своего терминала на рабочем месте, и спрашивала подругу, знавшую ее не хуже любой другой участницы Системы Поддержки, нужно ли углубляться в описание неподатливой депрессии, заметно заниженной самооценки и проблем с доверием, превращающих саму эту идею в химерический полет икаровой фантазии? Взять один пример, рассказывала личность в депрессии прямо на рабочем месте: во втором семестре первого курса колледжа произошел травмирующий инцидент, когда личность в депрессии во время игры в лакросс между колледжами сидела одна на траве рядом с группой популярных и уверенных в себе студентов-парней и издалека подслушала, как один из них со смехом сказал о студентке, которую личность в депрессии немного знала, что единственная существенная разница между этой девушкой и туалетом в уборной в том, что туалет не таскается за тобой повсюду с жалким видом после того, как его используешь. Пока она делилась этой историей с поддерживающими подругами, на личность в депрессии внезапно и неожиданно нахлынула волна эмоциональных воспоминаний об одном из первых сеансов, на котором она впервые рассказала об этом случае психотерапевту: тогда во время неловкой начальной стадии терапевтического процесса они вместе проводили простейшую работу над чувствами, и психотерапевт предложила личности в депрессии определить, какое чувство вызвало у нее (т. е. у личности в депрессии) это подслушанное оскорбление в первую очередь: злость, одиночество, испуг или грусть [vi, vii].

[vi] Личность в депрессии, отчаянно стараясь открыться и позволить Системе Поддержки помочь почтить смерть психотерапевта и проработать ее чувства в связи с этим, пошла на риск поделиться осознанием, что во время терапевтического процесса сама редко использовала в диалогах слово «грусть». Обычно она пользовалась словами «отчаяние» и «терзания», и психотерапевт по большей части не спорила с таким мелодраматическим выбором, хотя личность в депрессии давно подозревала, что психотерапевт, вероятно, чувствовала, что ее (т. е. личности в депрессии) выбор слов «терзания», «отчаяние», «пытка» и тому подобных был одновременно мелодраматичным — а значит, нуждающимся и манипулятивным,— с одной стороны, и преуменьшающим — а значит, замешанным на стыде и токсичным,— с другой. Также во время сокрушительного процесса скорби личность

К этому времени процесс скорби из-за смерти психотерапевта, возможно, от ее собственной (т. е. психотерапевта) руки, зашел так далеко, а чувства утраты и покинутости у личности в депрессии стали настолько интенсивными и ошеломляющими, настолько одолели ее рудиментарные защитные механизмы, что, например, когда какая бы подруга, с которой связалась личность в депрессии, наконец ни сознавалась, что ей (т. е. «подруге») ужасно жаль, но ничего не поделать,ей *необходимо* повесить трубку и вернуться к требованиям насыщен-

---

в депрессии поделилась с дальнегородними подругами болезненным осознанием, что она вообще-то ни разу не спросила психотерапевта прямо, что она (т. е. психотерапевт) думала или чувствовала в любой конкретный момент во время их работы вместе, а также не спросила ни разу, что она (т. е. психотерапевт) на самом деле думала о ней (т. е. личности в депрессии) как о человеке, т. е. нравилась она лично психотерапевту, не нравилась, считала ли та ее в основном достойной/отталкивающей личностью и т. д. И это только два примера.

[vii] Естественно, во время процесса скорби терзаемую психику личности в депрессии случайным и непредсказуемым образом наводняли чувственные детали и эмоциональные воспоминания, давили на нее и наперебой требовали выражения и проработки. Например, мантилья из оленьей шкуры психотерапевта, хотя психотерапевт была почти фетишистски привязана к этому предмету одежды коренных американцев и носила его, кажется, чуть ли не на ежедневной основе, всегда была безупречно чистой и всегда являла собой безупречно необработанный и как будто влажный фон телесного цвета для разнопальцевых клеткообразных фигур, которые подсознательно составляли пальцы психотерапевта,— и личность в депрессии поделилась с участницами Системы Поддержки после смерти психотерапевта, что ей всегда было непонятно, как или благодаря какому процессу оленья шкура мантильи оставалась такой чистой. Личность в депрессии сознавалась, что иногда нарциссически представляла, будто психотерапевт надевает безупречную мантилью цвета кожи только на их встречи. Также в прохладном домашнем кабинете психотерапевта, у стены напротив бронзовых часов и позади кресла психотерапевта, стоял великолепный молибденовый ансамбль из стола и подставки для персонального компьютера, где на одной из полок по бокам от роскошной кофемашины «Браун» выстроились маленькие фотографии в рамочках мужа, сестер и сына психотерапевта; и личность в депрессии по телефону в кабинке часто вновь ударялась в слезы утраты, отчаяния и самобичевания, сознаваясь Системе Поддержки в том, что ни разу не спросила имена любимых психотерапевта.

ной, яркой, «бездепрессивной» жизни, первобытный инстинкт, который казался не чем иным, как инстинктом простейшего эмоционального самосохранения, заставлял личность в депрессии отбрасывать последние мелкодисперсные частицы гордости и бесстыдно умолять о двух или хотя бы одной минуте времени и внимания подруги; и если «сочувствующая подруга», выразив надежду, что личность в депрессии поймет, как стать мягче и сострадательней к себе же, твердо стояла на своем и изящно заканчивала беседу, личность в депрессии не тратила времени на бездумное прослушивание гудка, не грызла надкожицу указательного пальца, не терла лоб ладонью и не чувствовала ничего, кроме первобытного отчаяния, а лишь в спешке набирала следующий десятизначный номер из Телефонного списка Системы Поддержки, который к этому этапу скорби был несколько раз ксерокопирован и хранился в телефонной книжке, в файле ТЕЛЕФОН.ВИП на терминале рабочей станции, в бумажнике, в застегнутом внутреннем отделе сумочки, в шкафчике Центра йоги и здорового питания и в особом самодельном кармашке на нахзаце кожаного Дневника чувств личности в депрессии, который она — по предложению покойного психотерапевта — всюду носила с собой.

Личность в депрессии по очереди поделилась с каждым доступным участником Системы Поддержки долей волны эмоционально чувственных воспоминаний о сеансе, где она впервые открылась и рассказала психотерапевту о случае, когда смеющиеся парни сравнивали студентку колледжа с туалетом, и поделилась, что не могла забыть этот случай и что, хоть у нее не было никаких личных отношений или связи со студенткой, которую мужчины сравнили с туалетом, и она даже плохо ее знала, но ее (т. е. личность в депрессии) переполняли ужас и сострадательное отчаяние при мысли о том, что эта студентка стала объектом насмешек и веселого межполового презрения без ее (т. е. студентки, с которой, как вновь призналась личность в депрессии, она почти не общалась) ведома. Личность в депрессии была почти уверена, что на ее (т. е. личности в депрессии) эмоциональном развитии и на способности доверять и связываться именно после этого случая остался глубокий шрам; она решила раскрыться и стать уязвимой, поделившись — пусть только с одной-единственной, самой доверенной и элитной «центральной» участницей текущей Системы Поддержки, — что призналась психотерапевту, как даже сейчас, будучи якобы взрослой, она одержима идеей, что группы смеющихся людей часто высмеивают и унижают ее (т. е. личность в депрессии) без ее ведома. Покойный психотерапевт, как поделилась личность в депрессии с самой ближайшей дальнегородней наперсницей, объяснила, что воспоминание о травматическом случае в колледже и ответная уверенность в презрении и высмеивании — классический пример того, как задержавшийся в развитии эмоциональный защитный механизм взрослого человека может стать токсичным и дисфункциональным, удерживать взрослого в эмоциональной изоляции даже от себя самого и лишать общества и участия, а также может (т. е. токсичный задержавшийся в развитии защитный механизм может) ограничить доступ взрослого человека в депрессии к его собственным драгоценным внутренним ресурсам, к инструментам для установления связи с другими людьми и к способности относиться с уверенностью, мягкостью и сочувствием к самому себе, и что, таким образом, как ни парадоксально, задержавшиеся в развитии механизмы защиты помогали росту тех самых боли и грусти, которые изначально должны были предотвращать.

Именно делясь этой искренней, уязвимой реминисценцией четырехлетней давности с одной конкретной «центральной» участницей Системы Поддержки, которой, как казалось личности в депрессии, она могла сильнее всего доверять, на которую могла по-настоящему опереться и с которой могла по-настоящему общаться по наушникам с микрофоном, она (т. е. личность в депрессии) вдруг пережила то, что потом назовет эмоциональным озарением, почти таким же травматическим и ценным, как озарение, пережитое девять месяцев назад во время Уикенда экспериментального терапевтического лечения с фокусом-на-Внутреннем-ребенке, когда она почувствовала себя просто слишком катарсически опустошенной и обессиленной и была вынуждена улететь домой. Т. е., сказала личность в депрессии самой доверенной и поддерживающей дальнегородней подруге, похоже, как ни парадоксально, она (т. е. личность в депрессии) как-то обнаружила в себе, на пике чувств утраты и покинутости из-за передозировки психотерапевта натуральными стимуляторами, ресурсы и внутреннее уважение к собственному эмоциональному самосохранению, которые были необходимы для риска наконец попробовать последовать второму из самых сложных и пугающих предложений покойного психотерапевта и открыто попросить некоторых однозначно честных и поддерживающих близких ответить прямо, не чувствуют ли они к ней втайне насмешливого презрения, осуждения или неприязни. И личность в депрессии сказала, что наконец теперь, после четырех лет плаксивого и язвительного сопротивления, она все-таки решилась хотя бы начать задавать доверенным близким этот плодотворный, честный и, возможно, сокрушительный вопрос и что, отлично зная о своей фундаментальной слабости и оборонительном потенциале отрицания и избегания, она (т. е. личность в депрессии) сделала выбор инициировать этот беспрецедентно уязвимый допросный процесс прямо сейчас, т. е. с элитной, несравненно честной и сострадательной «центральной» участницей Системы Поддержки, с которой она как раз делилась своими мыслями и чувствами посредством наушников с микрофоном [viii]. Тут личность в депрессии на мгновение сделала паузу, чтобы пояснить: она твердо решила задавать этот потенциально глубоко травмирующий вопрос без обычных жалких и раздражающих защитных механизмов, без преамбулы, извинений или вставной самокритики. Она желала услышать, без обиняков, как заявила личность в депрессии, беспощадно честное мнение о ней как о личности от самой ценной и близкой подруги в текущей Системе Поддержки — как потенциально негативные, осуждающие и болезненные моменты, так и позитивные, одобряющие, поддерживающие и участливые моменты. Личность в депрессии подчеркнула, что настроена серьезно: пусть это покажется мелодраматичным, но беспощадно честная оценка объективного, хотя и очень заботливого, близкого на данный момент стала для нее почти буквально вопросом жизни и смерти.

Хотя она и боялась, призналась личность в депрессии своей близкой и выздоравливающей подруге, до глубины души, беспрецедентно боялась того, что, как ей казалось, она видит, узнает и с чем соприкасается во время процесса скорби, последовавшего за внезапной смертью психотерапевта, которая почти четыре года была ближайшей и самой доверенной наперсницей, источником

[viii] Особенно ценная и участливая дальнегородняя подруга, которой, как решила личность в депрессии, не так унизительно задать вопрос, чреватый открытостью, уязвимостью и эмоциональным риском, была выпускницей самого первого интерната в детстве личности в депрессии, исключительно щедрой и великодушной разведенной матерью двоих детей из Блумфилд-Хиллс, Мичиган, которая недавно перенесла второй курс химиотерапии из-за вирулентной нейробластомы, резко сузившей круг обязанностей и занятий в ее насыщенной, функциональной, взрослой жизни, ярко направленной на окружающих, и потому не только почти всегда была дома, но также могла похвастаться почти беспредельными и бесконфликтными возможностью и временем делиться по телефону, за что личность в депрессии никогда не забывала аккуратно вносить в Дневник чувств ежедневную молитву благодарности.

поддержки и одобрения личности в депрессии и — ни в коей мере не в обиду участницам Системы Поддержки будет сказано — ее самой лучшей подругой в мире. Потому что личность в депрессии обнаружила, призналась она по межгороду, взяв важный ежедневный Тихий перерыв [xi] во время процесса скорби, затихнув, сосредоточившись и заглянув внутрь себя, что она не чувствует, не идентифицирует какие-либо реальные чувства к психотерапевту, т. е. к психотерапевту как человеку, который умер, человеку, который не покончил с собой, только по мнению кого-нибудь в невероятно сильном отрицании, а, значит, человеку, который, как заявила личность в депрессии, наверняка сам страдал от эмоциональных терзаний, изоляции и отчаяния, сравнимых или, вероятно, — хотя она, кажется, могла представить себе такую возможность только на «головном», или чисто абстрактном уровне, призналась личность в депрессии, — даже превосходящих ее собственные. Личность в депрессии поделилась с подругой тем, что самый пугающий подтекст всего этого (т. е. факта, что, даже сосредоточившись и заглянув внутрь, она почувствовала, что не может найти реальных чувств к психотерапевту как к автономному действительному человеческому существу) заключался в том, что терзающая боль и отчаяние после самоубийства психотерапевта относились только к самой личности в депрессии, т. е. к ее утрате, ее покинутости, ее скорби, ее травме, боли и первобытному инстинкту самосохранения. И — как поделилась личность в депрессии, сейчас она идет на дополнительный риск и открывает нечто более ужасное,— что эта сокрушительно пугающая совокупность откровений вместо того, чтобы пробудить чувства сострадания, со-

[ix] (т. е. аккуратно составив утреннее расписание так, чтобы освободить двадцать минут, которые психотерапевт уже давно предлагала посвятить концентрации, соприкосновению с чувствами и их осознанию, и занесению в дневник, то есть тому, чтобы посмотреть на себя с сочувственным, неосуждающим, почти клиническим отстранением)

переживания и перенаправления скорби к психотерапевту как к человеку, на самом деле — и здесь личность в депрессии терпеливо дождалась, пока у ее особо доверенной подруги закончится приступ рвоты, чтобы можно было рискнуть поделиться, — эти сокрушительно пугающие откровения, казалось, к ее ужасу, лишь пробудили и породили еще больше чувств касательно самой личности в депрессии. В этот момент беседы личность в депрессии взяла тайм-аут, чтобы торжественно поклясться дальнегородней, тяжелобольной, часто бегающей блевать, но все еще заботливой и близкой подруге, что в том, как она (т. е. личность в депрессии) сейчас связалась с ней, открылась и созналась, нет ничего токсичного или жалкого, манипулятивного, самобичующего, есть только глубокий и ни на что не похожий страх: личность в депрессии боялась за себя, точнее сказать, за «себя» — т. е. за так называемый характер, или «дух», или даже «душу», т. е. за способность к простейшему человеческому сопереживанию, состраданию и заботе, — сказала она поддерживающей подруге с нейробластомой. Она спрашивает искренне, сказала личность в депрессии, честно, отчаянно: что за человек не может почувствовать ничего — «ничего», подчеркнула она, — ни к кому, кроме себя? И, может быть, никогда не почувствует? Личность в депрессии рыдала в микрофон наушников и говорила, что прямо здесь и сейчас она бесстыдно молит свою нынешнюю самую лучшую подругу и наперсницу в мире, чтобы та (т. е. подруга с вирулентной злокачественной опухолью в мозговом слое надпочечников) поделилась беспощадно откровенным суждением, без стеснений, не сваливаясь в подбадривания, оправдания или поддержку — все равно она не поверит в их искренность. Она ей доверяет, заверила подругу она. Она решила, что сама ее жизнь, хотя и проникнутая терзаниями, отчаянием и неописуемым одиночеством, зависела в этот момент пути к истинному исцелению от разрешения — даже если придется отмести прочь гордость, защиту и умолять, добавила она, — некоторым доверенным и аккуратно отобранным участницам Системы Поддержки судить ее. Итак, сказала личность в депрессии с надрывом в голосе, теперь она умоляет единственную и самую близкую свою подругу поделиться самым сокровенным мнением о способности «характера» или «духа» личности в депрессии заботиться о других. Ей нужна обратная реакция, рыдала личность в депрессии, даже если эта реакция частично негативная, болезненная, травматическая или потенциально может стать последней эмоциональной каплей — даже, молила она, если обратная реакция основывается только на холодном интеллектуальном, или «головном», уровне объективного вербального описания; она смирится с этим, обещала она, свернувшись и дрожа чуть ли не в позе эмбриона на эргономичном кресле своего рабочего места, — и потому торопила смертельно больную подругу говорить смело, без околичностей, высказать всё: какие слова и термины вообще могут описать и оценить солипсический, самопожирающий, бесконечный эмоциональный вакуум, губку, которыми она теперь сама себе кажется? Как ей, заглянув в себя, понять и описать, что же такого она столь болезненно узнала о своей личности?

Дьявол — человек занятой

Плюс когда он покупал что-то новое или если прибирал тракторный сарай или чердак, частенько у папани оставалось что-то уже ненужное, что только место занимает и надо мусор сплавить, но это же та еще волынка — срываться до свалки или комиссионки в городе,— так что он просто звонил и размещал объявление в городской газете «Трейдинг пост», что отдаст за так. Хренотень типа дивана, или холодильника, или культиватора старого. В объявлении было: «Бесплатно, приезжайте и забирайте». Но даже так приходилось долго ждать, пока хоть одна душа позвонит, а это штука так и валялась на дорожке к дому и жутко бесила папаню, пока наконец какой-нибудь городской, а то и парочка сразу, не приезжали глянуть. И были они все такие дерганые, с лицами пустыми, как в покере, и вот водили они жалом, и тыкали ногой в эту штуку, и донимали: «Где взяли что случилось почему неймется сплавить». Качали головами, и спрашивали своих миссис, и ломались, и чуть папаню до греха не доводили, ведь он-то всего лишь хотел отдать старый культиватор за так и убрать с дороги, а теперь приходится тратить время и втюхивать этим. И однажды вот что он стал делать, если хотелось что сплавить: размещал объявление в газете

«Трейдинг пост» и объявлял какую-нибудь дурацкую цену от балды, которую придумывал прямо во время разговора с «Трейдинг пост». Какую-нибудь дурацкую цену почти за так. «Старая борона с парой зубцов чутка ржавая $5», «Диван-кровать JCPenny желто-зеленая $10» и всё в таком духе. Тогда частенько народ стал позванивать в первый же день объявления в «Трейдинг пост», и приезжал из города и даже срывался откуда подальше, из других мелких городков, где тоже есть «Трейдинг пост», и люди тормозили, весь гравий с дорожки разбрасывали, и едва глядели на эту штуку, и начинали довлеть на папаню, мол, бери пять или десять баксов сразу, пока другой народ не купил, и если было что тяжелое, например диван, то я помогал грузить, и они тут же все забирали и срывались с места. И лица-то у них были другие, и лица их супружниц в грузовике, добрые все, и зубы тебе скалят, и миссис приобнимут, и папане делают ручкой, пока назад сдают. Радости полные штаны, что купили старую борону почти даром. Я спросил папаню, какой, значит, урок мы должны из этого извлечь, и он сказал, видать, горбатого могила исправит и отправил выгребать гравий из канавы, пока весь слив на хер не забился.

Думай

Ее бюстгальтер расстегивается. Его лоб разглаживается. Он думает встать на колени. Но знает, что тогда подумает она. Морщины сошли со лба из-за некоего откровения. Ее груди освобождаются. Он представляет своих жену и сына. Ее груди теперь ничем не ограничены. У ватного одеяла на постели тюлевая кайма, как маленькая кайма на пачке балерины. Это младшая сестра соседки по общежитию его жены. Все остальные ушли в торговый центр: кто-то за покупками, кто-то посмотреть кино в мультиплексе. У сестры с грудью ровный взгляд и легкая улыбка, легкая и томная, перенятая из СМИ. Она видит, как у него к лицу приливает румянец и разглаживается лоб от некоего открытия — так вот зачем она отпросилась от похода в торговый центр, вот смысл отдельных реплик, взглядов, растянутых моментов за уикенд, которые он списывал на свое тщеславие, воображение. Мы видим такие вещи в поп-культуре по дюжине раз на дню, но воображаем, что мы сами, наше воображение, безумны. Другой мужчина сказал бы, что видел, как ее рука двинулась к лифчику и *освободила* груди. У него слегка подгибаются ноги, когда она спрашивает, что он думает. Ее выражение — с 18-й страницы каталога «Виктория Сикрет». Она, думает он, из тех женщин, что не снимет туфли на каблуках, если попросить. Даже если она всегда снимала туфли, она ответит ему знающей, томной улыбкой, страница 18. Когда она поворачивается закрыть дверь, он на секунду видит ее в профиль: ее грудь — полусфера внизу, трамплинный изгиб наверху. Плавный полуоборот и толчок в дверь кажутся напыщенными от многозначительности: он осознает, что она повторяет сцену из любимого фильма. Перед мысленным взором — рука его жены на плечике сына, с почти отеческой нежностью.

Он даже не сам решает встать на колени — просто вдруг чувствует их вес. Из-за этой позы она может подумать, будто он хочет, чтобы она сняла белье. Его лицо на высоте ее трусиков, когда она идет к нему. Он чувствует ткань своих слаксов, текстуру ковра под ней, над ней, у коленей. Ее выражение — комбинация соблазнения и возбуждения, с оттенком легкой улыбки, чтобы показать искушенность, давно утраченные иллюзии. Это такое выражение, что выглядит сногсшибательно на фотографии, но становится нелепым, если долго держать его в реальности. Когда он складывает руки перед собой, становится очевидно, что он встал на колени помолиться. Теперь не перепутать, что он делает. Его румянец очень яркий. Ее груди перестают легко дрожать и покачиваться, когда она замирает. Она теперь на той же стороне кровати, но еще не рядом с ним. Его взгляд на потолок — просящий. Его губы беззвучно двигаются. Она в растерянности. Теперь она по-новому относится к своей обнаженности. Не знает, как стоять или смотреть, когда он так усердно глядит вверх. Его глаза не закрыты. Ее сестра и ее муж с детьми, а также жена и маленький сын мужчины поехали в гипермаркет на его минивэне «Вояджер». Она скрещивает руки на груди и быстро оглядывается: дверь, ее блузка и бюстгальтер, старинный туалетный столик жены испещрены солнечным светом, пробивающимся сквозь листья у окна. На миг она пытается представить, что творится у него в голове. У ножки кровати, из-под газовой каймы одеяла, едва выглядывают весы. Хотя бы на миг поставить себя на его место.

От вопроса, что она задает, его лоб морщится, он вздрагивает. Она скрестила руки на груди. Это вопрос из двух слов.

— Это не то, что ты думаешь,— говорит он. Его глаза не покидают пространства между ними и потолком. Теперь она осознаёт, как стоит, как глупо это может выглядеть через окно. Вовсе не от возбуждения твердеют ее соски. На ее лбу образуется озадаченная линия.

Он говорит: «Я боюсь не того, что ты думаешь».

И что, если она присоединится к нему на полу, так же умоляюще сложив руки: точно так.

Но смысла нет

А вот реально странная история. Пару лет назад, когда мне было 19, я готовился съехать из дома родаков и жить сам по себе, и однажды, пока собирался, вдруг нашло воспоминание, как в детстве отец один раз болтал членом у меня перед носом. Воспоминание пришло как гром среди ясного неба, но такое четкое и реалистичное, что я сразу понял, это правда. Я вдруг понял, что это действительно произошло, что это не сон, хотя и была в нем такая причудливая странность, как во сне. В этом внезапном воспоминании. Мне где-то 8 или 9, и я сижу один в гостиной, после школы, смотрю телик. Спустился и вошел в гостиную отец, и встал передо мной, типа между мной и теликом, ни слова не говоря, и я ни слова не говорю. И, ни слова не говоря, он достал член и как бы поболтал им у меня перед носом. Помню, дома никого не было. Кажется, дело было зимой, потому что в гостиной стоял холод, и я завернулся в мамин плед. Вот в чем где-то половина абсолютной странности случая, когда отец болтал членом у меня перед носом,— за все это время он не сказал ни слова (я бы вспомнил, если бы он что-то говорил), и в памяти не осталось ничего о том, каким было его лицо — ну, какое выражение. Не помню, смотрел он вообще на меня или нет. Помню только член. Член как бы завладел всем моим вниманием. Отец просто поболтал им у меня перед носом, не говоря ни слова, не добавив никакого комментария, встряхнул как в туалете, ну, как когда в туалете стряхивают,— но в то же время, помню, было в этом что-то угрожающее, даже унижающее, будто член был кулаком, который он сунул мне под нос, мол, поговори мне тут, и помню, я сижу, завернутый в плед, и не могу встать или отодвинуться от члена, и помню, что я только двигал туда-сюда головой, чтобы убрать его от лица (член). Это один из таких совершенно причудливых случаев, которые настолько странные, что они словно не происходят, даже когда происходят. Единственный раз до этого я видел член отца в раздевалке. Помню, как двигал туда-сюда головой, а сам не шевелился, и член как бы следовал за мной туда-сюда, и в голове мелькали самые причудливые мысли, типа: «Я двигаю головой, как змея» и т. д. Это был не стояк. Помню, что член был чуть темнее, чем тело, и с большой уродливой веной на боку. Маленькая дырочка на конце казалась узенькой и злой, и она открывалась и закрывалась, когда отец болтал членом, угрожающе целясь им мне в лицо, куда бы я не отодвинулся. Такое воспоминание. И после этого (после воспоминания) я бродил по дому родаков как в тумане, как типа оглушенный, вообще не в себе, но никому не говорил, ничего не спрашивал. Я знаю, что это был единственный раз, больше отец ничего подобного не делал. Я это вспомнил, когда упаковывал вещи, обходил магазины в поисках старых коробок для переезда. Иногда я в шоке бродил по дому родаков, очень странно себя чувствуя. Все думал о внезапном воспоминании. Входил в комнату родаков, потом спускался в гостиную. В гостиной вместо старого телика стоял домашний кинотеатр, но мамин плед еще был на месте, раскинутый на спинке дивана, когда им не пользовались. Тот же плед, что и в воспоминании. Я все пытался понять, зачем отец так сделал, о чем он думал, что он этим как бы имел в виду, и пытался вспомнить, что у него было за выражение или эмоция на лице.

Но дальше больше, потому что наконец-то я — в день, когда отец отпросился после обеда с работы, и мы встретились и взяли напрокат фургон для переезда,— я наконец-то — в фургоне, по дороге домой из проката,— рассказал о воспоминании и спросил его. Спросил прямо. Вряд ли к такому можно подвести. Папа заплатил за фургон с карточки, и он же вел его до дома. Помню, радио в фургоне не работало. И тут как (с его точки зрения) гром среди ясного неба я вдруг рассказываю отцу, что совсем недавно вспомнил день, когда еще был маленьким, а он спустился и поболтал членом у меня перед носом, и, типа, вкратце описал, что помню, и спросил: «Это что была за *хрень?*» Он ехал дальше и ничего не говорил и не делал в ответ, а я упорствовал и снова поднял тему и снова задал те же вопросы (я сделал вид, что он, может, не расслышал в первый раз). И что потом делает отец — мы в фургоне, на короткой прямой дороге рядом с домом родаков, готовимся к моему переезду,— он, не убирая рук с руля и не шевельнув ни единым мускулом, кроме шеи, поворачивается ко мне и одаривает таким *взглядом*. Не злым взглядом и не удивленным, как будто он решил, что ослышался. И не говорит там: «Да что с тобой, мать твою» или «Иди-ка ты знаешь куда»,— ничего из того, что говорит, когда видно, что он злится. Не говорит ни слова, но этот его *взгляд* говорит все, типа он поверить своим ушам не может, что я сморозил такую херню, типа он отказывается верить, и что ему противно, и типа он не просто ни разу в жизни не болтал передо мной в детстве членом без причин, но сам факт, что я мог, блин, *представить*, что он болтал передо мной членом, а потом еще и типа *поверить* в это, а потом возникнуть перед ним в арендованном фургоне и типа *обвинять*, и т. д. и т. д. Взгляд, с которым он отреагировал тогда, в фургоне на дороге, когда я поднял тему воспоминания и прямо о нем спросил,— вот что стало для меня последней каплей в отношениях с отцом. Когда он медленно повернулся и одарил меня взглядом, то словно говорил, что он меня стыдится, и даже стыдится, что я вообще его родная кровь. Представьте, будто вы в огромном шикарном ресторане с дресс-кодом или на банкете, с отцом и будто, типа, вы внезапно лезете на банкетный стол, и снимаете штаны, и срете прям на стол, у всех в ресторане на глазах,— вот таким взглядом вас одарит отец, если вы так сделаете (насрете). Примерно тогда, в фургоне, я и почувствовал, что готов его убить. На секунду мне захотелось провалиться под сиденье фургона, так стало стыдно. Но всего через долю секунды я так разозлился, что был готов его убить. Странно: само по себе воспоминание меня не разозлило, только оглушило, как после контузии. Но в том арендованном фургоне, когда отец даже ничего не сказал, а только в тишине довез нас до дома, не снимая рук с руля, и с этим взглядом в ответ на мой вопрос — вот тогда я охренеть как разозлился. Я всегда думал, что, когда говорят, будто от бешенства глаза застилает красная пелена — это только фигура речи, но это правда. Я упаковал шмотки в фургон, уехал и больше чем на год порвал все связи с родаками. Ни слова. Моя квартира — в том же городе — была от них, может, в паре километров, но я им даже телефонного номера не сказал. Делал вид, что их нет. Настолько мне было противно, так я разозлился. Мама понятия не имела, почему я порвал все связи, но ей-то я об этом не собирался говорить ни слова и знал, просто охренеть как был уверен, что отец ей тоже ничего не рассказывал. Когда я переехал и порвал все связи, у меня еще месяцами перед глазами стояла красная пелена, ну или как минимум розоватая. Я уже редко думал про воспоминание об отце, который болтал передо мной членом в детстве, но ни дня не проходило, чтобы я не вспомнил тот взгляд в фургоне, когда я поднял тему воспоминания. Убить его хотелось. Месяцами думал прийти домой, когда никого нет, и ввалить ему люлей. Сестры понятия не имели, почему я порвал с родаками, и говорили, что я, наверное, с ума сошел и что разбиваю маме сердце, и, когда я им звонил, постоянно пилили меня, что я, ничего не объяснив, порвал все связи, но я злился, знал, что умру, но до могилы больше никому не скажу об этом говне ни слова. Не потому, что зассал, но был в таком охерительном бешенстве, что казалось, типа, если об этом упомяну и увижу косой взгляд, случится страшное. Почти каждый день я представлял, как прихожу домой и вваливаю отцу люлей и он все спрашивает, за что, что это значит, а я ничего не говорю, и на лице у меня ни выражения, ни эмоции.

Потом, когда прошло время, я мало-помалу успокоился. Я по-прежнему знал, что воспоминание, как отец болтает передо мной членом в гостиной, реально, но мало-помалу начал осознавать, что если *я* помню об этом случае, то это не значит, что о нем помнит *отец*. Я начал понимать, что, может, он напрочь забыл тот случай. Возможно, случай был настолько странным и необъяснимым, что отец психологически заблокировал его в памяти, и, когда я как гром среди ясного неба (с его точки зрения) поднял тему в фургоне, он даже не вспомнил, что делал что-то настолько причудливое и необъяснимое, то есть вошел в гостиную и угрожающе поболтал членом перед маленьким ребенком, и подумал, что я свихнулся на хрен, и одарил взглядом, говорившим, что ему противно это слышать. Не то чтобы я до конца поверил, что отец ничего не помнит, но, скорее, мало-помалу я признавал, что, вполне возможно, он это заблокировал. Мало-помалу начинало казаться, что мораль воспоминаний о таких странных случаях — «возможно всё». Через год я дошел до состояния, когда решил, что если отец готов забыть, как я рассказываю о воспоминании в фургоне, и никогда не поднимать эту тему, то и я готов все забыть. И я был просто *охренеть* как уверен, что сам эту тему больше никогда не подниму. Я дошел до этой мысли как раз перед Четвертым июля, а еще это день рождения моей младшей сестры, и потому я как гром среди ясного неба (для них) позвонил родакам и спросил, можно ли прийти на день рождения сестры и посидеть с ними в особом ресторане, куда мы обычно ходили на ее день рождения, потому что она его обожает (ресторан). Этот ресторан, в центре нашего городка,— итальянский, довольно дорогой, с темным деревянным декором и с меню на итальянском (мы не итальянцы). Иронично, что именно в этом ресторане на день рождения я собирался снова наладить контакт с родаками, потому что в детстве по нашей семейной традиции это был «мой» особый ресторан, куда меня всегда водили отмечать день рождения. Я в детстве почему-то вбил себе в голову, что ресторан принадлежит мафии, которую в раннем детстве просто обожал, и всегда донимал родаков, чтобы меня туда сводили хотя бы на день рождения — а потом, пока я мало-помалу рос, я его перерос, а он почему-то стал особым рестораном моей младшей сестры, будто она его унаследовала. Там красно-черные клетчатые скатерти, все официанты похожи на солдат мафии, а на ресторанных столиках всегда стоят пустые винные бутылки со свечками в горлышке, которые таяли, и воск застывал на боках бутылки, оставляя разноцветные линии и всякие разводы. В детстве, помню, у меня была странная любовь к винным бутылкам со следами высохшего воска, и отцу часто, раз за разом, приходилось меня одергивать, чтобы я не колупал воск. Когда я приехал в ресторан, в пиджаке и галстуке, все уже собрались, сидели за столом. Помню, мама очень оживилась и была очень рада просто меня видеть, и я понял — она готова забыть год молчания, настолько рада, что вся семья в сборе.

Отец говорит: «Ты опоздал». На его лице ноль эмоций. Мама говорит: «Боюсь, мы уже все заказали, это ничего?»

Отец говорит, что они уже сделали заказ за меня, потому что я немного запоздал.

Я сел и с улыбкой спрашиваю, что мне заказали.

Отец говорит: «Курицу с престо, мать тебе заказала».

А я говорю: «Но я ненавижу курицу. Всегда ненавидел. Как же вы забыли, что я ненавижу курицу?»

Мы все поглядели друг на друга, за столом, даже младшая сестра, даже ее бойфренд с прической. Одну долгую долю секунды все смотрели друг на друга. Тут официант принес всем курицу. Тогда отец улыбнулся, показал мне в шутку кулак и сказал: «Иди-ка ты знаешь куда». Тогда мама приложила руку к груди, как делает, когда боится, что будет слишком сильно смеяться, и рассмеялась. Официант поставил передо мной тарелку, и я делаю вид, что смотрю на нее и кривлюсь, и все рассмеялись. Хорошо было.

Короткие интервью с подонками

КИ № 40 06/97
БЕНТОН-РИДЖ, ОГАЙО

Это рука. Так и не скажешь, что она актив, да. Но это рука. Хотите посмотреть? Не противно? Ну вот она. Вот рука. Вот почему меня все зовут Однорукий Джонни. Я эту кличку сам придумал, не то чтобы кто-то надо мной издевался — я сам. Вижу, что вы из вежливости не смотрите. Но ничего, давайте, смотрите. Меня не волнует. Про себя я зову ее не рукой, а Активом. Как бы вы ее описали? Давайте. Думаете, я обижусь? Хотите, чтобы сам описал? Как будто рука передумала в самом начале игры, пока была в мамином животике с остальными моими запчастями. Больше похожа на малюсенький плавничок, такая крохотная, влажная на вид и темнее всего тела. Она кажется влажной, даже когда сухая. Не самый приятный вид. Обычно держу ее в рукаве, пока не настает пора достать и пустить в дело Актив. Заметьте, что плечо нормальное, как и второе. Только рука. Доходит где-то до сосочка у меня на груди, видите? Мелкая сволочь. Вид неприятный. Двигается нормально, я нормально ей двигаю. Если присмотреться, тут на конце такие мелкие пупырышки — можно догадаться, что они хотели стать пальцами, но не сформировались. Когда я был в животике. Другая рука — видите? Нормальная, малость мускулистая, ведь я только ею и пользуюсь. Нормальная и длинная, и правильного цвета, эту руку я всегда держу на виду, а для другой в основном подтыкаю рукав так, будто нет вовсе никакой руки. Но сильная. Рука то есть. Глаза режет, но сильная, иногда я соревнуюсь в армрестлинге, чтобы показать, какая она сильная. Сильный сволочной плавничок. Ну, если решатся дотронуться. Я всегда говорю, что если трогать не решаетесь, то ничего, мне не обидно. Хотите потрогать?

Вопрос.

Нормально. Нормально.

Вопрос.

Вот в чем штука: ну, во-первых, тут хватает девушек. Понимаете, о чем я? У нашего литейного, в «Лейнсе». Там пивнушка прям в одной автобусной остановке. Джекпот — это мой лучший друг,— Джекпот и Кенни Кирк — Кенни Кирк его двоюродный брат, Джекпота, они оба старше меня в литейном, потому что я, в отличие от некоторых, окончил школу, так что вступил в профсоюз позже всех,— они парни смазливые, нормальные. Умеют Обращаться С Дамой, если понимаете, о чем я, и там всегда зависают девчонки. Мы компанией, нашей компанией или группой, мы просто тусим в стороне, пиво пьем. Джекпот и Кенни всегда встречаются то с одной, то с другой, а у тех обязательно есть подружки. Ну знаете. Нас там целая, скажем, целая компания. Улавливаете ситуацию? И я начинаю общаться с той или другой, и через некоторое время первая стадия — я рассказываю им, как получил прозвище Однорукий Джонни, и про руку. Это первая стадия проекта. Проекта перепихнуться при помощи Актива. Описываю им руку, пока она еще в рукаве, и рассказываю так, будто это самая уродливая хреновина в мире. У них тут же такой вид типа Ох Бедняжка, Зачем Ты Так Жесток К Себе, Не Надо Стыдиться Руки. И тэ дэ. Какой я приятный молодой человек и как им грустно слышать, что я так о себе говорю, тем более что я не виноват, что уродился с такой рукой. Как только они так заговорят на этой стадии, следующая стадия — спросить, не хотят ли они на нее взглянуть. Я говорю, как стыжусь руки, но почему-то доверяю им, и они кажутся хорошими, и, если хотят, я раскрою рукав и достану руку и дам им посмотреть на нее, если они думают, что выдержат. Все треплюсь о руке, пока у них уши в трубочку не сворачиваются. Иногда это какая-нибудь бывшая Джекпота, которая идет со мной от «Фрейм Элевен» до «Лейнса» и говорит, какой я хороший слушатель и чувствительный, не то что Джекпот или Кенни, и она поверить не может, что рука так ужасна, как я говорю, и все такое. Или мы зависаем у нее на квартире, в кухне или еще где, и я начинаю: Тут Так Жарко, Я Бы Снял Рубашку, Но Не Могу, Потому Что Стыжусь Руки. Как-то так. Есть несколько стадий. Я никогда не называю ее вслух Активом, уж поверьте. Давайте, потрогайте, где хотите. Одна из стадий — я знаю, что через некоторое время начинаю пугать девушку, это ясно как день, ведь я только и говорю о руке, и какая она влажная, и плавниковая, но и какая сильная, но я готов допросто взять и умереть, если какая-нибудь красивая, добрая и идеальная девушка вроде, как мне кажется, нее увидит руку и ужаснется, и ясно, что все эти разговоры начинают их пугать, и они начинают думать про себя, что я какой-то лузер, но деваться им уже некуда, ведь, в конце концов, они сами все это время гнали всякую милую пургу про то, что я молодой человек с тонкой душой, и что мне не надо стыдиться, и не может быть, чтобы рука была такая ужасная. На этой стадии они загнаны в угол, и если бросят со мной общаться, то знают, что я скажу Это Все Из-за Руки.

Вопрос.

Обычно около двух недель, где-то так. А дальше критичная стадия, когда я показываю руку. Дожидаюсь, пока мы где-нибудь останемся, только я и она, и вываливаю сволочь. Представляю все так, будто это они меня уболтали, и теперь я им доверяю, и они — те единственные, перед кем я могу наконец раскатать рукав и показать. И показываю, как вам сейчас. Есть еще пара дополнительных приемов, как сделать ее даже страшнее, видите? Вот тут, видите? Это потому, что тут даже не настоящий локоть, а только...

Вопрос.

Или какие-нибудь мази или желе вроде вазелина, чтобы она была совсем влажной и блестящей. Точно говорю, далеко не самый приятный вид, когда я вываливаю ее перед ними. Их чуть ли не тошнит от вида, как я ее достаю. А, и парочка сбегает, некоторые могут сдристнуть прямо в дверь. Но большинство? А большинство из них пару раз тяжело сглотнет и говорит «О Она-Она Она Не Такая Уж Страшная», а сами отворачиваются и в лицо мне не глядят, а у меня уже как раз все время такое совершенно застенчивое, испуганное и доверчивое лицо, я даже могу сделать так, например, чтобы губа немножко дрожала. Виие? Виие ах? И рано или поздно, минут где-то через пять, они берут и начинают плакать. Всё, попались, понимаете. Они же, типа, уже загнаны в угол своими же словами, что рука не может быть такой уж уродской и мне не надо стыдиться, а теперь видят, что она уродская, уродская-уродская-уродская, уж я-то постарался, и что им теперь делать? Прикинуться? Блин, милочка, да местные телки думают, что Элвис еще где-то там живой. От них не стоит ждать чудес логики. И каждый раз они тут ломаются. Им еще хуже, когда я спрашиваю О Боже, Что Случилось, почему они плачут, Неужели Из-за Руки, а им приходится говорить Вовсе Не Из-за Руки, приходится, приходится притворяться, что это не из-за руки, просто им очень жалко меня, что я стыжусь, хотя тут нет ничего страшного, так вот им приходится говорить. Частенько пряча лицо в ладонях и плача. Кульминациональная стадия — когда я беру и подхожу к ней, и сажусь рядом, и теперь это я их утешаю. И, как его, важный фактор, до которого я дошел на горьком опыте,— это когда подхожу их обнять и утешить, обнимаю я со здоровой стороны. Больше не показываю Актив. Актив снова в тепле и уюте в своем рукаве. Они разрыдались, а я теперь их обнимаю здоровой рукой и говорю Ничего, Не Плачь, Не Надо, То, Что Тебе Не Противна Рука, Очень-Очень Много Для Меня Значит, Разве Ты Не Видишь, Ты Освободила Меня От Стыда За Руку, Спасибо-Спасибо, и тэ дэ, пока они уткнулись лицом мне в шею и просто плачут и плачут. Иногда и меня до слез доводят. Следите за ходом мысли, да?

Вопрос...

Да я вижу больше пилоток, чем сидушка толчка, блин. Без б. Пойдите и спросите Джекпота и Кенни, если хотите. Это Кенни Кирк назвал ее Активом. Сами спросите.

КИ № 42 06/97
ПЕОРИЯ-ХАЙТС, ИЛЛИНОЙС

Тихие шлепки о воду. Звуки отходящих газов. Тихое невольное кряхтенье. Особый вздох старика у писсуара, как он готовится, как расставляет ноги, целится и испускает вечный вздох, и видно, что сам его не замечает.

Таким было его окружение. Он стоял там шесть дней в неделю. По субботам двойная смена. Звонкая, как иглы и гвозди, моча о воду. Невидимое шуршание газет на голых коленях. Запахи.

Вопрос.

Лучший исторический отель штата. Роскошнейший холл, роскошнейший мужской туалет меж двух побережий, вне всяких сомнений. Мрамор доставлен из Италии. Двери кабинок из выдержанной вишни. Он стоял там с 1969-го. Светильники рококо и резные чаши. Богато и гулко. Гигантская богатая гулкая комната для деловых людей, мужчин с капиталом, мужчин, которые покупают и продают. Запахи. Не спрашивайте о запахах. Разница некоторых мужских запахов, схожесть всех мужских запахов. Все звуки усилены кафелем и флорентийским камнем. Стоны простатиков. Рокот стоков. Резкое отхаркивание скопившейся мокроты, взрывной и фарфоровый плевок. Цокот дорогих туфель по доломитовой плитке. Рык в паху. Отвратительные громоподобные взрывы газа и звук падения в воду. Все такое измельченное из-за перенесенного давления. Твердое, жидкое, газообразное. Все запахи. Запах как окружение. Целый день. По девять часов в день. Стоит в белом, как мороженое «Гуд Хьюмор». Все звуки преувеличены, слегка раскатисты. Мужчины входят, мужчины выходят. Восемь кабинок, шесть писсуаров, шестнадцать раковин. Посчитайте. О чем они думали?

Вопрос...

Там он и стоит. В акустическом центре. Где раньше была стойка чистильщика обуви. В подготовленном месте между концом раковин и началом кабинок. Место, созданное специально для него. Око бури. Сразу после рамы длинного зеркала над раковинами — раковины из флорентийского мрамора, шестнадцать резных чаш, листья сусального золота на металлических деталях, зеркало из хорошего датского стекла. Где состоятельные мужчины выковыривают выделения из уголков глаз и выдавливают угри, сморкаются в раковины и выходят, не смыв. Он стоял целый день с полотенцами и небольшими футлярами туалетных принадлежностей наготове. В шепоте трех вентиляционных отверстий — слабый намек на бальзам. Тренодия вентиляции неслышна, пока комната не опустеет. Он стоит там и когда пусто. Это его занятие, его профессия. Всегда в белом, как массажист. Простая белая рубашка «Хейнс», белые штаны и теннисные туфли, которые приходилось выкидывать, если посадишь хоть пятнышко. Он принимает чемоданы и пальто, стережет, помнит, где чье, не спрашивая. При такой акустике говорят как можно меньше. Возникает у локтей мужчин, чтобы протянуть полотенце. Бесстрастие до самоустранения. Вот профессия моего отца.

Вопрос...

Хорошие двери кабинок не доходят до пола на полметра — почему так? Откуда такая традиция? Произошла от лошадиных стойл? Слово «stall», кабинка, как-то связано со словом «stable», стойло? Хорошие кабинки дают только визуальное уединение и ничего больше. Что там, они усиливают звуки изнутри, словно рупор. Слышно все. Бальзам подслащает и лишь ухудшает запахи. Под дверями кабинок — дефиле дорогих туфель. После обеда кабинки заняты. Длинная прямоугольная рамка с туфлями. Кто-то притоптывает. Кто-то напевает, говорит вслух сам с собой, забыв, что он не один. Газы, кашель, сочные всплески. Дефекация, экскреция, извержение, облегчение, опростание, испражнение. Характерный грохот роликов с туалетной бумагой. Редкий щелчок ножниц для ногтей или депиляции. Истечение. Эмиссия. Оправление, мочеиспускание, деуринация, транссудация, выделение, катарсис — столько синонимов: почему? что мы пытаемся себе сказать всеми этими словами?

Вопрос...

Обонятельный шум одеколонов, дезодорантов, тоников для волос, восков для усов разных мужчин. Богатый букет иностранного и немытого. Некоторые туфли в кабинках касаются своих напарников нерешительно, опасливо, словно принюхиваясь. Влажный шорох ягодиц на мягких сиденьях. Легкий пульс в каждой чаше унитаза. Маленькие последки, пережившие смыв. Нескончаемое журчание и капель писсуаров. Индольная вонь протухшей пищи, эккринная нота от рубашек, уремический бриз за каждым смывом. Мужчины, что смывают ногой. Мужчины, что дотрагиваются до ручки двери только через салфетку. Мужчины, что влекут бумагу из кабинок за собой, как хвост кометы, пока бумага зажата в анусе. Анус. Слово «анус». Анусы нуворишей пристраиваются над водой в унитазах, сокращаются, куксятся, растягиваются. Мягкие лица грубо перекошены в напряжении. Старики, которым требуется всевозможная жуткая помощь: опустить и усадить чресла мужчины, подтереть мужчину. Тихо, безмолвно, бесстрастно. Обтряхнуть плечи мужчины, обмахнуть мужчину, снять лобковый волос из складки брюк мужчины. За мелочь. На объявлении все сказано. Мужчины, которые дают чаевые, мужчины, которые не дают. Устраниться полностью, иначе о нем забудут, когда дело дойдет до чаевых. Секрет его поведения — появляться лишь по необходимости, существовать тогда и только тогда, когда он нужен. Подспорье без вторжения. Услуга без слуги. Ни один мужчина не хочет знать, что его нюхает другой мужчина. Миллионеры, которые не дают чаевых. Франты, которые побрызгивают в унитаз и дают пятицентовик. Наследники, которые воруют полотенца. Магнаты, которые ковыряются в носу большим пальцем. Филантропы, которые бросают окурки сигар на пол. «Из грязи в князи», которые плюют в раковину. Баснословные богачи, которые не смывают и не задумываясь предоставляют право смывать другому, потому что к этому они привыкли — как говорится, «чувствуйте себя как дома».

Он отбеливал рабочую форму сам, утюжил. Ни слова жалобы. Бесстрастно. Такой человек, что может простоять на одном месте весь день. Иногда там, в кабинках, видны пятки туфель блюющих. Слово «блевать». Само слово. Мужчины, которых тошнит в помещении с акустикой. Все звуки смертных, в которых он стоял каждый день. Попробуйте представить. Мягкая брань мужчин с запором, мужчин с колитом, кишечной непроходимостью, раздраженным кишечником, лиэнтерией, диспепсией, дивертикулитом, язвой, кровавым поносом. Мужчины с колостомами дают ему пакеты на очистку. Конюший человека. Слышит не слыша. Нужно лишь видеть. Легкий кивок, что в мужском туалете и признание, и отсрочка одновременно. Жуткие метастазные ароматы континентальных завтраков и деловых ужинов. Когда мог — двойная смена. Кусок хлеба, кров, детям на учебу. Его ступни отекали от стояния. Его голые ноги — бланманже. Он принимал душ трижды в день, отскребался дочиста, но работа всюду следовала за ним. Ни слова.

На двери сказано все. МУЖЧИНЫ. Я не видел его с 1978-го и знаю, что он еще там, весь в белом, стоит. Прячет глаза, дабы сохранить достоинство клиентов. А его собственное? Его пять чувств? Как звали тех трех обезьян? Его задача — стоять там, будто он не там. Не взаправду. Есть секрет. Смотреть на особое ничего.

Вопрос.

Я узнал это не в мужском туалете, заверяю.

Вопрос...

Вообразите: не существовать, пока не понадобишься мужчине. Быть и все же не быть. Добровольная прозрачность. По необходимости здесь, условно здесь. Как говорится, «жить, чтобы служить». Его профессия. Кормилец. Каждое утро в шесть, поцеловать нас на прощание, на завтрак тост в автобусе. В перерыв он мог поесть по-настоящему. Посыльный сбегает в гастроном. Давление порождает давление. Роскошные отрыжки дорогостоящих обедов. На зеркале остатки себума, гноя и высморканного детрита. Двадцать-шесть-нет-семь лет на одной службе. Степенный кивок, с которым он получал чаевые. Неслышное «спасибо» завсегдатаям. Иногда имя. Все эти массы, что вываливаются из всех этих огромных мягких теплых рыхлых влажных белых анусов, в напряжении. Представьте. Присутствовать при стольких испражнениях. Видеть состоятельных мужчин в самом первобытном состоянии. Его профессия. Профессионал.

Вопрос.

Потому что он приносил работу домой. Лицо, которое он надевал в мужской уборной. Он не мог его снять. Его череп подстроился под лицо. Это выражение, или, вернее, отсутствие выражения. Учтивое и не больше. Начеку, но нигде. Его лицо. Больше чем сдержанное. Словно вечно хранит себя для какого-то грядущего испытания.

Вопрос...

Я не ношу ничего белого. Ни единой белой вещи, всячески вас заверяю. Я либо отправляю потребности в тишине, либо не отправляю. Даю чаевые. Никогда не забываю, что рядом кто-то есть.

Да, и восхищаюсь ли я силой духа этих скромнейших представителей рабочего класса? Стоицизмом? Старосветской выдержкой? Стоять там все эти годы, не пропустив по болезни ни дня, служить? Или я презираю его, гадаете вы, испытываю отвращение, презрение к любому, кто стоит, самоустранившись в миазмах, и выдает полотенца за мелочь?

Вопрос.

...

Вопрос.

А какой, еще раз, был выбор?

КИ № 2 10/94
КАПИТОЛА, КАЛИФОРНИЯ

Милая, нам нужно поговорить. Давно уже нужно. Я хочу... в смысле, мне так кажется. Можешь присесть?

Вопрос.

Так, я почти на все пойду ради тебя, так я о тебе переживаю, и я готов на все, лишь бы тебе не было больно. Меня это очень тревожит, поверь.

Вопрос.

Потому что я переживаю. Потому что я люблю тебя. Настолько, что правда могу быть честным.

Вопрос.

Что иногда я боюсь, что тебе будет больно. И что ты этого не заслуживаешь. В смысле, чтобы тебе было больно.

Вопрос, вопрос.

Потому что, если честно, у меня не очень хорошая предыстория. Почти каждые близкие отношения с женщинами кончались тем, что им как-нибудь было больно. Если честно, иногда я боюсь, что я один из тех, кто использует людей, женщин. Иногда я бо... нет, пошло оно, я буду с тобой честным, потому что я за тебя переживаю, и ты этого заслуживаешь. Милая, предыстория моих отношений показывает, что от меня не бывает ничего хорошего. И в последнее время я все больше и больше опасаюсь, что тебе будет больно, что я могу как-то сделать тебе больно, как, похоже, делал другим, кто...

Вопрос.

Что у меня есть предыстория, паттерн, так сказать,— например, в начале отношений я налетаю очень быстро и сильно, вкладываюсь очень интенсивно и очень сильно, ухаживаю очень интенсивно, влюбляюсь без памяти с самого начала, и очень рано выдаю «Я люблю тебя», и начинаю тут же говорить в будущем времени, и готов сделать и сказать все, чтобы продемонстрировать, как я переживаю,— как следствие, они, естественно, искренне верят, что я правда влюблен — а так и есть,— из-за чего им, видимо, кажется, что их настолько любят и они, так сказать, настолько уверены в ситуации, что можно говорить «Я люблю тебя» в ответ и признаваться, что тоже в меня влюблены. И это не значит — дай мне это подчеркнуть, потому что это святая истинная правда,— не значит, что я вру, когда так говорю.

Вопрос.

Так, «сколько их было» — это не то чтобы необоснованный вопрос или беспокойство, но если ты не против — я просто не об этом пытаюсь с тобой поговорить,— так что, если ты не против, давай пока не будем о количестве или именах, и я попытаюсь абсолютно честно поговорить о том, что меня беспокоит, потому что я переживаю. Я сильно о тебе переживаю, милая. Очень сильно. Знаю, что одних слов мало, но мне очень важно, чтобы ты поверила мне и думала об этом во время нашего разговора — думала о том, что если я что-нибудь скажу или сделаю то, от чего тебе будет больно, то это ни в коем случае не преуменьшает и не опровергает моих слов и не говорит о том, что я не переживаю или что я врал тебе абсолютно каждый раз, когда говорил, что я тебя люблю. Каждый раз. Надеюсь, ты мне поверишь. Ты это заслужила. Плюс это правда.

Вопрос...

Но дело, как кажется, в том, как будто все, что я говорю и делаю, приводит их к мысли, что у нас очень... очень серьезные отношения, и можно даже сказать, что я как-то *гипнотизирую* их думать в категориях будущего.

Вопрос.

Потому что потом этот паттерн, что ли, кажется, в том, что как только я тебя, так сказать, *получил* и как только ты так же углубляешься в отношения, как и я, тогда я как будто как-то почти органически не способен напирать до конца, и дойти до конца, и сделать... как там это слово...

Вопрос.

Да, точно, именно его, но должен тебе сразу сказать, даже то, как ты это произнесла, наполняет меня ужасом, что тебе уже сейчас больно и ты не понимаешь, что я пытаюсь сказать, в том духе, в каком я пытаюсь говорить, а именно что я честно настолько за тебя переживаю, что хочу честно поделиться своими тревогами о хотя бы отдаленной возможности, что тебе будет больно,— а это, поверь, последнее, чего я хочу.

Вопрос.

Что, изучив предысторию и сделав какие-то выводы, я, как кажется, вижу, как будто что-то во мне в ранней интенсивной части отношений как-то переключается на ускорение и доводит все точно до момента «да» обязательствам, а потом, но потом почему-то не может напирать до конца и сделать эти обязательства действительно серьезными, в будущем времени, обязательными. Как сказал бы мистер Читвин, я просто не из тех, кто добивает. В этом есть какой-то смысл? Мне кажется, я не очень понятно объясняю. Настоящая боль возникает потому, что эта неспособность подключается только после того, как я делаю, говорю и веду себя во всем так, что на каком-то уровне, как я сам не могу не осознавать, намекаю, будто хочу чего-то действительно обязательного в будущем времени, как и они. Вот как бы такая у меня предыстория в этом плане, если честно, и, насколько я вижу, она показывает парня, от которого, как кажется, для женщин не бывает ничего хорошего, что меня и тревожит. Сильно. Что я, кажется, до определенного момента в отношениях кажусь женщинам совершенно идеальным парнем, пока они не прекращают всякое сопротивление и оборону и посвящают себя любви и обязательствам, и кажется, конечно, будто этого я и хотел с самого начала, и над этим так тяжело трудился, и ради этого так интенсивно ухаживал,— как, отлично знаю, я вел себя и с тобой,— чтобы уже стать серьезней и думать в категориях будущего времени, и появляется слово «обязательство», и вот тогда — и, милая, поверь, это очень трудно объяснить, потому что я сам еще очень далек от понимания,— но тогда, в этот самый момент, насколько я могу разобрать, как правило, что-то во мне как будто включает заднюю, что ли, и теперь вкладывает все ускорение в какой-то отъезд.

Вопрос.

Насколько я сам могу по правде разобрать — я вроде как психую и чувствую, что мне надо включать заднюю и выбираться, вот только обычно я не совсем уверен, не могу точно сказать, правда ли я хочу выбраться или просто почему-то психую, и, даже хотя я психую и хочу выбраться, как кажется, я будто все равно не хочу их потерять, так что я обычно веду себя непоследовательно, говорю и делаю множество вещей, которые вроде бы их путают и дергают туда-сюда и причиняют боль, из-за чего, поверь мне, я всегда в конце концов ужасно себя чувствую, даже в процессе. Из-за этого, скажу тебе по правде, я психую и сейчас, с тобой, потому что дергать тебя туда-сюда и причинять боль — абсолютно последнее, что я...

Вопрос, вопрос.

Святая истинная правда, не знаю. Я не знаю. В этом я еще не разобрался. По-моему, все, что я пытаюсь сейчас сделать, пока мы тут сидим и говорим,— это правда переживать за тебя и быть честным о себе и своей предыстории отношений, и причем на полпути, а не в конце. Потому что предыстория говорит, что, как кажется, как правило, только в конце отношений я, кажется, способен открыться и рассказать о каких-то своих страхах и о своей предыстории причинения боли женщинам, которые меня любят. Она, конечно, причиняет им боль, эта моя внезапная честность, и обрывает отношения, из-за чего я потом боюсь, что, может, это-то и было все время моей подсознательной целью при наконец честном разговоре. Я не уверен.

Вопрос...

Ну, в общем, правда в том, что я ни в чем не уверен. Я просто пытаюсь честно рассмотреть свою предысторию и честно разглядеть то, что кажется паттерном, и вероятность повторения этого паттерна с тобой — а я, поверь мне, готов на все, лишь бы не это. Пожалуйста, поверь, причинить тебе любую боль — последнее, чего я хочу, милая. Этот самый отъезд, неспособность напирать до конца и, как сказал бы мистер Читвин, добить сделку — вот о чем я пытаюсь попробовать быть с тобой честным.

Вопрос.

И чем сильнее и быстрее я вкладываюсь вначале, ухаживаю, и преследую, и чувствую себя полностью влюбленным — интенсивность этой скорости кажется прямо пропорциональной интенсивности и срочности, с которыми, как кажется, я ищу способы выбраться, отъехать. Предыстория показывает, что заднюю я внезапно включаю точно тогда, когда мне начинает казаться, что я их *получил*. Что бы ни значило «получил» — если честно, я сам не знаю. Как кажется, это значит — когда я точно знаю и чувствую, что теперь они так же глубоко в отношениях и в будущем времени, как и я. Был. До того. Все происходит так быстро. Это страшно. Иногда я даже не знаю, что даже случилось, пока уже не слишком поздно, и я оглядываюсь и пытаюсь понять, почему ей было так больно, это она сумасшедшая, неестественно прилипчивая и зависимая или это от меня не бывает ничего хорошего в отношениях. Все происходит невероятно быстро. А ощущается одновременно и быстро, и медленно, как в автомобильной аварии, когда ты почти будто больше наблюдаешь со стороны, чем сам в ней участвуешь. В этом есть какой-то смысл?

Вопрос.

Мне, кажется, надо постоянно признаваться, что мне правда страшно из-за того, что ты меня не поймешь. Что я непонятно объясню или ты не по своей вине как-то неправильно истолкуешь то, что я говорю, и как-то вывернешь наизнанку, и тебе будет больно. Должен тебе сказать, я тут чувствую непередаваемый страх.

Вопрос.

Ладно. Вот и опасный момент. Десятки раз. Минимум. Может, сорок, сорок пять раз. Если честно — возможно, больше. В смысле — боюсь, намного больше. Похоже, я уже даже не уверен.

Вопрос...

На поверхности, в плане деталей, все очень разные — и отношения, и чем конкретно они кончались. Милая, но я как-то начал понимать, что под поверхностью они в основном одинаковы. Один и тот же основной паттерн. В каком-то смысле, милая, это понимание дарит мне некоторую надежду, потому что, может, это значит, что теперь я способен лучше понять себя и стать с собой честней. Я кажусь каким-то сознательным в этой области. Что, если честно, отчасти вселяет ужас. Интенсивное начало, почти на ускорении, и ощущение, как будто все зависит от того, когда они прекратят оборону и окунутся с головой, и влюбятся в меня так же, как я в них, и потом я психую и включаю заднюю. Признаю, есть что-то страшное в том, чтобы быть сознательным в этой области, как будто кажется, что как будто у меня как-то пропадает все пространство для маневра. Это безумно, знаю, потому что в начале паттерна мне и не *нужно* никакое пространство для маневра, *последнее*, что я хочу,— пространство для маневра, а *хочу* я только окунуться, и чтобы они окунулись со мной, и поверили в меня, и мы были вместе навсегда. Клянусь, я правда почти каждый раз, кажется, верю, что только этого и хочу. Вот почему мне не очень кажется, как будто я мерзавец или что-то такое, или как будто я действительно вру или что-то такое,— хотя все равно в конце, когда кажется, что я уже дал заднюю и внезапно совершенно отъехал из отношений, им всем почти всегда кажется, как будто я врал, как будто, если я говорил до этого правду, то никак не мог бы дать заднюю, что в итоге и делаю. Но я по-прежнему, если честно, не очень думаю, что так делал — врал. Если только я не оправдываюсь. Если только я не какой-то психопат, который что угодно может оправдать и не видит своего даже самого очевидного злодейства или который даже не переживает, но хочет обмануть себя и верить, что переживает, чтобы и дальше считать себя вполне приличным парнем. Все это так невероятно запутано, и это одна из причин, почему я сомневался, стоит ли поднимать с тобой эту тему,— из страха, что не смогу говорить понятно и что ты меня не поймешь и тебе будет больно,— но я решил, что раз я за тебя переживаю, то надо набраться смелости реально вести себя так, как будто я переживаю, ставить любовь прежде мелочных волнений и путаниц.

Вопрос.

Милая, ну конечно же. Только надеюсь, ты сейчас без сарказма. Я в таких потемках и мне так страшно, что, наверное, и не передать.

Вопрос.

Знаю, что надо было раньше рассказать о себе что-то из этого, да и о паттерне. Еще до того, как ты переехала ко мне из такой дали — что, поверь, значит так... потому-то я ведь правда почувствовал, что ты правда переживаешь — за все это, за нас, за жизнь со мной,— и потому-то я тоже хочу так же переживать и быть честным с тобой, как ты со мной. Особенно потому, что, знаю, именно я так старательно лоббировал твой переезд. Учеба, твоя квартира, кошку пришлось отдать — просто, пожалуйста, не пойми неправильно: то, что ты на все это пошла, лишь бы быть со мной, для меня очень много значит, и во многом благодаря этому я правда чувствую, как будто люблю тебя и так сильно переживаю — слишком сильно, чтобы мне не стало страшно, что я тебя дергаю зря или сделаю по ходу дела больно — а это, поверь, учитывая мою предысторию в этой области, так возможно, что надо быть полным психопатом, чтобы не задуматься. Вот что я хочу объяснить так ясно, чтобы ты поняла. В этом есть хоть малейший смысл?

Вопрос.

Все не так просто. По крайней мере, не для меня. И поверь, для себя я не то чтобы совершенно приличный парень, который никогда не ошибается. Если честно, парень получше, наверное, рассказал бы о паттерне и предупредил бы даже до того, как мы переспали. Потому что я знаю, что меня потом мучила совесть. Когда мы переспали. Несмотря на то как невероятно волшебно, восторженно и *правильно* это было, ты была. Наверное, совесть мучила потому, что это я так старательно лоббировал переспать так быстро, и хоть ты совершенно честно сказала, что тебе идея переспать так быстро не нравится, и хоть я даже тогда тебя уважал, и сильно переживал, и хотел уважать твои чувства, но все же меня так невероятно влекло к тебе — такая почти неотразимая вспышка влечения — и все это так нахлынуло, что — хотя это даже, сам знаю, было совершенно необязательно,— я слишком быстро окунулся с головой и, наверное, давил и торопил тебя тоже окунуться и переспать — хотя, по-моему, где-то в глубине и понимал, наверное, как неудобно и совестно мне будет потом.

Вопрос.

Я непонятно объясняю. Я не могу передать. Ладно, вот теперь я правда психую, что тебе уже больно. Прошу, поверь мне. Я же начал разговор о предыстории и о том, что, боюсь, может случиться, как раз потому, что не *хочу*, чтобы это случилось, да? Потому, что я не *хочу* внезапно дать заднюю и пытаться исчезнуть после того, как ты от столького отказалась и переехала сюда, когда у меня... когда у нас все стало так серьезно. Я только надеюсь, ты сможешь понять: раз я рассказываю о том, что обычно происходит, то это как бы доказывает, что я не *хочу*, чтобы это же случилось и с тобой. Что я не *хочу* становиться вспыльчивым или придирчивым, или отъезжать и пропадать на целые дни, или быть откровенно неверным так, чтобы ты гарантированно узнала, или пользоваться любой другой трусливой подлянкой, какими пользовался раньше, чтобы выбраться из отношений, в которые просто месяцами интенсивного преследования и стараний уговаривал другого человека окунуться вместе со мной. В этом есть какой-то смысл? Ты можешь поверить, что я честно в каком-то смысле пытаюсь тебя *уважать*, вот так вот предупредив о себе? Что я пытаюсь быть честным, а не нечестным? Что я решил: лучший способ свернуть с паттерна, при котором тебе станет больно и одиноко, а мне так погано на душе,— попытаться быть честным хоть раз? Даже притом, что надо было это сделать раньше? Даже хотя я признаю, что, может быть, ты даже истолкуешь *эту* мою попытку как нечестную, словно я пытаюсь вроде как нагнать страху, чтобы ты уехала к себе, а я выбрался из отношений? Чего, *по-моему*, я не хочу, но если быть совершенно честным — я не могу быть на сто процентов уверенным? Рискнуть с тобой? Ты понимаешь? Что я стараюсь любить тебя, как только могу? Что мне страшно, вдруг я вообще не умею любить? Что я боюсь — может, я органически неспособен ни на что, кроме как преследовать, соблазнять и потом сбегать — окунуться с головой, а потом давать заднюю,— что я неспособен быть честным? Что я никогда не стану добивающим? Что я, похоже, психопат? Можешь представить, чего мне стоит все это рассказывать? Что мне страшно, вдруг после того, как я тебе все рассказал, меня так замучают совесть и стыд, что я даже не смогу глаз на тебя поднять или находиться рядом — знать, что ты знаешь обо мне все, и постоянно бояться из-за того, о чем ты все время думаешь? Что даже возможно, что моя честная попытка свернуть с паттерна непоследовательного поведения и отъезда — просто еще один способ отъезда? Или попытка убедить отъехать *тебя*, раз я тебя уже получил — может, в глубине души я такой трусливый подлец, что даже не хочу идти на обязательство давать заднюю самому, что хочу как-то толкнуть на это тебя?

Вопрос. Вопрос.

Это обоснованные, совершенно понятные вопросы, милая, и, клянусь тебе, я изо всех сил постараюсь ответить на них честно, насколько возможно.

Вопрос...

Но только есть еще одно, что, мне кажется, я должен сперва тебе сказать. Итак, впервые я начинаю с чистого листа, впервые открылся. Мне страшно, но я скажу. Потом будет твоя очередь. Но слушай: это плохо. Боюсь, тебе может стать больно. Это, боюсь, прозвучит совсем плохо. Можешь сделать одолжение и как-то приготовиться, и пообещать не реагировать пару секунд, пока я говорю? Можем поговорить до того, как ты отреагируешь? Обещаешь?

КИ № 48 08/97
ЭППЛТОН, ВИСКОНСИН

В свои апартаменты я их приглашаю на третьем свидании. Важно понимать, что, хотя у нас только третье свидание, между нами должна существовать некая ощутимая близость, благодаря которой я почувствую, что они подчинятся. Возможно, *«подчинятся»* [сгибает поднятые пальцы, обозначая кавычки] не самое удачное выражение. Я имею в виду, пожалуй, [сгибает поднятые пальцы, обозначая кавычки] *подыграют*. То есть согласятся на контракт и последующие действия.

Вопрос.

Равно не могу я объяснить и как чувствую эту таинственную близость. Это ощущение, что готовность подчиниться не исключена. Мне однажды рассказывали об австралийской профессии, известной как [сгибает поднятые пальцы] *определитель пола цыплят*, в...

Вопрос.

Прошу, пока потерпите немного. Определитель пола. Так как курицы имеют куда большую коммерческую ценность, нежели самцы, петухи, кочеты, видимо, чрезвычайно важно определить пол только что вылупившегося цыпленка. Дабы узнать, расходовать ли капитал на уход или нет, понимаете ли. Видимо, петухи на открытом рынке стоят сущие гроши. Однако половые признаки вылупившихся цыплят целиком внутренние, и невооруженным глазом невозможно понять, курица или петух данный цыпленок. Во всяком случае, так мне рассказывали. Однако же профессиональный определитель пола тем не менее может понять. Пол. Он проходит по выводку вылупившихся цыплят, осматривая каждого исключительно на глаз, и сообщает птицеводу, каких цыплят оставить, а какие — петухи. Петухи впоследствии погибают. «Курица, курица, петух, петух, курица» — и так далее и тому подобное. Видимо, в Австралии это имеет место. Профессия. И они почти всегда правы. В догадках. Птица, в которой определили курицу, на самом деле вырастает в курицу и окупает вклад птицевода. Однако чего определитель пола не может, так это объяснить, откуда он знает. Пол. Видимо, часто эта профессия патрилинейная, передается от отца к сыну. Австралия, Новая Зеландия. Дайте ему только что вылупившегося цыпленка — скажем, молодого петуха,— и спросите, откуда он знает, что это петух, и профессиональный определитель пола, видимо, лишь пожмет плечами и скажет: «Как по мне, так это петух». Несомненно добавив «приятель», как мы с вами добавили бы «друг мой» или «сэр».

Вопрос.

Так как я не могу привести более уместной аналогии. Возможно, какое-то таинственное шестое чувство. Не то чтобы лично я прав в ста процентах случаев. Но вы бы удивились. Вот мы на оттоманке, выпиваем, наслаждаемся музыкой, легкой беседой. Имеется в виду, это уже третье свидание, поздний вечер, после ужина и, возможно, фильма или танцев. Я большой любитель потанцевать. На оттоманке мы сидим не рядом. Обычно я на одном конце, а она на другом. Хотя это всего лишь полутораметровая оттоманка. Не самый длинный предмет мебели. Однако суть в том, что между нами нет особой интимности. Неформальная обстановка, но не более. В течение времени, ранее проведенного в обществе друг друга, участвует и играет важную роль сложный язык тела, но не буду утомлять вас деталями. Итак. Когда я почувствую, что момент подходящий — на оттоманке, в комфорте, с напитками, возможно, в аудиоцентре что-то из Лигети,— я скажу, без какого-либо определенного контекста или вступления как таковых: «Что скажешь, если я тебя свяжу?» Всего шесть слов. И только. Кто-то резко отказывает на месте. Но малый процент. Очень малый. Возможно, даже шокирующе малый. Я знаю, что ответят, уже во время вопроса. Почти всегда знаю. Опять же, не могу детально объяснить откуда. Всегда наступает миг полного молчания, давящего. Вам, конечно, известно, что у социального молчания бывают разные текстуры, и эти текстуры сами по себе могут немало сказать. Молчание возникает вне зависимости, откажут мне или нет, был ли я прав по поводу [сгибает поднятые пальцы, обозначая кавычки] *курочки* или нет. Ее молчание, его вес — совершенно естественная реакция на подобное изменение в текстуре доселе легкой беседы. И здесь внезапно обостряются романтическое напряжение, намеки и язык тела первых трех свиданий. Изначальное или ранние свидания — фантастически богатый материал с психологической точки зрения. Несомненно, вам об этом известно. Как и любой ритуал ухаживания, игра, пока оба присматриваются друг к другу, примеряются. Итак, после моих слов всегда возникает пауза на восемь ударов сердца. Они должны дать вопросу [сгибает пальцы] *осесть*. Кстати говоря, это выражение моей матери. Дать чему-либо [сгибает пальцы] *осесть*, и так получилось, что это почти идеально для описания происходящего.

Вопрос.

Жива-здорова. Живет с моей сестрой, ее мужем и их двумя маленькими детьми. Очень даже жива. Равно не...

уверяю, я не обманываю себя, будто низкий процент отказов связан с моей ошеломляющей привлекательностью. Подобные вещи устроены иначе. Более того, именно по этой причине я предлагаю подобную возможность в такой смелой и, видимо, безыскусной манере. Я сторонюсь любых попыток очаровать или смягчить. Потому что знаю, и очень хорошо, что их ответ на предложение зависит от заложенных в них внутренних факторов. Кто-то захочет поиграть. Некоторые нет. Больше ничего не имеет значения. Единственный настоящий [сгибает пальцы] *талант*, в каком я без лишней скромности сознаюсь,— способность их измерять, просвечивать, чтобы... отсюда такой перевес на третьих свиданиях, если угодно, [сгибает пальцы] *курочек*, нежели чем [сгибает пальцы] *петухов*. Я применяю эти птичьи тропы как метафоры — ни в коем случае не чтобы характеризовать субъектов, но скорее чтобы подчеркнуть мою неподдающуюся анализу способность узнавать, интуитивно, на первом же свидании, готовы ли они — если угодно, [с. п.] *созрели* ли для предложения. Связать их. И именно так я его и преподношу. Не приукрашиваю и не стараюсь выставить [несколько раз с. п.] *романтичней* или *экзотичней*, чем оно есть. Теперь что касается отказов. Отказы очень редко враждебны, очень редко, и только в тех случаях, если данный субъект на самом деле желает подыграть, но находится во власти конфликтов или эмоционально не готов принять это желание и потому вынужден применить враждебность, чтобы убедить себя, что такого желания или близости не существует. Иногда это называют [с. п.] *кодированием отвращения*. Его очень легко различить и расшифровать, и потому почти невозможно принять враждебность на свой счет. С другой стороны, редкие субъекты, насчет которых я просто ошибся, чаще смеются, иногда заинтересовываются и задают много вопросов, но в конце концов просто прямо и недвусмысленно отклоняют предложение. Это петухи, которых я перепутал с курочками. Бывает. По моим последним подсчетам, мне отказали в чуть более чем пятнадцати процентах случаев. На третьем свидании. На самом деле число несколько завышено, поскольку включает враждебные, истерические или оскорбленные отказы, которые происходят — по крайней мере, на мой взгляд — которые происходят не из-за того, что я ошибся с [с. п.] *петушком*.

Вопрос.

Опять же, пожалуйста, обратите внимание, что я не обладаю и не претендую на обладание специальными знаниями о птицеводстве или профессиональном уходе за выводком. Этими метафорами я только подчеркиваю видимую необъяснимость моей интуиции по поводу перспективных участников [с. п.] *игры*, которую я предлагаю. Равно, пожалуйста, обратите внимание: до третьего свидания я их не касаюсь и никак с ними не заигрываю. Равно на этом третьем свидании я, огорошив предложением, не бросаюсь на них и никак к ним не подвигаюсь. Я предлагаю резко, но без угрозы, сидя на своем конце полутораметровой оттоманки. Я ни в коей мере не принуждаю. Я — не дон жуан. Я знаю, в чем суть контракта, и суть не в соблазнении, завоевании, половых сношениях или алголагнии. Суть только в моей жажде символически высвободить определенные внутренние комплексы, произошедшие из крайне неровных детских отношений с матерью и сестрой-близнецом. Это не [с. п.] *садо-мазо*, и я не [с. п.] *садист*, и я не заинтересован в субъектах, которым нравится [с. п.] *боль*. Мы с сестрой, кстати говоря, двуяйцевые близнецы и во взрослом возрасте вообще друг на друга не походим. Итак, суть того, что я делаю, когда внезапно, непредвиденно предлагаю отвести их в другую комнату и связать, можно как минимум отчасти описать фразой из теории мазохистского символизма Маркезани и Ван Слайка как *предложение сценария контракта* [не с. п.].

Критический фактор здесь — я равно заинтересован как в контракте, так и в самом сценарии. Отсюда резкая формальность моего предложения, смесь агрессии и благообразия. Они взяли ее к себе после серии небольших, но несмертельных инсультов, мозговых, когда она уже не могла жить одна. Она отказалась даже принять в расчет специализированное учреждение. Для нее даже не стояло такого вопроса. Сестра, конечно, немедленно пришла на выручку. У мамочки своя комната, а дети сестры теперь живут вместе в одной. Комната на первом этаже, чтобы не было необходимости преодолевать лестницу — крутую и без коврика. Должен сказать, я в точности знаю все обстоятельства.

Вопрос.

Легко понять, уже на оттоманке, что все случится. Что я правильно оценил близость. Лигети — творчество которого, как вам, несомненно, известно, абстрактно почти до атональности,— обеспечивает идеальную атмосферу для предложения сценария контракта. Свыше восьмидесяти пяти процентов субъектов принимают предложение. [с. п.] *Покорность* субъекта не вызывает никакого [с. п.] *хищнического азарта*, потому что дело вовсе не в покорности. Отнюдь. Я спрашиваю, как они относятся к идее, что я их свяжу. Возникает наэлектризованное и тяжелое молчание, в воздухе над оттоманкой накапливается напряжение. В этом напряжении висит вопрос, пока, comme on dit[3], не [с. п.] *осядет*. В большинстве случаев они резко меняют положение на оттоманке, словно чтобы выпрямить осанку, [с. п.] *расправить плечи* и так далее — этот подсознательный жест предназначен передать власть над ситуацией и независимость, подтвердить, что только они во власти решать, как ответить на предложение. Он произрастает из страха и неуверенности в связи с тем, что, по-видимому, какая-то слабость или уступчивость в их характере привела меня к выводу, что они отличные кандидаты для [несколько раз с. п.] *доминирования* или *бондажа*. Психологическая динамика людей завораживает: первый, подсознательный вопрос субъекта о том, что же в ней могло спровоцировать такое предложение, привести мужчину к мысли, что подобное возможно. Другими словами, они рефлексивно озабочены самопрезентацией. Но надо оказаться в комнате с нами, чтобы оценить очень, очень сложную и завораживающую динамику, сопровождающую наэлектризованное молчание. На поверку же в своем обнаженном утверждении власти над ситуацией это внезапное изменение позы, по сути, передает чистое желание поддаться. Принять. Подыграть. Другими словами, любой жест утверждения [с. п.] *власти* означает — в этом наэлектризованном контексте — курочку. Видите ли, в сильно стилизованном формализме [с. п.] *мазохистской игры* контракт и организация ритуала таковы, что видимое неравенство власти на самом деле целиком одобрено и независимо.

Вопрос.

Спасибо. Это показывает, что вы действительно следите за моими словами. Что вы сообразительный и настойчивый слушатель. Равно и я изложил не очень изящно. Если вы и я, например, отправимся ко мне в апартаменты и войдем в контрактные отношения, по которым я вас свяжу,— это настоящая [с. п.] *игра* по той причине, что она в корне отличается от случая, если я каким-то образом заманю вас к себе домой и там тут же наброшусь, одолею и свяжу. Это уже никакие не игры. Игра в том, что вы свободно и независимо соглашаетесь, чтобы вас связали. Цель контрактной природы мазохистской или [с. п.] *бондажной игры* — я предлагаю, она соглашается, я предлагаю что-то еще, она соглашается — это формализовать структуру власти. Ритуализировать ее [с. п.]. *Игра* — подчинение бондажу, передача власти другому; но [с. п.] *контракт* — так сказать, [с. п.] *правила игры*,— контракт гарантирует, что отречение от власти — вопрос свободного выбора. Другими словами, это подтверждение, что человек достаточно уверен в концепции собственной власти и ритуально передает эту власть другому человеку — в данном примере мне,— который затем снимет с вас слаксы, свитер и нижнее белье и привяжет запястья и лодыжки к столбикам старомодной кровати атласными ремешками. Вас я, конечно, для этого разговора использую лишь в качестве примера. Не подумайте, что я действительно предлагаю вам какую-либо возможность контракта. Я вас едва знаю. Не говоря уже о контексте и объяснениях, которые сам только что предоставил,— обычно я действую совсем не так. [Смех.] Нет, дорогая моя, вам нечего бояться.

Вопрос.

Ну, разумеется, боитесь. Моя мать была, по общему мнению, прекрасным человеком, но, скажем так, неуравновешенного темперамента. Неустойчивая и неуравновешенная в домашней и повседневной рутине. Неустойчивая в отношениях с двумя своими детьми, особенно со мной. Отсюда я унаследовал определенные психологические комплексы, связанные с властью и, возможно, доверием. Регулярность случаев покорности почти потрясает. Как только плечи расправляются и вся поза становится прямой, откидывается и голова, и теперь она сидит очень ровно и, кажется, почти удаляется из пространства беседы — все еще на оттоманке, но удаляется, насколько может, в стриктуры пространства. Это видимое удаление, которое, по идее, должно передавать шок и удивление и таким образом показывать, что она решительно не тот человек, кому хоть раз приходила в голову возможность, что у нее попросят разрешения ее связать, на самом деле означает глубоко заложенную амбивалентность [с. п.]. *Конфликт.* Под ним я имею в виду, что возможность, доселе существовавшая только внутренне, потенциально, абстрактно, в подсознательных фантазиях или подавленных желаниях субъекта, внезапно воплотилась вовне и приобрела вес осознанности, стала [с. п.] *реальной* возможностью. Отсюда завораживающая ирония: язык тела должен передать шок, и, разумеется, шок передает, но, разумеется, шок совсем иного рода. А именно шок абреакции из-за подавленных желаний, вырвавшихся из своих стриктур и проникнувших в сознание, но из внешнего источника, от конкретного другого — при этом от мужчины и партнера для брачного ритуала, а следовательно, всегда готов для переноса. Таким образом, фраза [не с. п.] *оседает* куда благоприятнее, чем можно изначально вообразить. Конечно, подобное проникновение может потребовать времени, только если имеется [с. п.] *сопротивление*. Или, например, вам, несомненно, известно замшелое клише — [с. п.] *я не верю своим ушам*. Оцените его уместность.

Вопрос...

Мой собственный опыт показывает, что это клише не значит: [несколько раз с. п.] *Я не верю, что эта возможность теперь существует в моем сознании*. Скорее что-то вроде: [несколько раз все более раздражающе с. п.] *Я не могу поверить, что эта возможность происходит из внешней по отношению к моему сознанию точки*. Это тот же шок, задержка в несколько секунд на усвоение или обработку материала, которая бывает, когда слышишь внезапные плохие новости или когда случается необъяснимое предательство со стороны близкого и авторитетного для тебя человека, и так далее и тому подобное. Эта пауза, молчание от шока — время, в течение которого перекраиваются целые психологические карты, и в течение этой паузы малейший жест или аффектация со стороны субъекта может раскрыть куда больше, чем любое количество банальных бесед или даже клинических экспериментов. Могли бы раскрыть.

Вопрос.

Я имел в виду женщину или девушку, не абстрактного [с. п.] *субъекта*.

Вопрос.

У настоящих петушков — тех редких, которых я не распознал,— эти паузы шока самые короткие. Они вежливо улыбнутся или даже рассмеются, а потом прямо и недвусмысленно отклонят предложение. Никакого скандала, никакого кудахтанья... [Смех.] Простите за каламбур — [с. п.] *петух, кудахтанье*. Во внутренних психологических картах этих субъектов хватает пространства для возможности бондажа, и они свободно оценивают ее и свободно отвергают. Им просто неинтересно. Ничего страшного, что я принял петушка за курочку. Опять же, мне неинтересно заставлять, или умасливать, или убеждать против воли. Я определенно не собираюсь умолять. Суть вовсе не в этом. Я знаю, в чем. В... и суть не в том, чтобы заставлять. Другие — длинная, взвешенная, чрезвычайно наэлектризованная пауза, постуральный и аффективный шок: уступят они или возмущенно оскорбятся — это все равно курочки, игроки, это те, кого я распознал верно. Когда они откидывают голову... но смотрят они на меня не отрываясь, смотрят на меня, [с. п.] *вглядываются* и так далее, со всей пристальностью, что ассоциируется с принятием решения, [с. п.] *доверять* ли тебе. Теперь, с [с. п.] *доверием* связано множество различных моментов — не разыгрываешь ли ты, или серьезен, но притворяешься, что разыгрываешь, чтобы предвосхитить стыд, если они возмутятся или почувствуют отвращение, или ты искренен, но предлагаешь абстрактно, в качестве гипотетического вопроса — вроде [с. п.] *Что бы ты сделала, будь у тебя миллион долларов?* — чтобы получить информацию об их характере для размышлений перед четвертым свиданием. И так далее и тому подобное. Или это действительно серьезное предложение. Даже когда... Они смотрят на тебя, потому что пытаются тебя прочесть. Присмотреться, так как из предложения следует, что ты, видимо, уже к ним присмотрелся. Вот почему я предлагаю всегда резко и неприкрыто, когда формулирую возможность контракта, пренебрегаю остроумием, или подводкой, или подготовкой, или колоратурой. Я хочу передать как можно понятнее, что предложение серьезное и конкретное. Что я открываю свое сознание для них и для возможности отказа или даже отвращения. Вот почему на их напряженный взгляд я отвечаю своим бесстрастным взглядом и не говорю ничего, чтобы приукрасить, усложнить, переиначить или прервать их осмысление собственной внутренней психической реакции. Я заставляю их признаться перед собой, что и я, и мое предложение абсолютно искренние.

Вопрос...

Но, опять же, пожалуйста, обратите внимание, что я ни в коем случае не кажусь агрессивным или угрожающим. Вот что я имею в виду под [с. п.] *бесстрастным взглядом*. Я предлагаю не с жутким или похотливым настроением, не выказываю нетерпения, или нерешительности, или конфликта. Равно не выказываю агрессии, угрозы. Это чрезвычайно важно. Вам, несомненно, известно из собственного опыта, что естественная подсознательная реакция, когда чей-то язык тела предполагает удаление или отклонение назад,— это автоматически придвинуться ближе, чтобы компенсировать и сохранить изначальные пространственные отношения. Я сознательно избегаю этого рефлекса. Это чрезвычайно важно. Нельзя нервно ерзать, придвигаться, облизывать губы или поправлять галстук, пока оседает подобное предложение. Однажды на третьем свидании у меня на лбу начали раздражающе дергаться мускулы — эти тики, припадки возникали и утихали на протяжении всего вечера, но на оттоманке показалось, что я быстро поднимал и опускал одну бровь в похотливом настроении, а в психически наэлектризованной паузе после внезапного предложения это погубило всю задумку. И ведь субъект даже с оговорками нельзя было назвать петушком — это была курочка, или я никогда не видел курочки,— и все же непроизвольный тик брови пресек всю возможность, да так, что субъект не только ушла в столь неистовом конфликтном отвращении, что забыла сумочку, и не только так и не вернулась за сумочкой, но даже отказалась ответить на несколько моих звонков, когда я просто собирался вернуть сумочку в каком-нибудь нейтральном общественном месте. Тем не менее это разочарование преподало ценный урок о том, насколько деликатен период внутренней обработки и картографии после предложения. Трудность с матерью заключалась в том, что по отношению ко мне — к старшему ребенку, старшему из двойняшек, что немаловажно,— ее неустойчивые воспитательные инстинкты бросались из крайности в крайность, [с. п.] то *горячо*, то *холодно*. Она могла быть очень, очень, очень теплой и материнской, а потом в мгновение ока разозлиться из-за какой-то реальной или воображаемой безделицы и совершенно лишить меня своего расположения. Она становилась холодной, не желала меня видеть и отказывала всем попыткам с моей стороны получить знаки расположения и утешения, иногда прогоняла меня в спальню и запрещала выходить на жестко определенный период времени, пока сестра и дальше наслаждалась неограниченной свободой передвижения по дому и дальше получала материнское расположение и тепло. Потом, когда жесткий период ограничения подходил к концу — и я имею в виду ровно тот самый миг, когда кончался мой [с. п.] *тайм-аут*,— мамочка открывала дверь и тепло обнимала меня, промокала мои слезы рукавом и заявляла, что все прощено, все снова хорошо. Эта волна утешения и заботы снова соблазняла меня [с. п.] *доверять* ей, почитать ее и уступать эмоциональную власть, оставаясь уязвимым к очередной катастрофе, когда бы ей ни захотелось снова остыть и смотреть на меня с таким выражением, будто я лабораторный подопытный, которого она впервые видит. Боюсь, этот цикл постоянно повторялся на протяжении всех наших детских отношений.

Вопрос.

Да, подчеркнутый тем, что она была по призванию профессиональным врачом, психиатрическим социальным работником, занималась тестами и диагностическими упражнениями в санатории соседнего города. Свою карьеру она возобновила в тот же миг, как мы с сестрой еще практически малышами попали в школьную систему. Мне известно, что образ матери поистине господствует над моей взрослой психологической жизнью, заставляет снова и снова предлагать и проходить ритуалы контракта, в которых свободно отдается и принимается власть, ритуализируется подчинение, уступается и возвращается контроль, все по моей воле. [Смех.] Или, скорее, субъекта. Воле субъекта. Также, именно благодаря наследию матери, я точно знаю, что значит мой интерес к тщательной оценке субъекта и внезапному предложению на третьем свидании связать ее атласными узами,— откуда он происходит, выводится. Бóльшая часть раздражающего педантичного жаргона, с которым я описываю ритуалы, также происходит от моей матери — она куда заметнее, чем добрый, но подавленный и едва ли не кастрированный отец, повлияла на речь и поведение своих детей. Моей сестры и меня. Мать обладала степенью *магистра клинической социальной работы* [несколько раз с. п.], она была одной из первых женщин-диагностов со степенью на севере Среднего Запада. Моя сестра — домохозяйка и мать, и к большему она не стремится, по крайней мере сознательно. Например, [с. п.] *оттоманка* — так мамочка называла и софу, и двухместный диван в нашей гостиной. Софа в моих апартаментах — со спинкой и подлокотниками, а потому, конечно, технически является софой или диваном, но я как-то подсознательно продолжаю называть ее оттоманкой. Подсознательная привычка, и, кажется, я не могу ее преодолеть. Более того — уже бросил и пытаться. Некоторые комплексы лучше принять и просто уступить им, нежели чем одной силой воли бороться с имяго. Мамочка — а она, конечно, как вам известно, в конце концов, была человеком, который по профессии ограничивал и исследовал людей, испытывал их, ломал их и подчинял воле того, что власти штата полагали стандартом психического здоровья,— довольно бесповоротно сломала и мою волю в самом раннем возрасте. Я это принял и достиг с этим гармонии, и воздвиг сложные структуры, чтобы символически примириться с этим и как-то искупить. Вот в чем суть. Ни муж моей сестры, ни мой отец никогда не занимались птицеводством. Отец до инфаркта был рядовым менеджером в страховой индустрии. Хотя, конечно, термин [с. п.] *«цыпленок»* часто используется в нашем подотделе — детьми, с которыми я играл и воссоздавал различные примитивные ритуалы социализации,— для описания слабой, трусливой личности; личности, чью волю можно легко подчинить интересам других. Возможно, я подсознательно применяю птицеводческие метафоры для описания ритуалов контракта в качестве символического утверждения собственной власти над теми, кто — парадоксально — самостоятельно соглашается мне подчиниться. Без какой-либо помпы мы проследуем в другую комнату, в постель. Я очень возбужден. Теперь в моей манере сквозит отчасти более командное, авторитетное поведение. Но не жуткое и не угрожающее. Некоторые субъекты признались, что чувствовали [с. п.] *угрозу*, но могу вас заверить, никакой угрозы не подразумевалось. Сейчас транслируется определенная властная команда, основанная единственно на контрактных отношениях: я информирую субъекта, что собираюсь ее [не с. п.] *проинструктировать*. Я излучаю опытность — и это, допускаю, людям с определенной психологической конституцией может показаться угрожающим. Все, кроме самых закаленных птичек, начинают спрашивать, чего я от них хочу. Я же, со своей стороны, совершенно умышленно исключаю из своих инструкций слово [с. п.] «*хочу*» и его аналоги. Суть не в том, что я выражаю желания, прошу, умоляю или уговариваю,— я только информирую. Суть вовсе не в этом. Теперь мы в спальне — маленькой, в ней господствует двуспальная кровать со столбиками в эдвардианском стиле. Гипотетически сама кровать, что кажется огромной и обманчиво прочной, может транслировать определенную угрозу в свете контракта, в который мы вступили. Я всегда формулирую так: [не с. п.] *Вот что ты сделаешь. Ты делаешь то-то и то-то*, и так далее и тому подобное. Говорю, как стоять, и куда повернуться, и как смотреть на меня. Предметы одежды удаляются в определенном, очень конкретном порядке.

Вопрос.

Да, но порядок не так важен, как то, что он есть и что ему следуют. Нижнее белье всегда идет последним. Я горячо, но необычно возбужден. Моя манера отрывистая и командная, но не угрожающая. Все по-деловому. Кто-то нервничает, кто-то притворяется, что нервничает. Некоторые закатывают глаза или язвительно подшучивают, чтобы убедить самих себя, что они лишь [с. п.] *подыгрывают*. Они складывают одежду и оставляют в ногах кровати, откидываются, лежат на спине, стирают с лица любые признаки аффектации или выражений, пока я снимаю свою одежду.

Вопрос.

Иногда, а иногда нет. Возбуждение горячее, но не совсем генитальное. Сам я раздеваюсь прозаично. Без церемоний, равно без спешки. Я излучаю власть. Некоторые на полпути трусят, как цыплята, но очень, очень немногие. Те, кто желает продолжать,— продолжают. Ограничения здесь очень абстрактные. Ленты из черного атласа, заказаны по почте. Вы бы удивились. Пока они следуют каждому запросу, команде, я произношу короткие фразы для позитивного поощрения, как-то: Хорошо и Хорошая девочка. Я говорю, что узлы с двойными петлями и автоматически затянутся, если они будут бороться или сопротивляться. На деле нет. На деле не бывает никаких узлов с двойными петлями. Критический момент наступает, когда они лежат передо мной обнаженными, привязанные к четырем столбикам кровати за лодыжки и запястья. Им неизвестно, что стойки декоративные и отнюдь не прочные, и, без сомнения, их можно сломать в решительной попытке освободиться. Я говорю: Теперь ты целиком в моей власти. Помните, что она обнажена и привязана к столбикам, распластана. Я стою без одежды у ног кровати. Затем я сознательно меняю выражение лица и спрашиваю: Тебе страшно? Здесь в зависимости от их поведения иногда я меняю это на: Тебе не страшно?

Это критический момент. Это момент истины. Весь ритуал — возможно, лучше сказать «церемония», так многозначительнее, потому что мы — конечно, вся суть, от самого предложения и до конца, *в церемонии* — и кульминацией здесь служит ответ субъекта на эту реплику. На «тебе страшно?». Требуется взаимное признание. Она подтверждает, что в этот момент целиком в моей власти. А также должна сказать, что доверяет мне. Должна подтвердить, что не боится, что я предам или злоупотреблю уступленной мне властью. Во время этого обмена репликами возбуждение на абсолютном пике, достигает непрерывной кульминации, которая длится точно столько же, сколько я извлекаю из нее эти заверения.

Вопрос.

Прошу прощения?

Вопрос.

Я ведь уже говорил. Я пла́чу. В этот момент я пла́чу. Вы вообще обращаете хоть какое-то внимание, пока развалились себе там? Я ложусь подле них и плачу, и объясняю психологические истоки игры, и каким она отвечает потребностям. Я разоблачаю все уголки души и молю о сострадании.

Редкий субъект не растроган до самой глубины души. Они утешают меня, как могут, скованные моими узами.

Вопрос.

Произойдет ли в итоге сношение или нет — вопрос. Это непредсказуемо. Заранее никак не узнать.

Вопрос...

Иногда надо просто следовать настроению.

КИ № 51 11/97
ФОРТ ДОДЖ, АЙОВА

Я всегда думаю: «А если не получится»? А потом всегда думаю: «Ой бля, не смей так думать». Потому что если думать, то и не получится. Не то чтобы часто не получалось. Но меня это пугает. Всех пугает. Если кто скажет, что нет, он тот еще. Все всегда боятся, что не получится. Потом я всегда думаю: «Я бы и не переживал, если бы ее не было». Потом я злюсь. Я как будто думаю, что она чего-то ждет. Что если бы она не лежала там, не ожидала, не гадала и как бы не оценивала, то со мной бы ничего не случилось. Потом я вроде как злюсь. Я так злюсь, что мне уже похер, могу я или нет. Как будто я хочу ей доказать. Как будто я такой: «Ну ладно, сучка, сама напросилась». И потом все уже хорошо.

КИ № 19 10/96
НЬЮПОРТ, ОРЕГОН

Почему? Почему. Ну, не только потому, что ты красивая. Хотя ты красивая. А потому, что ты такая чертовски *умная*. Да. Вот почему. Красивых девчонок пруд пруди, но не — эй, давай признаем: по-настоящему умные люди — редкость. Любого пола. Ты сама знаешь. По-моему, для меня самое главное — твой ум.

Вопрос.

Ха. Пожалуй, это возможно, с твоей точки зрения. Пожалуй, есть такое. Но только подумай сама: разве эта возможность *пришла бы* в голову девушке, не будь она такой офигенно умной? Разве дурочка что-нибудь заподозрит?

Вопрос.

Так что в каком-то смысле ты подтвердила мою мысль. Так что можешь верить, что я не вру, и не бояться, что это какой-то подкат. Точно?

Вопрос...

Ну иди сюда.

КИ № 46 07/97
НАТЛИ, НЬЮ-ЙОРК

Да всё, что я... или подумай о Холокосте. Холокост хороший? Ни хрена. Кто-нибудь считает, что хорошо, что он был? Ни хрена. Но ты когда-нибудь читала Виктора Франкла? «Человек в поисках смысла» Виктора Франкла? Великая, великая книга. Франкл попал в лагерь во время Холокоста, и книга основана на этом опыте, она о его опыте жизни на Темной Стороне человечества и о сохранении человечности перед лагерными унижениями, насилием и страданием, напрочь человечность срывающими. Это совершенно великая книга, а теперь подумай: если бы не было Холокоста — не было бы «Человека в поисках смысла».

Вопрос.

Да все, что я хочу сказать, что надо быть поосторожней с типичными реакциями по отношению к насилию и унижению и в случае женщин. Типичные реакции — это *в любом случае* большая ошибка, вот что я хочу сказать. Но я хочу сказать, что особенно в случае женщин, где они в результате ведут к крайне ограниченному, снисходительному отношению, что, мол, они такие хрупкие и ломкие и их так просто уничтожить. Будто их надо в вату завернуть и беречь больше всего на свете. Вот это и есть типичная реакция и снисходительность. Я говорю о достоинстве и уважении, а не об отношении, будто они там хрупкие куколки или кто-то там еще. Всех иногда ранят, мучают и ломают, с чего это женщины такие особенные?

Вопрос.

Да все, что я говорю,— кто мы такие, чтобы говорить, будто инцест, насилие, мучения или что-то в этом духе не могут иметь для человека в будущем и каких-то положительных аспектов? Не то что так всегда и бывает, но кто мы такие, чтобы говорить, будто этого не бывает *никогда*, словно это само собой разумеется? Не то что всех надо изнасиловать или замучить, не то что в процессе это не ужасно, негативно и неправильно, тут без вопросов. Этого никто не говорил. Но только в процессе. В процессе изнасилования, мучений, инцеста или насилия. А как насчет потом? Как насчет дальнейшего, как насчет общей картины, когда ее разум справляется с тем, что с ней произошло, приспосабливается к тому, чтобы справиться, к тому, что это стало ее частью? Да все, что я говорю,— ведь вполне возможно, что бывают случаи, когда это расширяет тебя. Делает тебя больше, чем ты была. Более цельным человеческим существом. Как Виктора Франкла. Или вот та поговорка: то, что тебя не убивает, делает сильнее. Думаешь, тот, кто это сказал, *поддерживал* изнасилования женщин? Да ни черта. У него просто не было такой типичной реакции.

Вопрос...

Я не говорю, что нет такого понятия — жертва. Я просто хочу сказать,— что мы иногда любим узко смотреть на миллионы разных вещей, что делают из человека того, кто он есть. Я хочу сказать, что мы иногда так бессознательно и снисходительно относимся к правам, идеальной справедливости и защите людей, что даже не остановимся и не вспомним, что никто не бывает *только* жертвой и ничего не бывает *только* негативным и *только* несправедливым — почти ничего. Да все... что возможно, что даже самое ужасное окажется позитивным фактором в том, кто ты есть. И что ты есть — а именно полноценный человек, а не просто... представь, что тебя изнасиловала целая куча мужиков, унизила и забила почти до смерти, например. Никто не говорит, что это хорошо. Я этого не говорю, никто не говорит, что уроды, которые это сделали, не должны сесть в тюрьму. Никто не предполагает, что ей это понравилось, пока происходило, или что это должно было произойти. Но давай вспомним еще о двух вещах. Во-первых — потом она узнает о себе то, чего не знала раньше.

Вопрос.

Она узнает, что самое ужасное, самое унизительное, что она могла только представить, только что по правде произошло. И она выжила. Она еще здесь. Я не говорю, что она в восторге, я не говорю, что она из-за этого в восторге, или что она в отличной форме, или что скачет от радости из-за того, что это произошло, но она еще здесь, и она это знает, и теперь она знает кое-что еще. В смысле, по правде *знает*. Ее представление о себе и о том, что она может выдержать и пережить, теперь больше. Шире, масштабнее, глубже. Она сильнее, чем думала в глубине души, и теперь знает об этом, знает, что она сильная совсем не в том смысле, как об этом говорят родаки или как какой-нибудь оратор на школьном собрании заставляет всех снова и снова повторять «ты Личность ты Сильный». Я просто говорю,— что она уже не та, я говорю, в каком отношении она уже не та... вот если она все еще боится, когда идет в полночь до машины по подземной парковке или еще где-то, что на нее нападут и изнасилуют, то теперь она этого боится совсем по-другому. Нет, она не хочет, чтобы это опять произошло, групповое изнасилование, ни черта. Но теперь она знает, что ее это не убьет, что она переживет, ее это не уничтожит и не сделает, ну, недочеловеком.

Вопрос...

И плюс, теперь она больше знает о человеческом состоянии, страдании, ужасе и унижении. В смысле, мы все признаем, что страдание и страх — часть жизни и существования, по крайней мере, на словах мы это знаем, про человеческое состояние. Но она теперь по правде знает. Я не говорю, что она в восторге. Но подумай, насколько больше теперь ее мировоззрение, насколько шире и глубже картина мира в голове. Она понимает страдание совершенно по-другому. Она больше, чем была. Вот что я говорю. Стала больше человеком. Теперь она знает то, чего не знаешь ты.

Вопрос.

Вот и сработала типичная реакция, вот об этом я и говорю, взять все, что я сказал, и профильтровать через свое узкое мировоззрение, и сказать, будто я говорю: «О, так те, кто ее изнасиловал, сделали ей *одолжение*». Потому что я не это говорю. Я не говорю, что это хорошо, или правильно, или должно было произойти, или что ей не совершенно пиздецово, или что ее не сломали, или что это обязательно должно было произойти. Когда бы в мире женщину ни насиловали или ни избивали, если бы я был рядом и мог решить «продолжать» или «прекратить», я бы все прекратил. Но вот я не смог. Никто не смог. Иногда вот случаются совершенно ужасные вещи. Вселенная и жизнь все время ломают людей, устраивают им полный пиздец. Поверь, я знаю, сам там был.

Вопрос.

И мне кажется, что вот это и есть реальная разница. Между тобой и мной. Потому что, по правде, дело тут не в политике, феминизме или в чем-то таком. Для тебя это все умозрительно, ты думаешь, мы говорим умозрительно. Тебя там не было. Я не говорю, что с тобой никогда не происходило ничего плохого, ты вполне ничего, и, уверен, ты в жизни наверняка тоже сталкивалась с унижением или всякой такой херней. Я говорю не об этом. Мы говорим о совершенном насилии, страдании и ужасе в духе «Человека в поисках смысла» Франкла. Реальной Темной Стороне. И детка, ты — я вот по одному твоему виду могу сказать, с тобой — никогда. Иначе ты бы даже не носила то, что носишь, уж поверь.

Вопрос.

Что ты можешь признать, что веришь, что «Да, окей, человеческое состояние пронизано ужасным отвратительным человеческим страданием, но пережить можно почти все, чего уж там». Даже если ты по правде в это веришь. Ты веришь, а если я скажу, что я не просто верю, а *знаю*? Как, меняет смысл того, что я говорю? А если я скажу, что мою жену изнасиловали? Теперь уже не так уверена в себе, да? А если я расскажу тебе славную историю о шестнадцатилетней девочке, которая пришла не на ту вечеринку не с тем парнем и его друзьями и в итоге ее — с ней сделали все, что могут сделать четыре парня в плане насилия. Шесть недель в больнице. А если я скажу, что она до сих пор два раза в неделю ходит на диализ, так сильно ей досталось?

Вопрос.

А если я скажу, что она ни в коем случае не напрашивалась, не наслаждалась, ей не понравилось и теперь не нравится, что у нее осталось полпочки, и если бы она могла отмотать время и все остановить, она бы остановила, но ты спроси ее, если бы она могла влезть себе в голову и все забыть или, ну, стереть из памяти запись произошедшего, как думаешь, что она скажет? Ты так уверена, что знаешь? Что она хотела бы, чтобы ей никогда не пришлось, ну, структурировать разум и справиться с тем, что с ней произошло, или внезапно узнать, что мир может сломать так запросто — *на раз*. Узнать, что другой человек, эти парни, могут смотреть на тебя, как ты лежишь, и на самом глубинном уровне думать, что ты вещь, не человек — вещь, секс-кукла, или боксерская груша, или дырка, просто дырка, куда можно засунуть бутылку «Джека Дэниэлса» так глубоко, что почкам пиздец,— если она скажет после этого опыта, во всем совершенно негативного, что теперь хотя бы понимает, что это возможно, что люди так могут.

Вопрос.

Видеть тебя как вещь, что они тебя могут видеть как вещь. Знаешь, что это значит? Это ужасно, мы знаем, что это умозрительно ужасно и что это неправильно, и мы думаем, что все знаем о правах человека, и человеческом достоинстве, и как ужасно отнимать у кого-то человечность, вот как мы это называем — чья-то человечность, а *произойди* это с тобой — и вот теперь ты по правде *знаешь*. Теперь это не просто идея или повод выдать типичную реакцию. Произойди это с тобой — и ты реально почувствуешь Темную Сторону. Не просто *умозрительную* тьму — настоящую Темную Сторону. И теперь ты знаешь ее мощь. Совершенную мощь. Потому что если можно по правде видеть кого-то как просто вещь, то с ним можно делать что угодно, никаких запретов: человечность, достоинство, права и справедливость — никаких запретов. Да все... а если она скажет, что это как короткая дорогая экскурсия на ту сторону человеческого существования, о которой все говорят, будто о ней знают, но, по правде, даже представить не могут — не по правде, только если там побываешь. Да это все *расширило* ее мировоззрение,— что, если бы я так сказал? Что ты скажешь? И ее личность, как она сама себя понимает. Что теперь она понимает, что ее можно воспринять как вещь. Ты видишь, как много это меняет — срывает, как много это срывает? С твоего «я», с тебя, с того, что ты считала собой? Все срывает. И что потом останется? Как думаешь, можешь хотя бы представить? Это как писал Виктор Франкл в своей книге, что в самое худшее время в концлагере, когда у тебя отнимают свободу и приватность с достоинством, потому что ты голый в перепоненном лагере, и приходится ходить в туалет на глазах у всех, потому что больше нет никакой приватности, и твоя жена умерла, и твои дети голодали, а ты мог только смотреть, и у тебя не было ни еды, ни тепла, ни одеял, и к вам относятся как к крысам, потому что для них ты по правде крыса, ты не человек, и тебя могут вызвать, и увести, и пытать — научные пытки, показать, что они могут отнять даже твое тело, даже твое тело уже не твое — это враг, это вещь, с помощью которой тебя пытают, потому что для них это просто вещь, и они проводят над ней лабораторные эксперименты — это даже не садизм, они не садисты, потому что они-то не думают, что пытают человека,— когда все, что ты представлял основой того, что ты считаешь собой, срывают, и теперь остается только... так что остается, что-нибудь вообще остается? Ты еще жив, значит, то, что осталось,— это ты? А что это? Что *ты* теперь значишь? Видишь, и вот теперь начинается самое интересное, теперь, когда ты *сам* узнаёшь, что ты такое. Чего большинство людей с достоинством, человечностью и правами и всем таким никогда не узнают. Что в мире возможно. Что автоматически ничто не священно. Вот о чем говорит Франкл. Что после страданий, ужаса и Темной Стороны открывается то, что остается, и вот тогда ты *знаешь*.

Вопрос.

А если я скажу, что она сказала, что вовсе не насилие, не ужас, не боль и всякое такое — то... что самое важное — уже потом, когда она пытается, ну, структурировать разум, вместить то, что произошло, в свой мир,— что самое ужасное, самое тяжелое — знать теперь, что она тоже может, если захочет, думать о *себе* так? Как о вещи. Что возможно думать о себе не как о себе или даже не как о человеке, а как о вещи, прямо как те четыре парня. И как это было легко и мощно, так думать, даже во время насилия, просто отделиться от себя и, ну, взлететь к потолку, и вот ты смотришь сверху, как с какой-то вещью делают вещи все хуже и хуже, и эта вещь — ты, и это ничего не значит, нет ничего, что это автоматически *значит*, и в этом есть очень концентрированная свобода и сила — когда никаких запретов, и у тебя все отняли, и, если хочется, можно делать что угодно с кем угодно, даже с собой, потому что, по правде говоря, какая разница, потому что кого это волнует, потому что ты все равно только вещь, в которую засовывают бутылку «Джека Дэниэлса», и какая разница, бутылку или не бутылку, какая разница, если это член, или кулак, или вантуз, или вот моя трость — каково это, быть вот такой? Думаешь, можешь представить? Думаешь, можешь, но ты не можешь. А если я скажу, что она теперь может? А если я скажу, что она может, потому что с ней это произошло и она совершенно точно знает, что возможно быть просто вещью, но просто, как и Виктор Франкл, с этой минуты каждую минуту за минутой, если захочешь, ты можешь *выбрать* быть чем-то большим, ты можешь *выбрать* быть человеком, так, чтобы «быть человеком» что-то *значило*? Что тогда ты скажешь?

Вопрос.

Да я спокоен, за меня не волнуйся. Это как у Франкла, осознать, что все не автоматически, что это вопрос выбора — быть человеком со священными правами, а не вещью или крысой, и большинство людей, такие самодовольные со своим безусловным рефлексом, живут как во сне, а сами даже не знают, что надо реально выбирать для себя, что ничего больше не имеет значения, когда весь, ну, реквизит и бутафория, благодаря которым просто самодовольно расхаживаешь и думаешь, что ты не вещь, сорваны и сломаны, потому что внезапно вдруг мир понимает тебя как вещь, все вокруг думают, что ты крыса или вещь, и теперь решать только тебе, только ты можешь выбрать, что ты нечто большее. А если бы я сказал, что даже не женат? Тогда что? А тогда начинается самое интересное, можешь мне поверить, детка, просто поверь, все, кто не испытал такое совершенное насилие, после чего всё то, что, как они думали, автоматически дается при рождении, чтобы самодовольно жить и думать, будто они автоматически больше, чем вещь, сдирается, сминается, запихивается в бутылку «Джека Дэниэлса» и засовывается тебе в жопу четырьмя бухими мужиками, для которых насилие и твои мучения — только повод для веселухи, способ убить пару часов, ничего особенного, никто из них наверняка ничего даже не вспомнит,— так вот никто, с кем этого никогда по правде не происходило, не достигает потом такой *ширины*, не знает всегда в глубине души, что всегда есть выбор, что это ты делаешь себя собой с той секунды, каждую секунду за секундой, что единственный, кто думает каждую секунду, что ты хотя бы личность,— это ты, и можно перестать так думать в любой момент и, когда захочешь, можно просто стать вещью, которая жрет-трахается-срет — пытается уснуть — ходит на диализ — получает квадратные бутылки так глубоко в жопу, что она рвется, от четырех мужиков, которые заехали коленом тебе по яйцам, чтобы ты нагнулся, которые тебя даже не знают и даже впервые видят или которым ты даже ничего не сделал, чтобы у них была причина двинуть тебе коленом и изнасиловать или чтобы напроситься на такое совершенное унижение. Которые даже не знают, как тебя зовут, которые все это с тобой делают и даже не знают, как тебя зовут, у тебя даже нет имени. У тебя нет имени автоматически, это не то, что просто есть, понимаешь. Никто не понимает, что необходимый выбор — это даже иметь имя, выбор — быть больше чем просто машиной, запрограммированной на разные реакции, когда с тобой что-нибудь вытворяют, чтобы провести время, пока не наскучит, и что это все потом решать тебе, каждую секунду,— а если бы я сказал, что это случилось со мной? Была бы разница? Для тебя, пронизанной всей твоей любимой политикой типичных реакций насчет умозрительных жертв? Так обязательно быть женщиной? Ты думаешь, может, ты думаешь, что лучше представишь, если это женщина, потому что у нее внешняя бутафория больше похожа на твою, так что легче представить ее человеком, которого насилуют, а если это кто-то с членом и без сисек — то для тебя это уже не по правде? Как вот если бы как бы в Холокосте были не евреи, если бы в Холокосте был просто я? Как думаешь, это бы кого-нибудь волновало? Думаешь, хоть кого-то волновал Виктор Франкл, кто-нибудь восхищался его человечностью, пока он не выдал всем «Человека в поисках смысла»? Я не говорю, что это произошло со мной, или с ним, или с моей женой, или вообще произошло, но если бы произошло? А если бы это произошло с тобой? Прямо сейчас? Изнасилование бутылкой? Думаешь, будет какая-то разница? Почему? Что ты такое? Откуда знаешь? Ни хрена ты не знаешь.

Datum Centurio

Из «Коннота́ционно-гендер-специфического толкового словаря современного словоупотребления Лекки и Уэбстера», 600-гб DVD3 с 1,6 Гб гипердоступного интерактивного текста со ссылками на 11.2 Гб контекстуальных, этимологических, исторических, иллюстративных и гендер-специфически-коннотационных сносок, также доступен с передовой иллюстративной поддержкой для всех 5 главных чувств*, © «Р. Лекки ДатаФест Анлтд» (Нью-Йорк — Филадельфия — Вашингтон / США/4Сетка).

* *(требуется совместимое аппаратное обеспечение)*

Date³ (*dă*) *сущ.* [английский 20B, из среднеанглийского, из старофранцузского, от средневекового латинского data, женское причастие прошедшего времени от dare — давать].

1. *Неформальное* (см. «**софт-свидание**»)

а) Последствие успешной подачи документов на Родительскую Лицензию (ССЫЛКА на ПРОИЗВОДИТЕЛЬ-

---

ă pat / ā pay/ âr care / ä father / b bib / ch church / d deed / ĕ pet / ē be / f fife / g gag / h hat / hw which / ĭ pit / ī pic / îr pier / j judge / к kick / l lid / m mum / n no, sudden / ng thing / ŏ pot / ō toe / ô paw, for / oi noise / ou out / oo took / ꝏ boot / p pop / r roar / s sauce / sh ship, dish / t tight / th thin / *th* this, bath / ŭ cut / ûr urge / v valve / w with / y yes / z zebra, size / zh vision /

ə about, item, edible, gallop, circus /

å *Fr.* ami / œ *Fr.* feu, *Ger.* schön / ü *Fr.* tu, *Ger.* über / KH *Ger.* ich, *Scot.* loch / N *Fr.* bon.

* = следует главному словарю. † = неизвестное происхождение. ‡ = идиоматическое происхождение.

Для пентасенсорной иллюстративной поддержки вставьте нейронный контакт и введите ROM\C.A.D.PAK\5MESH*.*.

НОСТЬ; на РАЗМНОЖАТЬСЯ/(*глаг.*); на ПОРОДИТЬ / (*глаг.*); на ПОТОМСТВО, СОФТ-), процесс добровольной передачи нуклеотидных конфигураций и др. Индексов Производительности посреднику, уполномоченному идентифицировать оптимальное женское нейрогенетическое взаимодополнение в целях Производительной Генитальной Связи (ССЫЛКА на ПРОИЗВОДИТЕЛЬНОСТЬ; на ВЗАИМОДОПОЛНЯЕМОСТЬ, ОПТИМАЛЬНАЯ НЕЙРОГЕНЕТИЧЕСКАЯ; на ПГС; на НЕЙРОГЕНЕТИКА, СТАТИСТИЧЕСКАЯ).

б) живое женское ПГС-взаимодополнение, идентифицированное процедурами, обозначенными в **date[3] — 1.a.**

---

date[3] — 1.a ПРИМЕР УПОТРЕБЛЕНИЯ/КОНТЕКСТА: «Ты слишком стар, чтобы быть тем типом мужчины, который проверяет свои уровни реплицирования перед завтраком и имеет высокободный макрос для «Плодотворного Союза ПГС-Кодирования» или «Дезоксирибонуклеиновых Интеркод-Систем SoftSci» в деке Mo.SyS, и все же ты паркуешь головки ВЖСМ-телешпилера, проверяешь уровни реплицирования и приукрашиваешь генрезюме, как озабоченный первокурсник перед попыткой софт-свидания» *(здесь и далее Макинерни* **из Матрицы ОмниЛит TRF**, 2068).

---

2. *Вульгарное.*‡ (см. также «**хард-свидание**»)

а) Создание и/или использование Виртуального Женского Сенсорного Массива (ССЫЛКА на ВЖСМ; на исто-

---

ă pat / ā pay/ âr care / ä father / b bib / ch church / d deed / ĕ pet / ē be / f fife / g gag / h hat / hw which / ĭ pit / ī pic / îr pier / j judge / к kick / l lid / m mum / n no, sudden / ng thing / ŏ pot / ō toe / ô paw, for / oi noise / ou out / oo took / oo boot / p pop / r roar / s sauce / sh ship, dish / t tight / th thin / *th* this, bath / ŭ cut / ûr urge / v valve / w with / y yes / z zebra, size / zh vision /

ə about, item, edible, gallop, circus /

à *Fr.* ami / œ *Fr.* feu, *Ger.* schön / ü *Fr.* tu, *Ger.* über / KH *Ger.* ich, *Scot.* loch / N *Fr.* bon.

* = следует главному словарю. † = неизвестное происхождение. ‡ = идиоматическое происхождение.

Для пентасенсорной иллюстративной поддержки вставьте нейронный контакт и введите ROM\C.A.D.PAK\5MESH*.*.

рическую сноску о РЕАЛЬНОСТЬ, ВИРТУАЛЬНАЯ; на ТЕЛЕШПИЛЕР; на КОИТУС, ЦИФРОВОЙ; на ПОЛИЭРОТИКА; на ОБЪЕКТИФИКАЦИЯ, БУКВАЛЬНАЯ) в целях Симулированной Генитальной Связи (ССЫЛКА на СГС).

б) Сохраненный на жесткий диск многоразовый ВЖСМ, иногда наделяемый перевозбужденными пользователями-мужчинами конкретными именами и различными сексуальными и/или личными характеристиками (ССЫЛКА на МЕШ, ЦСЭ; на ДЕТКА, КИБЕР-; на ЖЕНЩИНА, ХАРД-; на СИНДРОМ ВЖСМ-ОЛИЦЕТВОРЕНИЯ).

---

date³ — 2. СНОСКА ОБ ИСТОРИЧЕСКОМ КОНТЕКСТЕ / УПОТРЕБЛЕНИИ: Р. и Ф. Лекки (ред.), «Идеальная ЦСЭ-сетка монохромосоматической психики», и другие эксперты придерживаются мнения, что значение **2** date³ коннотационно произошло от использования слова «date» проститутками 20В *((сущ.)/(глаг.))* в поисках генитально-финансовой связи без риска судебного преследования. Те же эксперты придерживаются мнения, что эвфемизм «хард-свидание» был сокращением от идиоматического/вульгарного «компьютерное свидание» (устар.) ок. 2020-х гг.— словосочетания, обозначающего (с характерным для 20-х отсутствием изящности) «секс с компьютером» / «секс при помощи компьютера» (Уэбстер, т. IX, 2027, DVD/ROM/печатное издание). «**Софт-свидание**» превратилось в естественный антоним как минимум к 2030 г. Некоторые эксперты утверждают, что идиоматическое долголетие «**софт-свидания**», или

ă pat / ā pay/ âr care / ä father / b bib / ch church / d deed / ĕ pet / ē be / f fife / g gag / h hat / hw which /ĭ pit /ī pic / îr pier / j judge / k kick / l lid / m mum / n no, sudden / ng thing / ŏ pot / ō toe / ô paw, for / oi noise / ou out / oo took / ōō boot / p pop / r roar / s sauce / sh ship, dish / t tight / th thin / ***th*** **this, bath / ŭ cut / ûr urge / v valve / w with / y yes / z zebra, size / zh vision /**

ə about, item, edible, gallop, circus /

à *Fr.* ami / œ *Fr.* feu, *Ger.* schön / ü *Fr.* tu, *Ger.* über / KH *Ger.* ich, *Scot.* loch / N *Fr.* bon.

* = следует главному словарю. † = неизвестное происхождение. ‡ = идиоматическое происхождение.

Для пентасенсорной иллюстративной поддержки вставьте нейронный контакт и введите ROM\C.A.D.PAK\5MESH*.*.

«**мягкого свидания**», также обусловлено случайной коннотацией «нежные чувства», часто ассоциирующейся с ПГС и «софт-потомством» (см. ниже; ССЫЛКА на ЧУВСТВА, НЕЖНЫЕ).

____

____

date[3] СНОСКА ОБ ИСТОРИЧЕСКОМ КОНТЕКСТЕ / УПОТРЕБЛЕНИИ: Определения **1** и **2** выше — коннотационные потомки однозначного определения «date[3]» времен 20В: «социальная(ые) связь(и) с представителем(ями) противоположного пола» (Уэбстер, т. V, 1999, ROM/печатное издание). В «Краткой истории мужской сексуальности на DVD2» Нэша & Лекки отмечается, что для мужчин 20В «date» как межполовая «социальная интеракция» могла иметь два различных по смыслу дополнительных значения: (А) взаимное исследование возможностей долгосрочной нейрогенетической совместимости (ССЫЛКА на историческую сноску (5) ОТНОШЕНИЯ), ведущее к легальному кодифицированному межгендерному союзу, ПГС и софт-потомству; или (Б) односторонний поиск немедленного, энергичного и некодифицированного эпизода генитальной связи вне зависимости от нейрогенетической совместимости, софт-потомства или даже телефонного звонка на следующий день. Т. к. (согласно Р. и Ф. Лекки, ред., «Идеальная ЦСЭ-сетка монохромосоматической психики») для женщин 20В диапазон коннотаций **date[3]** как «социальной интеракции» был почти единственно (А), в то время как подразумеваемый, но мужчинами 20В негласный и столь же часто обманный интерес

ă pat / ā pay/ âr care / ä father / b bib / ch church / d deed / ĕ pet / ē be / f fife / g gag / h hat / hw which /ĭ pit /ī pic / îr pier / j judge / k kick / l lid / m mum / n no, sudden / ng thing / ŏ pot / ō toe / ô paw, for / oi noise / ou out / oo took / oo boot / p pop / r roar / s sauce / sh ship, dish / t tight / th thin / *th* this, bath / ŭ cut / ûr urge / v valve / w with / y yes / z zebra, size / zh vision /

ə about, item, edible, gallop, circus /

å *Fr.* ami / œ *Fr.* feu, *Ger.* schön / ü *Fr.* tu, *Ger.* über / KH *Ger.* ich, *Scot.* loch / N *Fr.* bon.

* = следует главному словарю. † = неизвестное происхождение. ‡ = идиоматическое происхождение.

Для пентасенсорной иллюстративной поддержки вставьте нейронный контакт и введите ROM\C.A.D.PAK\5MESH*.*.

в коннотации (А) нередко применялся исключительно ради целей, описанных в коннотации (Б) (ССЫЛКА на ДОНЖУАНИЗМ; на ПЕРЕПИХОН, СПОРТИВНЫЙ‡; на ОТРИЦАНИЕ БРАКА; на БАБНИК‡, на ЭДИПОВ, ПРЕД-), результатом приблизительно 86,5% **свиданий** 20В было состояние серьезного эмоционального диссонанса между участниками **свидания**, причисляемого многими источниками к неверным психосемантическим дешифровкам (ССЫЛКА на НЕВЕРНЫЕ ДЕШИФРОВКИ, МЕЖПОЛОВЫЕ; вторичные ССЫЛКИ на исторические сноски ЖЕНОНЕНАВИСТНИЧЕСТВА, МНИМЫЕ ПРОЕЦИРУЕМЫЕ ФОРМЫ; на ВИКТИМИЗАЦИИ, КУЛЬТУРА; на ФЕМИНИЗМ, НЕДОБРОЖЕЛАТЕЛЬНЫЙ СЕПАРАТИСТСКИЙ НАЧАЛА 21В В США; на СЕКСУАЛЬНОЙ РЕВОЛЮЦИИ КОНЦА 20В, ЖАЛКИЕ ИЛЛЮЗИИ).

Патент 2006 г. н. э. и появление на рынке в 2008-м Цифрового Манипулируемого Видео, или ЦМВ (ССЫЛКА на ЦМВ²; на MICROSOFT-VCA DMV VENTURES CORP.), где видеопорнографию можно редактировать в домашних условиях так, чтобы симулировать присутствие зрителя в снятых изображениях откровенной генитальной связи, были защищены в результате гражданского иска № 1819049 «Шумпкин и др. против Microsoft-VCA DMV Ventures Corp.» (2009) частично на том основании, что доступность мужчинам США целиком обезличенного симулякра генитальной связи позволяла ожидать смягчения 86,5% семиоэмоциональных конфликтов, сопровождавших настоящее межличностное **свидание**; и эти основания впоследствии (2012) привели к легальному появлению Сенсорных Массивов Виртуальной Реальности — «Костю-

ă pat / ā pay/ âr care / ä father / b bib / ch church / d deed / ĕ pet / ē be / f fife / g gag / h hat / hw which / ĭ pit / ī pic / îr pier / j judge / k kick / l lid / m mum / n no, sudden / ng thing / ŏ pot / ō toe / ô paw, for / oi noise / ou out / oo took / oo boot / p pop / r roar / s sauce / sh ship, dish / t tight / th thin / *th* this, bath / ŭ cut / ûr urge / v valve / w with / y yes / z zebra, size / zh vision /

ə about, item, edible, gallop, circus /

å *Fr.* ami / œ *Fr.* feu, *Ger.* schön / ü *Fr.* tu, *Ger.* über / KH *Ger.* ich, *Scot.* loch / N *Fr.* bon.

* = следует главному словарю. † = неизвестное происхождение. ‡ = идиоматическое происхождение.

Для пентасенсорной иллюстративной поддержки вставьте нейронный контакт и введите ROM\C.A.D.PAK\5MESH*.*.

мов удовольствия», дорогостоящих облачений с четырьмя расширениями для человеческих конечностей, которые быстро уступили место (2014) уже всем знакомым «Полиоэротическим Костюмам Удовольствия» с пятью расширениями и первому поколению трехмерных Виртуальных Женских ЦСЭ-Мешей (ССЫЛКА на КОСТЮМ УДОВОЛЬСТВИЯ, ПОЛИОЭРОТИЧЕСКИЙ; на ТЕЛЕШПИЛЕР†; на МЕШ, ЦСЭ-; на МОДЕЛИРОВАНИЕ, РАЗВРАТНОЕ‡; вторичная ССЫЛКА на Историческую Сноску ДИЗАЙН, КОМПЬЮТЕРНЫЙ; на ЖЕНЩИНА, ВИРТУАЛЬНАЯ), а эти инновации для домашних развлечений, несмотря на первоначальные баги и глюки (ССЫЛКА на ЭЛЕКТРОКУТИРОВАНИЕ, ГЕНИТАЛЬНОЕ), быстро переросли в современные технологии ВЖСМ и ЭККУ (ССЫЛКА на МАССИВ, ВИРТУАЛЬНЫЙ ЖЕНСКИЙ СЕНСОРНЫЙ; на КОНЕЧНОСТЬ КОСТЮМА УДОВОЛЬСТВИЯ, ЭЛЕКТРОИЗОЛИРОВАННАЯ) — технологии, и ускорившие современное дробление слова **date**[3] на основные оттенки значений «хард» и «софт».

---

date[3] **СНОСКА О ГЕНДЕР-СПЕЦИФИЧЕСКИХ КОННОТАЦИЯХ:** Большинство экспертов по современному словоупотреблению наблюдают заметный сдвиг для мужчин 21В в «романтических», или «эмоциональных», коннотациях слова **date**[3] (ССЫЛКА на ЧУВСТВА, НЕЖНЫЕ) — эмоциональные коннотации для большинства мужчин теперь целиком выхолощены из «хард», или СГС-**свиданий** (ССЫЛКА на ДИСФОРИЯ, ГИПЕРОРГАЗМИЧЕСКАЯ; на СПНО; на СИНДРОМ ПЕРЕГРУЗКИ

ă pat / ā pay/ âr care / ä father / b bib / ch church / d deed / ĕ pet / ē be / f fife / g gag / h hat / hw which / ĭ pit / ī pic / îr pier / j judge / к kick / l lid / m mum / n no, sudden / ng thing / ŏ pot / ō toe / ô paw, for / oi noise / ou out / oo took / ꝏ boot / p pop / r roar / s sauce / sh ship, dish / t tight / th thin / *th* this, bath / ŭ cut / ûr urge / v valve / w with / y yes / z zebra, size / zh vision /

ə about, item, edible, gallop, circus /

à *Fr.* ami / œ *Fr.* feu, *Ger.* schön / ü *Fr.* tu, *Ger.* über / KH *Ger.* ich, *Scot.* loch / N *Fr.* bon.

* = следует главному словарю. † = неизвестное происхождение. ‡ = идиоматическое происхождение.

Для пентасенсорной иллюстративной поддержки вставьте нейронный контакт и введите ROM\C.A.D.PAK\5MESH*.*.

НАРЦИССИЧЕСКОГО ОДОБРЕНИЯ; на СОЛИПСИЗМ, ТЕХНОСЕКСУАЛЬНЫЙ), а в «софт», или ПГС-**свиданиях** почти целиком перешли к производительной функции и одобрению, связанному с обладанием Индексами Производительности, утвержденными культурой и взаимодополнением как нейрогенетически желанные (ССЫЛКА на ПАРАДОКСЫ, ТЕХНОСЕКСУАЛЬНЫЕ; на ДОГМА, ИЗВРАЩЕННОЕ ПОДТВЕРЖДЕНИЕ КАТОЛИЧЕСКОЙ).

Октет

Викторина 4

Два неизлечимых наркомана сидели у стены переулка, им было нечем колоться, у них не было денег, им было некуда пойти и негде жить. Только один из них в куртке. Холодало, и зубы одного из неизлечимых наркоманов стучали, он потел, его лихорадило. Он казался смертельно больным. От него ужасно несло. Он сидел у стены, опустив голову на колени. Это было ~~в Ке~~мбридже, штат Массачусетс, в переулке позади Общественного центра переработки алюминия на Массачусетс-авеню в ранний час 12 января 1993 года. Неизлечимый наркоман в куртке снял куртку, пододвинулся поближе к смертельно больному неизлечимому наркоману и накинул куртку как мог, чтобы она накрыла обоих, и потом придвинулся еще, прижался и приобнял его, и того стошнило ему на руку, и так они и просидели у стены всю ночь.

В: Кто из них выжил.

Викторина 6

Два человека, X и Y,— близкие друзья, но потом Y делает нечто, что вредит, отдаляет и/или злит X. Они были очень близки. Более того, семья X практически усыновила Y, когда тот прибыл в город один и не успел обзавестись ни семьей, ни друзьями, и получил работу в том же отделе той же фирмы, где работал X, и X с Y работали бок о бок и стали товарищами, и вскоре Y обычно засиживался в доме X с семьей X чуть ли не каждый вечер после работы, и это продолжалось очень долго. Но потом Y нанес X некий вред — ну, к примеру, написал в фирме точную, но негативную Независимую оценку X, или отказался прикрыть X, когда X допустил серьезный промах в суждениях, попал в беду и просил Y солгать, чтобы прикрыться. Суть в том, что Y совершил некий достойный/честный поступок, который X считает предательством и/или вредом, и X теперь в ярости на Y, и теперь, когда Y, как обычно, приходит в семейный дом X каждый вечер, X чрезвычайно холоден с ним или ядовито ехиден, или иногда даже кричит на Y перед женой и детьми семьи X. В ответ на что, однако, Y просто продолжает приходить в семейный дом X, засиживаться и терпеть все нападки, лишь как-то старательно кивает в ответ, но ничего не говорит и никоим образом не отвечает на враждебность X. В одном конкретном случае X даже кричит Y, чтобы тот «убирался к чертям» из семейного дома, и наносит то ли удар, то ли пощечину Y прямо на глазах у одного из детей так, что очки Y падают, а все, что Y делает в ответ,— держится за щеку и как-то старательно кивает, глядя в пол, подбирает очки и поправляет как может погнувшийся заушник, и даже после такого продолжает приходить и засиживаться дома у X, как приемный член семьи, и молча терпеть все нападки X за то, что бы он там ни совершил. Почему Y это делает (т. е. продолжает приходить и засиживаться у X'ов) — неясно. Может быть, Y попросту бесхребетный, жалкий и ему некуда больше пойти. Или, может быть, Y из тех тихих людей со стальным внутренним стержнем, которым хватает сил не поддаваться на обиды или унижения, и он видит (Y видит) за нынешней досадой X щедрого и верного друга, каким тот раньше всегда был для Y, и решает (Y, возможно, решает), что просто будет засиживаться, держаться рядом, часто приходить и стоически позволит X выпустить всю злобу, какую тому надо выпустить, и что рано или поздно X перерастет прежние обиды, если Y не будет отвечать, мстить или каким-либо образом усугублять ситуацию. Другими словами, неясно, является ли Y жалким и бесхребетным или невероятно сильным, понимающим и мудрым человеком. Только в одном конкретном случае, когда X даже вскакивает на приставной столик перед всей семьей X и кричит, чтобы Y «взял свою задницу и шляпу, валил к хренам из его, **т. е. X'а** семейного дома и держался подальше», Y наконец уходит из-за слов X, но даже после этого эпизода возвращается посидеть у X'ов уже на следующий вечер после работы. Возможно, Y просто сильно нравятся жена и дети X, и ради них он приходит и терпит желчность X. Возможно, Y каким-то образом одновременно и жалок, и силен... хотя и сложно согласовать жалкость или слабость Y с очевидной твердостью характера, необходимой для написания негативно честной Независимой оценки, для отказа солгать или для чего бы то ни было, за что его не простил X. Плюс неясно, чем все это кончится — т. е. сработает ли пассивное упорство Y, и X наконец уймет свой гнев и «простит» Y и они снова станут товарищами, или Y больше не сможет терпеть враждебность и наконец перестанет приходить к X домой... или вся эта невероятно напряженная и неясная ситуация будет просто продолжаться неопределенное время. Пощечина была именно «то ли» потому, что X бил Y полуоткрытой рукой. Также существует фактор того, как открытое недружелюбие X и пассивная реакция Y повлияют на интрамуральную динамику X — например, в ужасе семья и дети X от обращения X с Y или согласны с X, что Y каким-то образом его кинул, и в основном симпатизируют X. Это повлияет на их отношение к тому, что Y продолжает приходить и засиживаться у них дома каждый вечер, хотя X кристально ясно дал понять, что тот нежеланный гость,— например, восхитятся ли они стоическим мужеством Y или найдут его пугающим и жалким и пожелают, чтобы до него наконец дошло, и он прекратил притворяться уважаемым членом их семьи, а может, произойдет еще что-нибудь. На самом деле выходит, что во всей этой мизансцене слишком много неопределенности, чтобы из нее получилась удачная Викторина.

Викторина 7

Женщина выходит замуж за мужчину из очень состоятельной семьи, у них рождается ребенок, и они оба его любят, хотя со временем все больше и больше отдаляются друг от друга, пока наконец женщина не подает заявление на развод. И женщина, и мужчина хотят получить права на первичную опеку, но женщина полагает, что в итоге их получит она, потому что по закону о разводе все обычно утрясается именно так. Но мужчина очень сильно хочет получить первичную опеку. Неясно, либо потому, что у него сильный отцовский инстинкт и он правда хочет вырастить ребенка, либо потому, что просто хочет отомстить за подачу заявления на развод, утереть ей нос и не дать права на первичную опеку. Но это неважно, так как вся состоятельная и могущественная семья мужчины стоит за него стеной и считает, что именно он должен получить права на первичную опеку (может быть, они уверены, что раз он их отпрыск, значит, может получить все, что пожелает,— такая это семья). Но, в общем, семья мужчины заявляет женщине, что если она выиграет право на первичную опеку у их отпрыска, то они в долгу не останутся и отнимут щедрый Трастовый фонд, приготовленный ребенку при рождении,— Трастовый фонд, благодаря круглой сумме которого ребенок будет финансово обеспечен на всю жизнь. Нет опеки — нет Трастового фонда, говорят они. Тогда женщина (а она, кстати, подписала брачный контракт, по которому не получит никакой компенсации или супружеских алиментов вне зависимости от того, кому отойдут права на опеку) выходит из борьбы за права и дает мужчине и его отвратительной семейке взять ребенка под опеку, чтобы у того остался Трастовый фонд.

В: (А) Хорошая ли она мать.[i]

Викторина 6(А)

Попробуем еще раз. Тот же X, что и в В6. У пожилого отца жены X диагностировали неоперабельный рак мозга. Все члены ее семьи очень близки друг к другу и взаимосвязаны, все живут в одном городе с X, его женой, тестем и уже его женой, и с тех пор, как объявили диагноз, в семье разыгралась подлинно вагнеровская опера тревоги, горя и скорби; но что, так сказать, важнее — семья и дети X тоже сошли с ума от горя из-за неоперабельного рака старика, потому что жена X всегда любила отца, и дети обожают дедушку до безумия, и он их совершенно избаловал, в результате чего приобрел их привязанность; и теперь отец жены X постепенно теряет силы, страдает и умирает от рака мозга, и семья X и родственники его жены переживают так, будто дедушка уже умер, и все невероятно разбиты, истеричны и печальны одновременно.

Сам X относительно всей этой ситуации и «тестя-с-неоперабельным-раком-мозга» находится в щекотливой позиции. У него с отцом жены никогда не было близких или дружественных отношений — более того, старик однажды несколько лет назад даже убеждал жену X раз-

---

[i] (Б) (*опционально*). Объясните, как на ваш ответ на (А) повлияет, если повлияет, дополнительная информация о том, что сама женщина выросла в невероятно отчаянной нищете.

вестись с X во время непростого периода, когда их отношения в браке ухудшились и X совершил несколько прискорбных промахов в суждении и несколько проступков, о которых патологически любопытные и болтливые сестры жены X разболтали отцу и которые старик, как обычно, воспринял с осуждением и без компромиссов и во всеуслышание почти всей семье заявил, что считает поведение X отвратительным и целиком и полностью infradignitater[4], и настаивал на том, чтобы жена X бросила его (т. е. X), о чем X не забывал даже спустя много лет, ни на секунду, потому что с того непростого периода и неописуемых обвинений старика X чувствовал себя вторично, косвенно и нонграта относительно всей многочисленной взаимосвязанной и сплоченной семьи своей жены — семьи, в состав которой к настоящему времени входят собственные супруги и дети шести братьев и сестер жены и столько крысообразных двоюродных тетушек и дядюшек и кузенов разной степени родства, что каждое лето для традиционных Семейных Встреч его некровных родственников (прописные буквы в «Семейная Встреча» — их) приходилось снимать целый зал в гостинице, и на этих ежегодных мероприятиях X всегда чувствовал себя как-то вторично, под нескончаемым подозрением и осуждением, примерно так, как себя чувствует классический аутсайдер.

Чувство отчуждения X от семьи своей жены тоже усилилось, поскольку сейчас вся эта огромная кишащая стая, кажется, только и думает, только и говорит что о раке мозга древнего железноглазого патриарха, о мрачных вариантах терапии, о неуклонном угасании и весьма хлипких шансах продержаться больше пары месяцев, и кажется, что они говорят об этом без конца, но только друг с другом, и, когда бы X ни был с женой на траурных семейных советах, он всегда чувствовал себя второстепенным, лишним и неуловимо исключенным, как будто и так сплоченная семья жены во время кризиса сплотилась еще теснее, еще сильнее, как X чувствовал, выталкивая его на периферию. И встречи X с самим тестем, когда бы X ни сопровождал жену в бесконечных визитах в комнату-палату к старику в его (т. е. старика) роскошном особняке неоромантического стиля на другом конце города (и как будто в другой экономической галактике), приезжая туда из достаточно скромного дома X'ов, особенно мучительны по всем вышеперечисленным причинам плюс из-за того факта, что отец жены X — который, пусть и прикован из-за упадка сил к особой первоклассной регулируемой больничной кровати, купленной семьей, и при любом посещении X не поднимается с этой особой высокотехнологичной кровати, находясь под присмотром пуэрто-риканской сестры из хосписа, тем не менее всегда безукоризненно выбрит, ухожен и одет, его клубный галстук завязан двойным виндзорским узлом, а стальные трифокалы отполированы, словно он готов в любой момент вскочить, приказать пуэрториканке принести его костюм от Пуччи-старшего и судейскую мантию и вернуться в 7-й районный налоговый суд выносить новые безжалостнообоснованные решения,— обезумевшая от горя семья считает эти привычки и поведение еще одним трогательным признаком достоинства, «dum spero joie de vivre»[5] и силы воли крепкого старика-бойца,— он (т. е. тесть) всегда кажется откровенно холодным и равнодушным к X во время этих обязательных и добросовестных визитов, тогда как X в свою очередь стоит сконфуженный позади жены — пока она в слезах склоняется над одром, как ложка или металлический стержень, что сгибаются взад и вперед, повинуясь ужасающей силе воли менталиста,— и обычно X сперва одолевает отчуждение, затем неприязнь, негодование и, наконец, настоящее злорадство по отношению к железноглазому старику, которого, сказать по правде, X втайне всегда считал говнюком высшего сорта, а теперь он понимает, что даже блеск от трифокалов тестя для него мучителен, и не может не ненавидеть старика; а тот в свою очередь кажется, замечает скрытую невольную ненависть X и в ответ ясно показывает, что не чувствует радости, ободрения или поддержки от присутствия X и желает, чтобы X вообще не было в комнате-палате с миссис X и лощеной сестрой из хосписа, в мыслях X, пусть и с горечью, но солидарен с этим желанием, хоть и натягивает все более широкую, поддерживающую и сострадательную улыбку и потому в комнате-палате старика X всегда чувствует смущение, отвращение и гнев и всегда в итоге задается вопросом, что же он вообще там делает.

Однако X, разумеется, чрезвычайно стыдно за такие неприязнь и негодование в присутствии неуклонно и неоперабельно угасающего человеческого существа и законного родственника, и по дороге домой с обезумевшей от горя женой после каждого визита к сияющей постели патриарха X втайне бичует себя и поражается, где же его порядочность и сострадание. Он находит еще более глубокий повод для стыда в том, что после смертельного диагноза тестя он (т. е. X) тратил столько времени и энергии на мысли только о себе и собственном негодовании из-за исключения из Drang[6] клановой семьи жены, когда, между прочим, отец жены мучается и умирает прямо у них на глазах, любящая жена X убита переживанием и горем, а чувствительные невинные детишки X безмерно страдают. X втайне волнуется, что очевидный эгоизм его внутреннего мира во время семейного кризиса, когда жена и дети так явно нуждаются в его сострадании и поддержке,— симптом какой-то ужасной неполноценности его человеческой натуры, какого-то отвратительного кардинального льда на месте узлов эмпатии и простого альтруизма в сердце, и все сильней мучается от стыда и неуверенности в себе, а потом вдвойне стыдится и волнуется, что эти волны стыда и неуверенности сами по себе зациклены на нем и только больше компрометируют способность по-настоящему заботиться и поддерживать жену и детей; и он держит при себе тайные чувства отчуждения, неприязни, негодования, стыда и самоуязвления из-за самого стыда и даже не представляет, как можно пойти к обезумевшей от горя жене и еще больше ее обременить/привести в ужас своим зацикленным pons asinorum[7], и более того, ему настолько стыдно и противно из-за того, что, как ему кажется, он обнаружил в сердце своей натуры, что в первые месяцы болезни тестя он необычно подавлен, сдержан и необщителен со всеми в своей жизни и никому не говорит о бушующих центробежных бурях в душе.

Однако болезненное неоперабельное дегенеративное неопластическое умирание тестя все тянется и тянется — или потому, что это необычно медленная форма рака, или потому, что тесть действительно несгибаемый крепкий боец, угрюмо цепляющийся за жизнь столько, сколько может, являя собой тот случай, для которых, как считает про себя X, изначально и придумали эвтаназию, т. е. тот случай, когда пациент дегенерирует, угасает и ужасно страдает, но отказывается признать неизбежное, испустить уже на хрен свой дух или даже подумать о соразмерных страданиях, которые причиняет его отвратительное дегенеративное угасание тем, кто по каким-то непостижимым причинам его любит, или и то и другое,— и тайный конфликт X, и разъедающий стыд в конце концов так его измочаливают и доводят до такого уныния на работе и кататонии дома, что он наконец-то отбрасывает гордость и смиренно идет к своему доверенному другу и коллеге Y и выкладывает тому всю ситуацию ab initio ad mala[8], раскрывая перед Y весь ледяной эгоизм его (X) самых глубоких чувств во время семейного кризиса и расписывая в деталях живущий в нем стыд от антипатии, которую он чувствует, когда стоит позади кресла жены у полностью регулируемой больничной кровати из стального сплава за 6500 долларов страдающего от гротескного истощения и недержания тестя, а язык старика выкатывается, а лицо искажается в жутких клонических спазмах, а в уголках его (тестя) корчащегося в попытках заговорить рта постоянно скапливается желтоватая пена, а его [ii] теперь непристойно большая и асимметрично бугристая голова ворочается на итальянской подушке плотностью в 300 нитей на кв. см, а затуманенный, но все еще жестоко-металлический взгляд старика блуждает за стальными трифокалами, минует страдальческое лицо миссис X и натыкается на натужно-сердечное выражение симпатии и ободрения, которое X пытается примерить для этих мучительных визитов еще в машине, после чего мгновенно уходит в другую сторону — взгляд тестя уходит,— и это всегда сопровождается рваным брезгливым выдохом, словно тесть считывает лживое лицемерие X и распознает под ним антипатию и эгоизм и снова сомневается в решении дочери остаться с этим малозначащим порицаемым бухгалтером; и X признается Y, что во время визитов к больничной кровати страдающего недержанием старого бескомпромиссного говнюка он начал болеть за опухоль, мысленно поднимать тосты за ее здоровье и желать долгого роста метастазов и начал втайне считать эти визиты ритуалами симпатии и поддержки злокачественной опухоли в варолиевом pons'е старика — X начал,— позволяя при этом несчастной жене думать, что он здесь с ней для того, чтобы разделить заботу о самом старике... X уже тошнит последними драхмами внутреннего конфликта, отчуждения и самобичеваний предыдущих месяцев, и он заклинает Y, пожалуйста, понять, как сложно X рассказывать живой душе о своем тайном стыде, и почувствовать налагаемые доверием X честь и обязательства, и найти в душе силы сострадания, чтобы переступить бескомпромиссные суждения X и ради Господа нашего милосердного

[ii] Т. е. тестя.

никому не говорить о центральных тайных чувствах его криовелюмного и злокачественно себялюбивого сердца, которые, как боится X, возможно, выявились в последних адских испытаниях.

Произошла ли эта катарсическая беседа до того, как Y сделал то, что так разъярило X[iii], или она имела место уже позже и тем самым обозначила, что стоическая пассивность Y под охаиванием X окупилась и их дружба восстановилась — или, может быть, даже сама эта беседа и возожгла каким-то образом ярость X из-за предположительного «предательства» Y, т. е. X позже взял себе в голову, что Y, быть может, проболтался миссис X о каких-то подробностях тайного эгоцентризма мужа во время того, что, вероятно, было главным эмоционально катастрофическим периодом ее жизни,— это все неясно, но ничего, потому что сейчас это не кардинально важно, а кардинально важно то, что X из-за боли и чистого изнурения наконец смог унизиться, обнажить некротичное сердце перед Y и спросить того, как Y считает, что ему (X) следует делать, чтобы разрешить внутренний конфликт, погасить тайный стыд и суметь искренне простить умирающего тестя, пусть тот и был по жизни таким титаническим говнюком, просто позабыть прошлое, как-то игнорировать ханжеские суждения и очевидную неприязнь старого говнюка, и собственные чувства X'а о периферийной нонгратазации и просто сидеть там, и постараться поддержать старика, и научиться сопереживать многочисленной истерической толпе семьи жены, поистине быть рядом, поддерживать и стоять плечом к плечу с миссис X и маленькими X-ками во время кризиса и разок для разнообразия по-настоящему подумать о *них*, а не зацикливаться на своих тайных чувствах отчуждения, досады, viva cancrosum [9], самоненависти, -уязвления и жгучего стыда.

[iii] См. выше неудавшуюся B6.

Как, возможно, ясно по неудавшейся В6, Y по натуре лаконичен и непритязателен вплоть до того, что его нужно едва ли не взять в полунельсон, чтобы выдавить нечто настолько бесцеремонное, как дружеский совет. Но X наконец заставил Y провести мысленный эксперимент: представить себя на месте X и вслух поразмышлять о том, как бы он (имеется в виду Y на месте X) поступил, столкнувшись со злокачественным и хоррипилятивным pons asinorum, эксперимент заставляет Y констатировать, что, возможно, лучше всего ему (т. е. Y на месте X и, таким образом, впоследствии самому X) в такой ситуации просто пассивно сидеть там, т. е. просто Показываться, продолжать Быть Рядом — хотя бы лишь в физических категориях — на окраинах семейных советов и с миссис X в комнате-палате ее отца. Другими словами, Y предложил в качестве тайной повинной и дара старику просто сидеть там и тихо страдать от ненависти, лицемерия, эгоизма и укоризны, но по-прежнему сопровождать жену, посещать старика и тангенциально маячить на семейных советах; другими словами, X должен редуцироваться до одних лишь физических действий и процессов, чтобы не бичевать свое сердце, прекратить волноваться о натуре и просто Показываться[iv]... и когда X возражает, что, ради Господа милосердного, а он чем все это время занимается, Y нерешительно хлопает его (т. е. X) по плечу и осмеливается сказать, что X всегда казался ему (=Y) гораздо сильнее, мудрее и сострадательнее, чем он, X, желает признать.

От всего этого X становится немного лучше — то ли потому, что наставление Y глубоко и духоподъемно, то ли просто потому, что X стало легче, когда он наконец-то вытошнил свои злокачественные тайны, которые его про-

---

[iv] (От того, как Y говорит нечто типа «Показывайся» и «Будь Там», X почему-то представляет эти клише с большой буквы, примерно как когда слышит речи жены о невыносимых ежегодных «Семейных Встречах» в конференц-зале отеля «Рамада».)

едали,— и все продолжилось примерно так же, как раньше, включая медленное умирание одиозного тестя, горе жены X и бесконечные семейные спектакли и советы, и включая прежнее неприятие, смущение и самоуязвление X под натужной сердечной улыбкой, но теперь он старался относиться к этому септическому эмоциональному водовороту как к прочувствованному дару любимой жене и — бр-р — тестю, и единственные значительные перемены в следующие полгода — что пустоглазая жена X и одна из ее сестер переходят на антидепрессант «Паксил» и что два племянника X арестованы за якобы сексуальное домогательство к умственно отсталой девочке в отделении специального образования их средней школы.

И все идет своим чередом — периодические смиренные посещения X-м Y, чтобы поплакаться в сочувствующую жилетку и изредка провести мысленные эксперименты, пассивное, но ошеломительно постоянное присутствие у одра патриарха и пребывание на семейных советах, где самые озорные двоюродные дяди из семьи жены X уже отпускают шутки, что с X пора смахнуть пыль,— пока наконец однажды ранним утром, почти год спустя после диагноза, неоперабельно-измученный, разбитый и старый тесть в сумрачном рассудке в конце концов испускает дух, покинув мир в могучем содрогании, как забитый тарпон [v], его отпевают забальзамированным, нарумяненным и одетым (согласно кодицилу) в судейскую мантию, во время службы гроб на подставке возвышается надо всеми собравшимися, глаза бедной жены X напоминают два огромных и свежих сигаретных прожога в акриловой простыне, X сидит рядом с ней и — по мнению сперва подозрительных, но наконец тронутых и удивленных многочисленных членов семьи, обла-

---

[v] (Со слов одного из шуринов X, младшего партнера Большой Шестерки, который ценил старика не больше, чем X, и присутствовал в тот момент у одра вместе со своей обуянной серотонином женой.)

ченных в черное,— рыдает дольше и громче всех в таком сильном и искреннем горе, что на пути из епископальной ризницы сама худосочная теща вручает X платок и утешает легким прикосновением к левому предплечью, пока он помогает ей сесть в лимузин, и в тот же день, чуть позже, старший и самый железноглазый сын тестя персональным телефонным звонком приглашает X вместе с миссис X посетить совершенно частную и эксклюзивную Семейную Встречу внутреннего-круга-обездоленной-семьи в библиотеке роскошного дома усопшего судьи — инклюзивный жест, который вызывает у миссис X первые слезы радости с тех давних пор, как она перешла на «Паксил».

На самой эксклюзивной Семейной Встрече — которая, как на глазок оценивает X, включает менее 38% семьи его жены, а также подогретые снифтеры «Реми Мартин» и беззастенчиво виридовые кубинские сигары для мужчин,— все кожаные диваны, старомодные оттоманки, мягкие кресла с подлокотниками и прочные трехступенчатые библиотечные лесенки от «Уиллис и Гейгер» расставлены в виде огромного круга, где самые сокровенные и, видимо, теперь самые близкие 37,5% некровных родственников X удобно располагаются и по очереди, кратко, повествуют о своих воспоминаниях и чувствах к покойному тестю, особых и уникальных личных отношениях с ним во время его долгой и экстраординарно выдающейся жизни. И X — который неловко сидит на узенькой дубовой ступеньке рядом с креслом жены четвертым с конца в очереди на речь и уже пригубил пятый снифтер, и раскуривает по какой-то таинственной причине постоянно тухнущую сигару, и страдает от умеренно-тяжелых простатических приступов боли из-за горбылевой текстуры верхней ступеньки лесенки,— понимает, пока описывают круг прочувствованные и порою весьма трогательные анекдоты и панегирики, что он все слабее и слабее представляет, о чем сказать.

В: (А) Самоочевидный.

(Б) В течение года, пока тесть страдал от смертельной болезни, сама миссис X не выказывала признаков того, что знает о внутреннем конфликте и самосептическом ужасе X. Таким образом, X преуспел в сокрытии своего состояния, что и ставил себе целью весь год. X, следует заметить, скрывал тайны от миссис X в нескольких предыдущих случаях. Однако часть его внутреннего замешательства и потока сознания во время предсмертного периода,— как X признается Y уже после того, как старый урод отдает концы,— происходила оттого, что впервые после свадьбы из-за незнания жены X некоего факта об X, который ему хотелось скрыть, X не чувствовал облегчения, безопасности или легкости, но, скорее, наоборот — печаль, отчуждение, одиночество и досаду. Суть: теперь X обнаруживает, что, несмотря на соболезнующее выражение лица и заботливые жесты, он втайне злится на жену из-за ее неведения, которое сам всеми силами культивировал и пестовал. Дайте свою оценку.

Викторина 9

Вы, к сожалению, писатель. Вы пробуете написать цикл очень коротких художественных текстов — текстов, которые, так получилось, не совсем contes philosophiques [10], не миниатюры, не зарисовки из жизни, не аллегории и не притчи, но притом их нельзя классифицировать как «рассказы» (даже как высоколобый флэш-фикшн, набравший популярность в последние годы,— ваши художественные тексты действительно короткие, но они просто работают не так, как должен работать флэш-фикшн). Как именно должны работать тексты цикла — описать сложно. Скажем, они как-то должны сложиться в некий «допрос» читателя — т. е. пальпировать его, запустить щупальца в поры его чувств и т. д... хотя чего конкретно, раздражающе трудно определить даже вам самим во время работы над текстами (текстами, создание которых, кстати говоря, занимает гротескно много времени, куда больше, чем должно по сравнению с их длиной, эстетическим «весом» и т. д.— в конце концов, вы тоже человек и в вашем распоряжении не так уж много времени, и выделять его надо с умом, особенно когда дело касается карьеры (да: все уже настолько плохо, что даже авторы художественной литературы считают, что у них есть «карьера»)). Однако вы точно знаете, что эти кусочки нарратива — на самом деле именно «кусочки» и ничего больше, т. е. именно то, как они составят вместе большой цикл, и важно для того самого «чего-то», ведь именно из-за «чувства чего-то» вы хотите устроить «допрос» и т. д.

И вот вы пишете восьмичастный цикл из маленьких шипопазных текстов [vi]. И все оборачивается полным фиаско. Пять из восьми текстов вообще не работают — то есть не допрашивают и не пальпируют, что должны, плюс они слишком надуманные, или слишком карикатурные, или слишком скучные, или всё сразу,— приходится их выкинуть. Шестой текст начинает работать только после полной переделки, издевательски длинной, чреватой отступлениями и, как вы опасаетесь, настолько трудной для понимания и зацикленной, что никто просто *не доберется* до допросной части в конце; плюс затем, во время ужасающей Фазы Финальной Правки, вы осознаете, что переработка 6-го текста так сильно зависит от первой версии, что придется вставить в октоцикл и ее, хотя она (т. е. первая версия 6-го текста) попросту разваливается после 75% пути. Вы решаете спасти эстетическую катастрофу первой версии шестого текста, честно заявив в ней, что она разваливается и не работает как «Викторина», а переработку 6-го текста начав с немногословного беззастенчивого заявления, что это другая «попытка» пальпировать то,

[vi] (С самого начала вы представляли себе серию именно как октет или октоцикл, но если вы решите объяснить почему, то можно лишь пожелать вам удачи.)

что вы собирались допросно пальпировать еще в первой версии. Такие интранарративные заявления имеют дополнительное преимущество, слегка разбавляя претенциозность структурирования маленьких текстов в форме так называемых «Викторин», но явный недостаток подобных приемов — это заигрывания с метапрозаическими самоотсылками — т. е. вставками в сам текст фраз, вроде «Викторина не работает» и «Вот еще вариант № 6»,— что в конце 1990-х, когда даже Уэс Крейвен гребет деньги на метапрозаических самоотсылках, может показаться банальным, вымученным и поверхностным ходом, а также подвергает риску странную *безотлагательность* того, что, по-вашему, есть в этих текстах, того, как они должны устроить допрос самому читателю. Эту безотлагательность вы, как писатель, чувствуете очень... ну, безотлагательной и хотите, чтобы читатель тоже ее прочувствовал — иначе говоря, вы очень сильно не хотите, чтобы читатель закончил цикл с мыслью, будто это лишь милое формальное упражнение в вопросительных структурах и конвейерных метатекстах [vii].

[vii] (Хотя всё немного сложней, ведь отчасти вы хотите, чтобы Викторины сломали текстуальную четвертую стену и как бы обратились к читателю (или «устроили ему допрос») напрямую, а это желание в чем-то сродни желанию старого «метаприема» пробить некую четвертую стену реалистического притворства, но только кажется, что последнее — это не желание пробить какую-то реальную стену, а скорее прорвать вуаль обезличенности или удаленности самого писателя, т. е. сейчас во время уже набившей оскомину конвейерной «мета»-фишки на сцену из-за кулис выходит сам драматург и напоминает вам, что все происходящее — искусственно и что искусственник — он сам (драматург), но и что он хотя бы уважает вас как читателя/аудиторию и честно признается, кто тут дергает за ниточки из-за кулис, хотя эту «честность» лично вы всегда считали риторической лжечестностью, предназначенной только для того, чтобы вы полюбили и одобрили его (т. е. метаавтора) и почувствовали себя польщенными, так как, по-видимому, он уверен, что вы взрослый человек и выдержите напоминание о том, что вы находитесь посреди искусственной среды (будто вы и так не знали, будто вам нужно об этом раз за разом напоминать, будто вы дитя с миопией и не видите, что творится перед глазами), но такое поведение больше всего напоминает реальный тип людей, которые манипуляциями хотят вам понравиться и вечно поднимают

Все это приводит к серьезному (и ужасно времязатратному) тупику. Теперь у вас на руках не только всего половина рабочего октета, который вы изначально задумали — к тому же, если честно, кустарная и неидеальная половина,[viii] — но также вопрос безотлагательного

шум о том, какие они открытые, честные и неманипулирующие,— такой тип раздражает куда больше, чем люди, которые манипулируют вами с помощью наглой лжи, ведь последние хотя бы не восхваляют себя все время за то, чем как раз и оборачивается это самовосхваление,— т. е. за то, что они не допрашивают вас, не вступают в диалог и по-настоящему даже не *разговаривают* с вами, а скорее *выступают* * перед вами крайне неестественным и манипулятивным образом.

Эти объяснения довольно невнятные, и лучше их вырезать. Вероятно, говорить начистоту об этом противостоянии реальной-нарративной-честности/лженарративной-честности вообще невозможно).

* [Здесь бы Кундера сказал «танцуют», и вообще он идеальный пример беллетриста, чья межстенная честность одновременно и формально безупречна, и полностью корыстна: классический постмодернистский ритор.]

[viii] Заметим — в духе 100% откровенности, — что выкинуть 63% изначального октета вас вынудили вовсе не какие-то олимпийские эстетические стандарты. Пять нерабочих текстов попросту не работали. Так, один описывал гениального психофармаколога, который запатентовал невероятно эффективный антидепрессант следующего поколения после «Прозака» и «Золофта» настолько действенный, что тот совершенно стер с лица Земли дисфорию/ангедонию/агорафобию/обсессивно-компульсивные расстройства/экзистенциальное отчаяние пациентов и заменил их эмоциональную неполноценность неколебимым ощущением уверенности в себе и joie de vivre, беспредельной способностью к живым межличностным отношениям и почти мистической убежденностью в синекдохическом союзе со Вселенной и всем существующим в ней, а также ошеломляющей и кипучей благодарностью за вышеперечисленные чувства; плюс новый антидепрессант не имел абсолютно никаких побочных эффектов, противопоказаний или опасной несовместимости с любыми другими фармацевтическими препаратами и практически влет проскочил через слушания Министерства здравоохранения; плюс лекарство было настолько простое и дешевое в синтезе и изготовлении, что психофармаколог производил его в собственной маленькой домашней лаборатории в подвале и продавал с пересылкой по почте лицензированным профессионалам в сфере психиатрии, минуя хищнические наценки крупных фармацевтических компаний; и антидепрессант буквально дал второе дыхание бессчетным тысячам американцев-циклотимиков, многие из которых были самыми эндо-

и обязательного способа соединить части в единое октоплицированное целое, как вы рисовали себе в воображении изначально, которое могло бы исподволь устроить читателю допрос по поводу изменчивой, но все же единой проблемы, именно ее неприкрытые и, честно ска-

---

генными и упрямо несчастными пациентами на памяти своих психиатров, а теперь позитивно бурлили joie de vivre, продуктивной энергией и теплой скромной радостью от своей славной доли, и они нашли домашний адрес гениального психофармаколога (т. е. многие из пациентов его нашли, что оказалось довольно просто, учитывая, что психофармаколог рассылал антидепрессант прямой почтовой рассылкой и всякий мог увидеть обратный адрес на дешевых пухлых конвертах с мягкой подкладкой, которыми он пользовался), и начали появляться у его дома — сперва по одному, затем небольшими группками, а через некоторое время во все больших и больших количествах толпились у скромного частного домика психофармаколога, желая просто с чувством взглянуть великому человеку в глаза, пожать ему руку и поблагодарить от самого духовно раскочегаренного сердца; и толпы благодарных пациентов у дома психофармаколога неуклонно становятся крупнее и крупнее, и некоторые из наиболее решительно благодарных людей установили палатки и трейлеры, откуда отвели канализационные шланги во внешний сток у бордюра, и дверной звонок, и телефон психофармаколога разрываются, соседские дворы вытоптаны и заставлены машинами и нарушены бессчетные дюжины муниципальных постановлений по охране здоровья; и психофармакологу приходится заказать по телефону и повесить на окнах фасада специальные экстранепрозрачные шторы и никогда их не раскрывать, потому что, когда бы толпа снаружи ни уловила хоть намек на движение в доме, от концентрированных масс поднимаются кипучие возгласы благодарности и похвалы, и толпа чуть ли не угрожающе рвется к крыльцу и звонку скромного домика каждый раз, когда обретших себя пациентов ан масс захлестывает искреннее желание просто пожать руку психофармаколога двумя своими и сказать, какой он великий, гениальный и самоотверженный святой, и если они могут сделать что угодно, лишь бы частично отплатить ему за то, что он сотворил для них, их семей и человечества в целом, то пусть он молвит хоть слово; и так, разумеется, психофармаколог оказывается пленником в собственном доме с задернутыми специальными шторами, снятой с телефона трубкой, отключенным дверным звонком и постоянно втиснутыми в уши берушами из монтажной пены, дабы заглушить шум толпы, без возможности покинуть дом, уже на рационе из последних неаппетитных консервов из самого дальнего угла кладовой и все ближе и ближе либо к тому, чтобы перерезать лучевые артерии, либо к тому, чтобы влезть с мегафоном по трубе на крышу и сказать раздражающе-кипучей и благодарной толпе новоприбывших граждан пойти на хер и оставить его, блядь, в

зать, грубоватые «**В**» в конце каждой викторины — если бы, конечно, эти вопросы соответствовали друг

покое ради всего святого, он, суки, больше так *не может*... и затем, в соответствии с форматом Викторины, возникают достаточно предсказуемые вопросы о том, заслужил ли психофармаколог случившееся и за что, и правда или нет, что любой заметный сдвиг в абсолютном соотношении счастья/страдания всегда должен соответственно компенсироваться равно радикальным сдвигом в другой части уравнения, и т. п.... и все это слишком затянуто и одновременно слишком очевидно и слишком размыто (напр., вторая часть части «В» Викторины тратит целых пять строчек, чтобы привести возможную аналогию между мировым соотношением счастья/страдания и историческим уравнением современного бухгалтерского учета «А = О + К»*, как будто хотя бы одному человеку из тысячи не насрать), плюс вся стамизансцена слишком карикатурная, так что кажется, будто она старается быть всего лишь гротескно-смешной, а не одновременно гротескно-смешной и гротескно-серьезной, а потому любая реальная человеческая безотлагательность в сценарии Викторины и пальпациях размыта тем, что кажется скорее циничной коммерческой комедией в стиле «смейся-до-смерти», которая и так уже высосала немало безотлагательности из современной жизни,— дефект, как ни иронично, практически противоположный тому, что обусловило удаление другого из восьми изначальных отрывков: Викторины, которая повествует о группе иммигрантов начала XX века из экзотического района В. Европы, которые высаживаются и регистрируются на острове Эллис и после сдачи анализов на туберкулез неудачно попадают к одному конкретному Чиновнику Пункта приема на острове Эллис, который до безумия ура-патриотичен, жесток и на приемных документах трансформирует экзотические иностранные фамилии каждого иммигранта в то омерзительное нелепое недостойное англоязычное слово, которое они отдаленно напоминают — Павел Дерьмолиз, Милорад Многотрах, Дьердап Сопелль, в общем, вы уловили мысль,— чего, разумеется, иммигранты благодаря незнанию языка новой страны не могут опротестовать или хотя бы заметить, но что, разумеется, будет и останется бонусным адским источником насмешек, стыда и дискриминации во время жизни в США, а также источником гложущей в.-европейской вендеттоподобной обиды, которую они пронесут до самого дома престарелых в Бруклине, штат Нью-Йорк, где в старости окажется значительное количество номологически униженных иммигрантов; и вот однажды в этом доме престарелых внезапно появляется помятое, но до жути знакомое лицо, его владельца регистрируют, утверждают и вкатывают вместе с переносным кислородным баллоном в гостиную с телевизором в гущу престарелых иммигрантов, и сперва зоркий старый Эфрозин Мойчленмелкий, а постепенно и остальные внезапно узнают в новоприбывшем ослабевшую дряхлеющую оболочку когда-то зловредного ЧПП острова Эллис, ныне пара-

другу в органическом контексте большего целого — должны были пальпировать. Эта странная единогласная безотлагательность кому-то может показаться бессмысленной, но для вас она имела смысл и казалась... ну, опять же, безотлагательной и стоящей риска произвести первое впечатление пустого формального упражненчества или псевдометахудожественного трюкачества из-за нетрадиционной структуры текстов в форме Викторин. Вы делали ставку на то, что непонятная перво-

---

лизованного, немого, эмфиземного и совершенно беспомощного; и группа где-то из десятка виктимизированных иммигрантов, живших почти каждый день последних пяти десятилетий в насмешках, унижении и обиде, должны решить, используют ли они этот идеальный шанс для воздаяния, вследствие чего начинается долгий спор «оправдано ли решение перерезать O_2-шланг старого паралитика и может ли быть случайностью, что благосклонный в.-европейский бог устроил так, что именно в этот дом престарелых вкатили жестокого старого бывшего ЧПП» / «не превратит ли иммигрантов месть за нелепые имена путем пыток/убийства недееспособного пожилого человека в живые олицетворения самого унижения и омерзения, которое передают их английские имена, т. е. не заслужат ли они в конце концов свои имена, отомстив за них»... Все это на самом деле (на ваш взгляд) вроде круто и в сюжете и дебатах есть признаки странной своеобразной гротескной/искупительной безотлагательности, которую должен передавать октет; но проблема в том, что те самые духовные/моральные/человеческие вопросы в части «В» этого текста ((А), (Б) и так далее и тому подобное), что должны устраивать допрос читателю, *уже* разжеваны в огромной по длине, но нарративно необходимой кульминационной сцене спора в духе двенадцать-разгневанных-иммигрантов, таким образом постсюжетный «В» становится не более чем референдумом в формате «да/нет»; плюс также выясняется, что этот текст не подходит к другим, более «рабочим» текстам октета и не формирует плойчатое-но-безотлагательно-единое целое, которое и превратит цикл в художественное произведение искусства, а не только в модное подмигивающе-подкалывающее псевдоавангардное упражнение; и так, хотя вам кажется весомым от важности и безотлагательности то, как имена в сюжете «подходят», а не просто означают или предполагают, в итоге вы, закусив губу, выкидываете текст из октета... что вообще-то значит, что у вас, как выясняется, все же *есть* стандарты, может, не олимпийские, но все же стандарты и убеждения, а это, сколько бы времени ни сожрал октет-фиаско, является собой источник хоть какого-то мало-мальского душевного комфорта.

* Прим. пер. Активы = Обязательства + Капитал.

степеннейшая безотлагательность органически единого целого октета текстов числом «дважды-дважды-два» (такую структуру вы представляли символом манихейской дуальности, возведенной до триединой мощи своего рода гегельянского синтеза отн. вопросов, которые и персонажи, и читатели должны «решить») смягчит начальное впечатление постумной метаформальной фигни и в конце концов (надеялись вы) поставит под вопрос изначальное желание читателя пренебречь текстами как «пустыми формальными упражнениями» на одном только основании схожих формальных черт, заставив читателя увидеть, что подобное пренебрежение основывается на тех же формалистских принципах, в которых он (как минимум изначально) собирался обвинить октет.

Да только — и вот он, тупик,— хоть вы и выкинули, переписали и переставили тексты теперь уже квартета [ix] почти из одной лишь заботы об органическом единстве и коммуникативной безотлагательности, вы теперь сильно сомневаетесь, что у кого-нибудь появится хотя бы отдаленнейшее представление, в чем четыре [x] текста октета «сошлись» или «имеют что-то общее», т. е. каким образом они составляют неподдельный единый «цикл», чья безотлагательность превосходит сумму безотлагательностей отдельных его составляющих. Таким образом, вы попадаете в неудачную позицию, когда пытаетесь «объективно» прочесть полуквартет и понять, будет ли странная фоновая безотлагательность, которую вы сами чувствуете в уцелевших текстах и между ними, чувствибельной или хотя бы различимой для кого-то еще, а именно для полного незнакомца, кото-

---

[ix] (Или, скорее, «дуэта-плюс-дуальной-попытки-третьего-текста», какой бы латинский квантификатор это ни обозначал.)

[x] (Или называйте, как хотите.)

рый, вероятно, сядет после долгого трудового дня и попытается расслабиться с этим самым художественным «Октетом»[xi]. И как писатель вы знаете, что загнали себя в очень скверный угол. Существуют правильные и плодотворные способы «сопереживать» с читателем, но в их число не входит представлять читателем себя; на самом деле такой способ угрожающе близок к пугающей ловушке предугадывания, «понравится» ли читателю то, над чем вы работаете, а вы и маленькое число ваших знакомых писателей знаете, что нет способа быстрее довести себя до ручки и убить всякую безотлагательную человечность в том, над чем вы работаете, чем просчитывать наперед, будет ли это кому-то «нравиться». Смерти подобно. Лучшей аналогией будет такая: представьте, что вы пришли на вечеринку, где мало кого знаете, а потом, возвращаясь домой, вдруг осознаете, что всю вечеринку так волновались, нравитесь вы или не нравитесь гостям, что просто понятия не имеете, понравились ли вам *они*. Всякий, кто это пережил, знает, что на вечеринку с таким настроением приходить смерти подобно. (Плюс, конечно же, почти всегда выясняется, что на самом деле вы *не* понравились гостям на вечеринке по той простой причине, что казались таким зацикленным на себе и озабоченным собой, что у них возникло неприятное подсознательное ощущение, будто вы использовали вечеринку как сцену для выступления и едва ли их заметили, и что, скорее всего, ушли без понятия, понравились они вам или нет, отчего им обидно и вы перестаете им нравиться (они, в конце концов, всего лишь люди и тоже хотят нравиться)).

[xi] (Вы все еще собираетесь назвать цикл «Октетом». И не важно, есть в этом смысл или нет. Здесь вы непримиримы. Является ли эта непримиримость какой-то целостностью или просто бзиком — тема, на которую вы не собираетесь тратить рабочее время. Вы уже решили попытать судьбу с названием «Октет» — значит, будет «Октет»).

Но после необходимого количества времязатратных тревог, страхов, прокрастинаций, клинексообмахиваний и локтекусаний вас вдруг осеняет: а ведь возможно, что допросная/«диалогическая» формальная структура полуоктета — та самая структура, которая сперва казалась такой безотлагательной, потому что так можно было полюбезничать с потенциальной видимостью метатекстуальной фигни по причинам (надеялись вы) глубоким и куда более безотлагательным, чем набившее оскомину «Эй-смотрите-как-я-смотрю-как-вы-смотрите-на-меня» из набившей оскомину конвейерной метапрозы, но потом загнала вас в тупик, потребовав выкинуть Викторины, которые не работали или были слишком конвейерными и лукавыми, а не безотлагательно честными, а теперь вынуждает переписать В6 опасным «мета»-способом и оставляет вас с усеченным и топорно-голым полуоктетом, чья изначальная фоновая, но единогласная безотлагательность после монтажа, переработок и общей возни вряд ли до кого-то дойдет, загоняя вас в смерти подобный художественный угол предугадывания механик сердца и разума читателя,— что как раз именно этот потенциально катастрофический авангардистский эвристический формат и может подарить *выход* из безвоздушной дилеммы, шанс спастись от потенциального фиаско из-за того, что, хоть 2 + (2(1)) текстов сложатся во что-то безотлагательное и человеческое, читатель этого не почувствует. Вдруг вы понимаете, что сами можете спросить. Читателя. Что можно самому сунуться в стеночную дыру в тексте, которую вы уже и так проделали своими «6 не работает как Викторина», «Попробуем еще разок» и т. д., и обратиться напрямую к читателю и спросить без обиняков, чувствует ли он то же, что и вы.

Вся загвоздка этого решения в том, что надо быть на 100% честным. То есть не просто искренним, а практически голым. Хуже, чем голым — скорее, безоружным. Беззащитным. «Кажется, я чувствую что-то очень важное, но не могу это описать — ты тоже это чувствуешь?» — такой вопрос без обиняков не для привередливых. Как минимум потому, что это угрожающе близко к фразе: «Я тебе нравлюсь? Пожалуйста, полюби меня», вокруг чего, как вы отлично знаете, строится 99% межчеловеческих манипуляций, брехни и трюкачеств, и потому говорить подобное без обиняков считается даже непристойным. По сути, одно из наших последних немногих межличностных табу — это непристойный голый прямой допрос другого человека. Он кажется жалким и отчаянным. Таким он покажется и читателю. Все так и будет. Без вариантов. Если выйти и прямо спросить, что и как чувствует читатель, не останется места для лукавости, перформативности или лжечестности-чтобы-он-вас-полюбил. Всему тут же придет конец. Видите? Стоит отступить от полной голой беспомощной жалкой искренности — и вы вновь в гибельном тупике. Нужно обратиться к читателю на 100% смиренно.

Другими словами, вы можете сконструировать дополнительную Викторину — уже девятую, но не в духе пятой или даже четвертой, а может, вообще ни одной, потому что она будет не столько Викториной, сколько (ох) метаВикториной, в которой вы пытаетесь без обиняков описать тупик, потенциальное фиаско полуоктета и ваши собственные ощущения, что уцелевшие полурабочие тексты вроде бы должны продемонстрировать[xii] какую-то странную фоновую схожесть в различных человеческих

[xii] (Наверное, это не то слово — слишком педантично; вам больше нравятся слова «иллюстрировать», или «пробудить», или даже «живописать» («пальпировать» уже затасканно, и возможно, что странное психодуховное зондирование, к которому вы отсылали этой медицинской аналогией, никому и в голову не придет — и это, может, в какой-то степени нормально, ведь читатель вполне может пропускать отдельные слова или не слишком ими заморачиваться, но все же нет смысла испытывать удачу и долбить «пальпацией» снова и снова). Если «живописать» не покажется в итоге сверхпретенциозным, то я бы остановился на «живописать».)

отношениях [xiii], какую-то безымянную, но неотвратимую «цену», которую приходится рано или поздно платить всем человеческим существам, если они хотят поистине «быть с» [xiv] другим человеком, а не просто как-то использовать его (например, использовать как публику, или как инструмент для собственных эгоистичных целей, или как какой-то тренажер для моральной гимнастики и демонстрации своего добродетельного характера (как можно наблюдать на примере людей, которые щедры к другим только потому, что хотят казаться щедрыми, и потому втайне даже рады, когда окружающие нищают или попадают в беду, ведь это значит, что они могут тут же щедро прийти на помощь и изобразить доброжелателя,— все таких видели), или как нарциссически катектированную проекцию себя, и т. п.) [xv], странную и безымянную, но, похоже,

[xiii] (Но знайте, что в современном лексиконе этот термин — «отношения» — стал почти тошнотворным, переслащенным людьми, которые делают из слова «родитель» глагол и употребляют «делиться» в смысле поговорить, и для читателя конца 1990-х будет сочиться всевозможными приторными ПК- и нью-эйдж-ассоциациями; но если, чтобы спастись от фиаско, вы решите применить псевдометавикторинную тактику и голую честность, которую она за собой влечет, придется скрепить сердце и использовать его, жуткое слово на «о», и будь что будет).

[xiv] (Там же: глагол «быть» в этом культурно отравленном значении — как во фразе «Я буду там для тебя» — тоже стал своеобразным пустым сахарным шибболетом, который не сообщает ни о чем, кроме нерефлективной благоглупости говорящего. Не будьте наивными, когда задумаетесь, чего может стоить тактика 100%-честного-голого-допроса-читателя, если вы ее изберете. Придется испить чашу до дна, закусить удила и по-настоящему использовать термины типа «быть с» и «отношения», и использовать искренне — т. е. без интонационных кавычек, иронических скидок или любых подмигиваний и подкалываний,— если действительно хотите быть в псевдометаВикторине истинно честными, а не только иронически дергать туда-сюда несчастного читателя (а ведь он поймет, что вы делаете; даже если не сможет объяснить — поймет, что вы только пытаетесь спасти манипуляциями свою художественную задницу — уж можете мне поверить).)

[xv] Можете, если хотите, потратить строчку-другую, чтобы предложить читателю поразмышлять, не странно ли, что есть буквально миллиард способов «использовать» других, нежели чем искренне «быть с» ними. Все зависит от того, насколько длинной и/или запутанной,

неизбежную «цену», которая иногда равна самой смерти или уж как минимум равна тому, что придется расстаться с чем-то (либо с вещью, либо с человеком, либо с дорогим привычным «чувством»[xvi] или каким-то определенным представлением о себе и своей добродетели/достоинстве/личности), что — в истинном и безотлагательном смысле — отчасти похоже на смерть, и сказать, что то, что в таких разных ситуациях, мизансценах и тупиках может быть (как вы чувствуете) такая ошеломляющая и элементарная *схожесть* — т. е. что все эти на вид разные и формально (да уж признайте) ходульные и лукавые «Викторины» можно в итоге редуцировать до одинакового вопроса (каким бы он ни был),— кажется вам безотлагательным, поистине безотлагательным, почти что стоящим того, чтобы влезть на крышу и кричать об этом всему миру.[xvii]

То есть, повторимся, вы — к сожалению, писатель,— должны пробить четвертую стену,[xviii] выйти на сцену голым и смиренным и сказать все это в лицо человеку, который вас не знает и во многих случаях даже, так или иначе, плевать на вас хотел и который наверняка просто хотел вернуться домой, спокойно раскинуться после долгого дня и расслабиться одним из немногих оставшихся безопасных и безобидных способов, подходящих для расслабления.[xix] А тут вы, спрашиваете читателя без обиняков,

---

по-вашему, должна быть В9. Сам я склоняюсь к тому, чтобы не очень (больше, скорее, из тревоги, что текст потенциально покажется благочестивым, очевидным или заунывным, чем из безразличной заботы о краткости или концентрации), но тут уж вы будете отмерять по ходу дела, на глазок.

[xvi] См. также сноски xiii и xiv относительно чувства/чувств — слушайте, никто не говорит, что все будет легко или безболезненно. Это же отчаянная и последняя операция по спасению. Естественно, она рискованная. Слова вроде «отношения» и «чувство» могут запросто ухудшить положение дел. Гарантий нет. Я могу лишь честно и открыто описать некоторые наиболее кошмарные цены и риски и призвать вас внимательно их рассмотреть прежде, чем решать. Честно не знаю, чем еще помочь.

[xvii] Да: вы покажетесь благочестивым и мелодраматичным. Терпеть.

[xviii] (Среди прочего, что вам необходимо пробить).

[xix] Да: все уже настолько плохо, что художественная литература

чувствует ли он эту непонятную безымянную фоновую безотлагательную межчеловеческую схожесть. А значит, придется также спросить, как ему кажется, «работает» весь этот кривобокий топорный эвристический полуоктет как органически единое художественное целое или нет. Прямо во время чтения. Еще раз: обдумайте все тщательно. *Не* применяйте эту тактику, пока трезво не осознаете, чего она может стоить. Что он о вас подумает. Потому что если вы решитесь и сделаете это (т. е. спросите без обиняков), то «допросная» фишка уже не будет безобидным формальным художественным приемом. Она станет реальной. Вы потревожите его примерно так же, как адвокат, который звонит по телефону и тревожит именно тогда, когда вы расслабляетесь за прекрасным ужином [xx]. И обдумайте конкретный вопрос, с которым будете его тревожить: «работает или нет, нравится или нет» и т. п. Обдумайте, что он о вас из-за этих вопросов подумает. Вы (т. е. автор художественных мизансцен) вполне можете предстать человеком, что не просто приходит на вечеринку, одержимый тем, понравится ли он гостям или нет, но еще и обходит и *спрашивает* всех незнакомцев, нравится он им или нет. Что они о нем подумают, какое он произведет впечатление, совпадет ли хоть в чем-то их мнение со сложным пульсом его представлений о себе и т. п. Он подходит к невинным людям, которые всего лишь хотели зайти на вечеринку, малость расслабиться и, может, встретиться с новыми людьми в совершенно неформальной и неугрожающей среде,

---

ныне считается *безопасной* и *безобидной* (если вдуматься, первый предикат наверняка влечет второй или обусловлен им), но на вашем месте я бы не трогал культурную политику.

[xx] (...Только на самом деле еще *хуже*, ведь в этом случае вы, скорее, покупаете навороченный дорогой ужин навынос в ресторане и приходите домой, и только садитесь им насладиться, как звонит телефон, и это звонит и беспокоит вас посреди попытки поужинать шеф-повар или ресторатор, или у кого вы там заказывали еду, чтобы спросить, как вам ужин, наслаждаетесь вы или нет, работает ли он как «ужин». Представьте, что вы подумаете о таком ресторатора.)

и влезает в их визуальное поле, и нарушает все мыслимые негласные правила вечеринок и этикет первого контакта незнакомцев и откровенно допрашивает о том самом, что вам кажется зацикленным и эгоистичным.[xxi] Представьте на миг лица гостей. Представьте их выражения в деталях, в 3D и живых цветах, а потом представьте, что эти выражения направлены на вас. Потому что вот это и есть риск, возможная цена тактики честности — и держите в уме еще одно: еще не факт, что это окупится; совсем не ясно, удалось ли предшествующему квартету маленьких шипопазных quart d'heures[11] «допросить» читателя или передать ему «схожесть» или «безотлагательность», что финальный выход голым и попытка прямого допроса спровоцируют какое-то откровение о безотлагательной схожести, которое еще и срезонирует с текстами цикла и представит их в ином свете. Вполне может оказаться, что вы просто по-

---

[xxi] ...и, конечно, очень возможно, что *они* озабочены тем же вопросом — собой и нравятся ли они *сами* гостям на вечеринке,— и вот почему запрет на такой прямой вопрос или поступок с целью погрузить взаимодействие на вечеринке в какой-то вихрь межличностной тревоги — негласная аксиома этикета вечеринок: потому что стоит хоть одной беседе на вечеринке достичь этого безотлагательного незакамуфлированного уровня «расскажи-свои-затаенные-мысли», как ее метастазы почти тут же распространятся повсюду, и довольно скоро *все* на вечеринке будут говорить только о своих надеждах и страхах по поводу того, что о них думают другие на вечеринке, а значит, определяющие черты внешних личностей разных людей сотрутся и все окажутся более-менее одинаковыми, и вечеринка впадет в такой энтропический гомеостаз голой самозацикленной одинаковости, и станет невообразимо скучно*, плюс еще тот парадоксальный факт, что улетучатся отличительные колоритные внешние различия между людьми, на которых все базируют свое «нравится — не нравится», и т. о. вопрос «Я тебе нравлюсь?» лишится сколько-нибудь содержательного ответа и вся вечеринка вполне может пережить такую странную логическую или метафизическую имплозию, и никто из гостей вечеринки больше никогда не сможет осмысленно функционировать во внешнем мире.**

* [Может быть интересно заметить, что это близко соответствует представлению о рае у большинства атеистов, что, в свою очередь, объясняет относительную популярность атеизма**.]

**[На вашем месте, наверное, я бы оставил это в подтексте.]

кажетесь самоосознанно зацикленным на себе придурком или, типа, очередным манипулятивным псевдопостмодернистским трепачом, который пытается спастись от фиаско, отступив в метаизмерение и прокомментировав само фиаско.[xxii] Даже при самой благосклонной трактовке вы покажетесь читателям отчаявшимся. Возможно, жалким. В любом случае вы *не* покажетесь мудрым, уверенным, профессиональным — каким, по притворному мнению читателей, должен быть писатель, написавший то, с помощью чего они сбегают из собственного неразрешимого потока сознания и входят в мир заранее подготовленного мнения. Скорее, вы покажетесь принципиально потерявшимся, запутавшимся, перепуганным и сомневающимся в собственных принципиальных догадках о безотлагательности, схожести и о том, испытывают ли другие глубоко внутри то же, что и вы... другими словами, скорее читателем, что дрожит со всеми нами в окопной грязи, чем *Писателем*, которого мы представляем[xxiii] чистеньким и излучающим властное присутствие и незыблемую уверенность, когда он координирует всю кампанию из какой-то блистательной абстрактной штаб-квартиры на Олимпе.

Так решайте.

[xxii] Иногда эту тактику на художественных конвентах и всём таком зовут «карсонством» или «Маневром Карсона» в честь того, что бывший ведущий «Tonight Show» Джонни Карсон спасал дурацкую шутку, нацепив самоосознанное пристыженное выражение, которое как бы метакомментировало дурость шутки и показывало зрителям, что он отлично знал, какая она дурацкая,— стратегия, что год за годом и десятилетие за десятилетием часто вызывала все больший и радостный смех зрителей, чем могла бы вызвать хорошая изначальная шутка... И тот факт, что Карсон применял свой Маневр в коммерческом ЖК-развлечении еще в конце 1960-х, показывает, что это не особенно-то потрясающе оригинальный прием. Пожалуй, вам стоит рассмотреть вопрос о включении этой информации в «В» 9, дабы показать читателю, что вам как минимум известно, насколько подобный метакомментарий ныне дурацкий и устаревший и что он неспособен сам по себе ничего спасти — это может внушить доверие к вашим словам, что вы стараетесь сделать нечто более безотлагательное и реальное. Опять же, решать только вам. За вас никто думать не будет.

[xxiii] (По крайней мере я точно представляю...)

Взрослый мир (I)

Часть первая. Непостоянный статус иены

Первые три года молодая жена тревожилась, что их занятия любовью чем-то неприятны его штучке. Болезненный вид, нежность и розовость словно отшлепанной головки у его штучки. Легкое содрогание, когда он входит в нее первый раз. Смутный медно-кислый привкус болезненности, когда она брала его штучку в рот — хотя она редко брала его в рот; ей казалось, что почему-то ему это не очень нравится.

В первые три — три с половиной года брака вместе жена, будучи молодой (и самовлюбленной (что она осознала только позже)), не сомневалась, что это из-за нее. Проблема. Она тревожилась, что с ней что-то не так. С ее техникой в занятиях любовью. Или, может, его штучке было неприятно и даже больно из-за какой-то необычной шершавости, плотности или зацепки там, у нее внизу. Она замечала, что, когда они вместе занимались любовью, ей нравилось, иногда, надавливать лобком и основанием живота и тереться. Она терлась настолько мягко, насколько могла себя заставить, но замечала, что часто давила, когда приближалась к сексуальному оргазму и иногда забывалась, и потом тревожилась, что эгоистично забыла о его штучке и сделала ей слишком неприятно.

Они были молодой парой, без детей, хотя иногда говорили о детях и всех безвозвратных переменах и обязанностях, которые те повлекут.

В качестве метода контрацепции жена выбрала диафрагму, пока не стала тревожиться, что какой-то изъян в дизайне ободка диафрагмы или в том, как жена ее вставляет, делает мужу больно, и это еще больше усугубляет то, почему ему так неприятны их занятия любовью вместе. Когда он в нее входил, она вглядывалась в его лицо; она не забывала держать глаза открытыми и искала малейшую дрожь, которая на самом деле могла быть, а могла и не быть (что жена осознала только позже, с более зрелой точки зрения) удовольствием, тем самым откровенческим удовольствием от того, что они кончат вместе, как могут кончить только два женатых тела, чувствуя тепло и близость, из-за них ей было так трудно держать глаза открытыми, а чувства наготове, ведь иначе она могла не заметить, что же делала не так.

В те ранние годы жене казалось, что ее абсолютно устраивало состояние их сексуальной жизни вместе. Муж был прекрасным любовником, а его заботливость, нежность и мастерство едва не сводили ее с ума от удовольствия, как казалось жене. Единственным негативным моментом было ее иррациональное волнение, что с ней что-то не так или она делает что-то не так, отчего он не мог насладиться их сексуальной жизнью вместе так же, как она. Она тревожилась, что муж слишком тактичный, неэгоистичный и не хочет ранить ее чувства, рискнув заговорить о том, что с ней не так. Он никогда не жаловался на воспаление, или болезненность, или на легкое содрогание, когда входил в нее первый раз, и всегда говорил только, что любит ее и абсолютно любит ее внизу так, что не может высказать. Говорил, что внизу она неописуемо мягкая, теплая и нежная и что входить в нее неописуемо прекрасно. Говорил, что страсть и любовь едва не лишают его рассудка, когда она давит на него перед сексуальным оргазмом. Говорил об их сексуальной жизни вместе только великодушные и успокаивающие слова. Всегда шептал комплименты после того, как они занимались любовью, и обнимал, и заботливо пересобирал покрывала у ее ног, когда сексуальная частота сердцебиения жены замедлялась и ей становилось прохладно. Она обожала чувство, когда ее ноги еле заметно подрагивали в коконе покрывал, который он аккуратно пересобирал. У них выработался и другой интимный обычай: после того как они занимались любовью вместе, он всегда подавал ей сигареты «Вирджиния Слимс» и зажигал одну.

Молодой жене казалось, что муж был просто чудесным партнером по занятиям любовью, тактичным, заботливым, неэгоистичным, мужественным и нежным — куда лучше, чем она, наверное, заслуживала; и пока он спал или поднимался посреди ночи проверить иностранные рынки и включал свет в главной ванной, примыкающей к спальне, и ненароком ее будил (позже она осознала, что в те ранние годы спала чутко), все тревоги жены, лежавшей без сна в постели, были только о самой себе. Иногда она трогала себя внизу, пока лежала без сна, но не для удовольствия. Муж лежал на правом боку, отвернувшись. Ему плохо спалось из-за стресса на работе, и он мог заснуть только в такой позиции. Иногда она смотрела, как он спит. В главной спальне был плинтус с ночной подсветкой. Когда муж поднимался, она не сомневалась, что ему нужно проверить статус иены. Из-за бессонницы он мог даже поехать посреди ночи в центр, в фирму. Еще надо было мониторить и проверять рупии, воны и баты. Также он отвечал за еженедельные походы за продуктами, которыми также, как правило, занимался поздно вечером. Удивительно (что она осознала только позже, когда пережила эпифанию и резко повзрослела), ей никогда не приходило в голову ничего проверить.

Она обожала, когда он занимался с ней оральным сексом, но тревожилась, что ему куда меньше нравится, когда она отвечает ему взаимностью и берет его в рот. Почти всегда он довольно скоро ее останавливал, говорил, что от этого ему хочется быть внутри нее внизу, а не во рту. Ей казалось, что-то наверняка не так с ее техникой орального секса, отчего мужу это нравилось меньше, чем ей, или было больно. Он дошел до сексуального оргазма у нее во рту только дважды за весь их брак вместе, и оба раза пришлось ждать практически вечность. Оба раза длились так долго, что на следующий день затекала шея, и она тревожилась, что ему не понравилось, хоть он говорил, что не может описать словами, как понравилось. Однажды она собрала смелость в кулак, поехала во «Взрослый мир» и купила Дилдо, но только для совершенствования техники орального секса. Она была в этом совсем неопытна, это она сама знала. Еле заметное напряжение или рассеянность, которые, как ей казалось, она чувствовала в нем, когда передвигалась ниже по кровати и брала штучку мужа в рот, могло быть только плодом ее эгоистичного воображения; вообще, вся проблема могла существовать только у нее в голове, тревожилась она. Во «Взрослом мире» она нервничала и чувствовала напряжение. Не считая продавщицы, она была единственной женщиной в магазине, и продавщица посмотрела на нее, как ей показалось, без всяких приличий или профессиональной вежливости, и молодая жена отнесла темную целлофановую сумку с Дилдо в машину и вылетела с забитой парковки так быстро, что, наверное, колеса завизжали, чего позже она сильно боялась.

Муж никогда не спал голым — он надевал чистые трусы и футболку.

Иногда ей снились дурные сны, в которых они ехали куда-то вместе, а все машины на дороге были скорой помощью.

Муж не говорил об оральном сексе вместе ничего, кроме того, что любит ее и что она сводит его с ума от страсти, когда берет в рот. Но когда жена во время орального секса брала в рот и расплющивала язык, чтобы подавить пресловутый Рвотный Рефлекс, и двигала головой вверх-вниз, насколько позволяли ее возможности, сложив из указательного и большого пальцев кольцо, чтобы стимулировать ту часть члена, которая не помещалась в рот, она всегда чувствовала в муже напряжение; ей всегда казалось, что она замечает легкую твердость мышц живота и ног, и тревожилась, что он напрягся или отвлекся. Его штучка часто была на вкус болезненной и/или воспаленной, и ее беспокоило, что у него саднит из-за ее зубов или слюны, вычитающих удовольствие. Она тревожилась из-за своей техники и втайне практиковалась. Иногда за оральным сексом во время занятий любовью вместе ей казалось, будто он пытался поскорее достичь сексуального оргазма, чтобы оральный секс закончился в кратчайшие сроки, и потому-то и не мог так долго его достичь, обычно. Она пыталась издавать довольные, возбужденные звуки со ртом полным штучкой; потом, лежа без сна, иногда тревожилась, что звуки эти казались сдавленными или пугающими и только прибавляли к напряжению.

Однажды очень поздно, в ночь третьей свадебной годовщины, незрелая, неопытная, эмоционально неустойчивая молодая жена одна лежала в постели. Муж, у которого стрессовая работа вызывала бессонницу и частые пробуждения, поднялся и ушел в главную ванную и потом вниз, в кабинет, а чуть позже она услышала шум машины. Дилдо, которое она прятала на дне ящика с духами, было такое нечеловеческое и обезличенное и на вкус такое ужасное, что практиковаться на нем она могла только через силу. Иногда муж уезжал посреди ночи в офис, чтобы проверить зарубежные рынки скрупулезней — где-то во множестве валют мира всегда происходило движение. Все чаще и чаще она лежала в постели без сна и тревожилась. На их особом ужине в честь годовщины она немножко перебрала и едва не испортила вечер вместе. Иногда, когда он был у нее во рту, страх чуть ли не переполнял ее из-за того, что мужу это не нравится, и она чувствовала переполняющее желание довести его до сексуального оргазма в кратчайшие сроки, получить эгоистичное «доказательство», что ему нравится у нее во рту, и иногда забывала себя и все техники, и начинала неистово трясти головой и неистово двигать кулаком вдоль штучки вверх-вниз, иногда даже сосала маленькую дырочку его штучки — по факту производила всасывание,— и тревожилась, что при этом натирала, выгибала или делала штучке больно. Она тревожилась, что муж подсознательно чувствует ее беспокойство из-за того, нравится ли ему, когда его штучка у нее во рту, и что именно поэтому оральный секс вместе ему нравится меньше, чем ей. Иногда она бранила себя за комплексы — у мужа и так хватает стресса на работе. Она чувствовала, что ее страх эгоистичный, и тревожилась, что муж почувствует и страх, и эгоизм, и что это вобьет клин в их близость вместе. Еще ночью надо было проверить риал, и дирхам, бирманский кьят. В Австралии доллар, но это другой доллар, и его тоже надо было мониторить. Тайвань, Сингапур, Зимбабве, Либерия, Новая Зеландия: везде в ходу доллары флуктуирующей ценности. Детерминанты изменчивого статуса иены очень сложные. Повышение привело мужа на должность с новым названием — стохастический валютный аналитик; название было указано на всех визитках и канцтоварах. Требовались сложные уравнения. В фирме его мастерство владения компьютерными финансовыми программами и валютным обеспечением уже стало притчей во языцех, сказал ей коллега на вечеринке, когда муж снова ушел в туалет.

Она тревожилась, что, в чем бы ни была проблема, казалось невозможным самостоятельно и рационально разобраться с ней. Поговорить она с мужем не могла — не могла даже начать такой разговор. Иногда она по-особенному откашливалась, и это значило, что у нее какая-то мысль на уме, но потом ее разум застывал. Ведь если спросить, что с ней не так, он решит, что ее надо успокоить, и тут же ее успокоит — она его знала. Его профессиональной специализацией была иена, но на иену влияли другие валюты, и их надо было постоянно анализировать. Гонконгский доллар тоже другой и тоже влиял на статус иены. Иногда по ночам молодая жена тревожилась, что сошла с ума. Один раз она уже разрушила предыдущие интимные отношения иррациональными чувствами и страхами, она это знала. Почти назло себе жена снова вернулась в тот же магазин «Взрослый мир» и купила кассету рейтинга X, спрятав ее, не доставая из коробки, в том же укрытии, что и Диддо, намереваясь изучить и сравнить сексуальные техники женщин на видео. Иногда, когда ночью он спал на боку, жена поднималась, обходила постель, присаживалась на полу и наблюдала за мужем в тусклом свете плинтуса, изучала его спящее лицо, словно надеясь открыть что-то невысказанное, что помогло бы прекратить тревожиться и почувствовать уверенность, что их сексуальная жизнь вместе удовлетворяла его так же, как удовлетворяла ее. Прямо на коробке кассеты с рейтингом X были откровенные фото женщин, занимавшихся с партнерами оральным сексом. «Стохастический» значит «случайный», или «предположительный», или «подразумевающий множество вероятностей», которые надо пристально мониторить; муж иногда шутил, что на самом деле это значит, «когда тебе платят, чтобы ты свел себя с ума».

«Взрослый мир» — в котором одну сторону занимали средства для женатых и три — фильмы рейтинга X, а еще там был темный коридорчик, ведущий куда-то назад, и монитор, проигрывающий откровенную сцену рейтинга X прямо над кассой,— ужасно вонял, и запах не напоминал жене ничего из ее жизненного опыта. Позже она завернула Диддо в несколько целлофановых пакетов и положила в мусор прямо в ночь перед вывозом мусора.

Единственный значительный момент, который, как ей казалось, она узнала из изучения кассеты,— мужчины часто смотрели на женщин, когда те брали их в рот, и видели, как их штучка входит и выходит изо рта женщины. Она была уверена, что это вполне объясняет напряжение мышц живота у мужа, когда она брала его в рот — наверное, он слегка приподнимался, чтобы посмотреть,— и размышляла, не слишком ли у нее длинные волосы, видел ли он, как его штучка входит и выходит из ее рта во время орального секса, и не стоит ли постричься короче. Она почувствовала облегчение, что не тревожится из-за своей привлекательности и сексуальности по сравнению с актрисами на кассете с рейтингом X: у этих женщин были гадкие пропорции и очевидные имплантаты (в придачу к их собственным легким асимметриям, заметила она), плюс покрашенные, обесцвеченные и поврежденные волосы, которые совсем не казались касабельными или гладибельными. Самое примечательное: взгляд у женщин был пустой и тяжелый — сразу понятно, что они не испытывают интимной близости или удовольствия и не заботятся, получают ли удовольствие их партнеры.

Иногда ночью муж поднимался и шел в главную ванную, а потом в мастерскую в гараже и пытался расслабиться час-другой при помощи хобби — полировки мебели.

«Взрослый мир» находился совсем на другом конце города, в дешевом районе фастфуда и автодилеров, у автострады; каждый раз, торопясь выехать с парковки, молодая жена не видела знакомых машин. Муж объяснил перед свадьбой, что спит в чистых трусах и футболке с самого детства — ему просто неудобно спать голым. Ей постоянно снились одинаковые дурные сны, и муж обнимал ее и успокаивал, пока она не засыпала вновь. Ставки в Игре с иностранной валютой высоки, и его кабинет на первом этаже дома всегда запирался на ключ, когда его там не было. Она начала подумывать о психотерапии.

Фактически бессонница была связана не с тем, что трудно заснуть, но с ранним и необратимым пробуждением, объяснял он.

Ни разу за первые три с половиной года их брака вместе она не спросила мужа, почему его штучке больно или неудобно, или что ей нужно делать по-другому, или в чем причина. Заговорить об этом казалось просто невозможным. (Позже, когда она станет совсем другим человеком, воспоминание об этом парализующем чувстве ее поразит.) Во сне муж иногда казался ей ребенком, спящим на боку, уютно свернувшись, с кулаком у лица, таким раскрасневшимся и сосредоточенным, что оно казалось почти злым. Молодая жена садилась рядом с постелью под легким углом к мужу, чтобы слабый свет плинтуса-ночника падал ему на лицо, и смотрела на него, и тревожилась, почему же она так иррационально не может просто задать ему вопрос. Она не представляла, почему он ее терпел и что в ней нашел. Она его очень сильно любила.

На вечер их третьей годовщины молодая жена упала в обморок в том самом особом ресторане, куда он отвел ее отпраздновать. Только что она пыталась проглотить шербет и глядела на мужа из-за пламени свечи, и вот уже смотрела на него снизу вверх, а он стоял на коленях и спрашивал, что случилось, с расплющенным и искаженным лицом, как отражение в ложке. Ей было страшно и стыдно. Дурные сны были отрывочными, они нервировали и, по-видимому, всегда касались либо мужа, либо его машины, но почему — она понять не могла. Она ни разу не проверила баланс на карточке «Открытие». Ей ни разу не пришло в голову поинтересоваться, почему муж обязательно ходил в магазин один и вечером; ей только было стыдно, как его великодушие подчеркивало ее иррациональный эгоизм. Когда она позже (намного позже стимулирующего сна, звонка, секретной встречи, вопроса, слез и эпифании у окна) рефлексировала по поводу растущего эгоцентризма своей наивности тех лет, жена всегда чувствовала смесь презрения и сострадания к тому ребенку, каким тогда была. Ее никогда нельзя было назвать глупой. Оба раза во «Взрослом мире» она платила наличными. Кредитные карточки оформлялись на имя мужа.

Вот как она сформулировала, что с ней что-то не так: или с ней действительно что-то не так, или что-то не так с ее иррациональной тревогой из-за того, что с ней что-то не так. Эта логика казалась безукоризненной. По ночам она лежала в постели и рассматривала этот вывод, поворачивала то так, то этак и наблюдала, как он отражается сам в себе, словно чистый бриллиант.

До того как молодая жена встретила мужа, у нее был только один любовник. Она была неопытна и знала об этом. Она подозревала, что отрывочные странные дурные сны — попытка ее неопытного Эго перенести беспокойство на мужа, защитить себя от знания, что с ней что-то не так, отчего она причиняет при сексе боль или неудовольствие. С первым любовником все кончилось очень плохо, она это отлично знала. Замок на двери в мастерскую висел неспроста: электроинструменты и отполированная антикварная мебель были ценным имуществом. В одном из дурных снов они с мужем лежали вместе после занятий любовью, умиротворенно обнимаясь, и муж зажег «Вирджиния Слимс», но отказался отдать, держал далеко от нее, пока сигарета не прогорела. В другом они снова умиротворенно лежали после занятий любовью вместе, и он спросил, понравилось ли ему так же, как ей. В доме запирали только одну дверь — в его кабинет: там стояло сложное компьютерное и телекоммуникационное оборудование, предоставляющее мужу самую свежую информацию об активности иностранного валютного рынка.

В другом дурном сне муж чихал, а потом все продолжал чихать, снова, снова и снова, и она никак не могла ему помочь или остановить. В другом она сама была мужем и во время секса входила в жену, зависнув над ней в миссионерской позе, двигая бедрами, и тогда он (то есть жена во сне) чувствовал, как жена неконтролируемо давит лобковой областью перед сексуальным оргазмом, и потому стал расчетливо двигаться быстрее и расчетливо издавать мужские стоны удовлетворения, а потом симулировал собственный сексуальный оргазм, расчетливо изображая звуки и выражения лица при оргазме, но сдерживая его, оргазм, после чего отправился в главную ванную и корчил ужасные рожи, оргазмируя в туалет. Статус некоторых валют мог бешено флуктуировать в течение всего одной ночи, объяснил муж. Когда она просыпалась от дурного сна, он тоже всегда просыпался, и обнимал ее, и спрашивал, что случилось, и зажигал ей сигарету или очень заботливо гладил по боку и успокаивал, что все в порядке. Затем поднимался с постели, потому как уже не спал, и спускался проверить статус иены. Жене после занятий любовью вместе нравилось спать голой, но муж почти всегда снова надевал чистые трусы перед тем, как пойти в ванную или отвернуться на бок спать. Жена лежала без сна и пыталась не испортить нечто чудесное, сводя себя с ума тревогами. Она тревожилась, что язык у нее жесткий и мясистый от курения и царапает его штучку, или что, неведомо для нее, штучку царапали зубы, когда она брала мужа в рот во время орального секса. Тревожилась, что новая прическа слишком короткая и лицо из-за нее кажется пухлым. Тревожилась из-за груди. Тревожилась из-за того, как иногда выглядело лицо мужа, когда они занимались любовью вместе.

Другой дурной сон, который повторялся не единожды, касался улицы в центре, где находилась фирма мужа, касался вида этой пустой улицы поздно ночью, под моросящим дождем, и машины мужа с особым номерным знаком, которым она его удивила на Рождество, медленно ехавшей по улице к фирме и затем проезжавшей мимо фирмы без остановки и продолжавшей двигаться по влажной улице к какой-то другой цели. Жена тревожилась из-за того, как сильно расстраивал этот сон — в нем ничего не объясняло возникавшее у нее странное холодящее чувство,— а также из-за того, что не могла себя заставить открыто поговорить о снах. Она боялась, что ей почему-то покажется, будто она его обвиняет. Она не могла объяснить это чувство, оно ее подтачивало. Не могла она и придумать, как предложить мужу попробовать психотерапию — она знала, что он тут же согласится, но это его обеспокоит, и жена страшилась чувства неспособности рационально объясниться и унять его беспокойство. Она чувствовала себя одинокой и замурованной в своей тревоге: в ней она была одинока.

Во время занятий любовью вместе на лице мужа иногда появлялось выражение, как ей казалось, не удовольствия, а скорее сосредоточенного напряжения, будто он хотел чихнуть, но терпел.

В начале четвертого года их брака жене показалось, что она становится одержима иррациональным подозрением, будто муж испытывает сексуальный оргазм у туалета главной ванной. Она пристально изучала сиденье унитаза и мусорную корзину почти каждый день, притворяясь, что убирается, и чувствуя, что все быстрее теряет контроль над собой. Иногда возвращалась старая проблема с проглатыванием. Она чувствовала, что становится одержима подозрением, будто муж, возможно, не получает подлинного удовольствия от занятий любовью вместе, а сосредотачивается только на том, чтобы удовольствие получила она, заставляет ее чувствовать удовольствие и страсть; лежа ночью без сна, она боялась, что он получал какое-то извращенное удовольствие от навязывания удовольствия ей. И все же — опытная только для того, чтобы в то невинное время переполняться сомнениями (и самовлюбленностью),— молодая жена также была уверена, что иррациональные подозрения и одержимость возникают лишь из-за того, что ее молодое зацикленное на себе Эго переносит неадекватность и страх перед истинной близостью на неповинного мужа; и она отчаянно пыталась не испортить отношения безумными вытесненными подозрениями, как уже один раз сорвалась и разрушила из-за иррациональных тревог отношения с предыдущим любовником.

И так жена всеми силами сражалась против своего неискушенного, неопытного разума (как она тогда верила), убежденная, что все реальные проблемы — в ее эгоистичном воображении и/или ее неадекватной сексуальной личности. Сражалась против тревоги, которую чувствовала почти всегда из-за того, что, когда она двигалась по его телу ниже и брала в рот, муж почти всегда (так тогда казалось), выждав с напряженными, твердыми мышцами живота и штучкой у нее во рту некий точный и тактичный минимум времени, всегда спокойно приподнимался и спокойно, но твердо притягивал жену к себе, чтобы страстно поцеловать и войти в нее внизу, очень сосредоточенно смотря ей в глаза, пока она сидела на нем верхом, и сидела она всегда слегка сгорбившись, потому что смущалась из-за легкой асимметрии грудей. Он резко выдыхал либо от страсти, либо от неудовольствия, приподнимался, притягивал жену и вставлял штучку одним плавным движением, с резким, словно невольным выдохом — словно чтобы убедить ее, что одно только касание ртом штучки сводит его с ума от желания тут же полностью войти в нее внизу, говорил он, и чтобы она, говорил он, была «совсем близко» к нему, а не «так далеко» внизу. От этого она всегда нервничала, пока сидела на нем верхом, сгорбившись, подпрыгивая, с его руками на бедрах, иногда совсем забываясь и надавливая лобковой костью на его лобковую область, в страхе, что давление плюс ее вес приведут к травме, но часто забываясь и непроизвольно наваливаясь под легким углом, надавливая без всякой осторожности, иногда даже выгибаясь и выставляя груди, чтобы он их трогал, до самого момента, когда он почти всегда — в среднем девять раз из десяти — испускал еще один выдох либо страсти, либо нетерпения, и слегка переворачивался на бок, держа ее за бедра, перекатывал аккуратно, но твердо, пока она не оказывалась под ним, а он не нависал над ней, и либо штучка все еще была глубоко в ней, либо он плавно входил повторно; он был очень плавным и грациозным в движениях и, сменяя позы, никогда не делал ей больно, и ему редко нужно было входить повторно, но жена всегда немного тревожилась — после,— что он почти никогда не достигал сексуального оргазма (если, конечно, вообще когда-нибудь реально его достигал) под ней, что, стоило ему почувствовать, как внутри нарастает оргазм, он тут же чувствовал обсессивную потребность перевернуться и быть внутри нее сверху, в знакомой миссионерской позе мужского превосходства, из-за чего — хотя его штучка внизу и входила как будто даже еще глубже, и это жене очень нравилось,— она тревожилась, что желание мужа, чтобы она была под ним во время сексуального оргазма, говорило, что из-за каких-то ее действий, когда она сидела верхом и двигалась, ему либо больно, либо он лишался того интенсивного удовольствия, которое вело к сексуальному оргазму; и так жена, к несчастью, иногда ловила себя на том, что поглощена тревогой, даже когда они заканчивали и у нее начинался второй маленький оргазм-афтершок, пока она мягко давила на него снизу и искала на его лице признаки истинно подлинного оргазма, и иногда кричала под ним от удовольствия голосом, который, как ей иногда казалось, был все меньше и меньше похож на ее собственный.

До встречи с мужем сексуальные отношения у жены завязывались только раз, когда она была совсем молодой — по сути, ребенком, как она осознала позже. Это были преданные моногамные отношения с молодым человеком, с которым она чувствовала особую близость, который казался чудесным любовником — страстным, щедрым и очень умелым (как ей казалось) в сексуальных техниках — и который во время занятий любовью был очень громким и эмоциональным, и заботливым, и любил быть у нее во рту во время орального секса, и если она забывалась и давила на него, то ни разу не казалось, что ему больно, натирает или скучно, и который всегда закрывал оба глаза в страстном удовольствии, когда начинал неконтролируемо двигаться к сексуальному оргазму, и которого она (в таком юном возрасте) чувствовала, что любила, и с которым обожала быть рядом, и она легко могла представить, как выходит за него замуж и остается с ним в преданных отношениях навсегда,— и все до тех пор, пока она не начала под конец первого года их отношений вместе страдать от иррациональных подозрений, что любовник во время занятий любовью вместе представлял, как занимается любовью с другими женщинами. То, как любовник закрывал оба глаза во время интенсивного удовольствия,— из-за чего она сама сперва чувствовала сексуальное спокойствие и удовольствие,— начинало сильно тревожить, а подозрение, что, находясь внутри нее, он представлял себя внутри других женщин, становилось все более и более ужасающим и убедительным, хотя также она чувствовала, что оно беспочвенно, иррационально, только у нее в голове, просто страшно ранило бы чувства любовника, скажи она об этом вслух, пока наконец это не стало одержимостью, хотя для того и не было осязаемых доказательств и она никогда об этом не говорила; и, хоть она была уверена, что все это только у нее в голове, одержимость стала такой пугающей и подавляющей, что она начала избегать занятий любовью, и у нее начались внезапные иррациональные вспышки эмоций из-за банальных проблем в отношениях, вспышки истерического гнева или слез — по сути, вспышки иррациональной тревоги, что он фантазирует о сексуальных контактах с другими женщинами. Она чувствовала к концу отношений, что вела себя абсолютно неадекватно, саморазрушительно и безумно, и после отношений осталась с ужасным страхом перед способностью собственного разума пытать ее иррациональными подозрениями и отравлять преданные отношения, и все это прибавилось к пыткам из-за одержимости тревогой в сексуальных отношениях с мужем — отношениях, которые тоже сперва казались куда ближе, интимнее и удовлетворительнее, чем она того заслуживала, и жена вполне рационально верила в это, зная все то, что (как она полагала) уже сделала.

Часть вторая. YEN4U

Однажды в юности, в женском туалете у стоянки на федеральной трассе, на стене, сверху справа от автоматов с тампонами и прочими продуктами для женской гигиены, она увидела в окружении грязных выражений, грубо нарисованных гениталий и простых, каких-то даже заунывных ругательств, начертанных разными анонимными авторами, выделявшийся и цветом, и силой маленький стишок, написанный красным фломастером и заглавными буквами:

В БЫЛЫЕ ДНИ
МУЖИК ОДИН
БЕЗ БАБЫ ЖИЛ НА ВОЛЕ
ДЫРУ ВЕРТЕЛ
В ЛЮБОЙ СТЕНЕ
ТУДА ВСТАВЛЯЛ
ДОВОЛЬНЫЙ[.]

крошечный, старательный и на вид какой-то — благодаря старательности убористого почерка на фоне окружающих каракулей — не такой грязный или злобный, сколько просто печальный, и с тех пор его вспоминала и иногда думала о нем без видимых причин во мраке незрелых лет брака, хотя, как она могла позже вспомнить, единственный реальный смысл, что она придавала этому воспоминанию,— чего только не запоминается по жизни.

Часть третья. Взрослый мир

Тем временем в настоящем незрелая жена все глубже и глубже погружалась в себя и в свою тревогу и становилась все несчастней и несчастней.

Все изменилось и все спаслось благодаря эпифании. Эпифания случилась после трех лет и семи месяцев брака.

В светских терминах психоразвития эпифания — внезапное меняющее жизнь осознание, часто катализирующее эмоциональное созревание человека. Человек в один ослепительный миг «растет», «взрослеет». «Бросает детские игрушки». Отпускает иллюзии, влажные и липкие от многолетней хватки. Становится, к лучшему или худшему, гражданином реальности.

В реальности подлинные эпифании чрезвычайно редки. В современной взрослой жизни созревание и смирение с реальностью — постепенные процессы, поэтапные и зачастую незаметные, примерно как формирование почечного камня. В современном обиходе эпифания обычно используется как метафора. Обычно только в драматических произведениях, религиозной иконографии и «магическом мышлении» детей достижение эпифании сжимается во внезапную ослепительную вспышку.

Спровоцировал внезапное ослепительное прозрение молодой жены отказ от мышления в пользу конкретных и отчаянных действий. [i] Она резко (всего лишь после часов сомнений) и отчаянно позвонила экс-любовнику, с которым ранее была в преданных отношениях,— теперь

---

[i] (В этом ее эпифания полностью согласуется с западной традицией, в которой прозрение — продукт пережитого опыта, а не просто мышления.)

по всем меркам успешному заместителю менеджера в местном автосалоне,— и упросила согласиться на встречу и поговорить. Решиться на этот звонок было одним из самых трудных, постыдных поступков, которые жена (ее звали Джени) когда-либо совершала. Поступок выглядел иррациональным и рисковал показаться совершенно неприемлемым и неверным: она замужем, это ее бывший любовник, почти за пять лет они не обменялись ни словом, их отношения плохо кончились. Но у нее был кризис — она боялась, как она объяснила экс-любовнику по телефону, за свой рассудок и не могла обойтись без его помощи, и готова, если придется, умолять. Бывший любовник согласился встретиться с женой на следующий день за обедом в фастфуд-ресторане рядом с автосалоном.

Кризис, стимулировавший жену, Джени Робертс, на действие, был спровоцирован всего лишь очередным дурным сном, хотя в него вошел целый компендиум других дурных снов, от которых она страдала в ранние годы брака. Сам по себе сон не был прозрением, но его эффект оказался стимулирующим. Машина мужа медленно едет мимо фирмы в центре и движется дальше по улицам под моросящим дождем, номерной знак YEN4U удаляется, за ним следует машина Джени Робертс. Затем Джени Робертс едет по загруженной автостраде, описывающей город, неистово пытается нагнать машину мужа. Стук ее дворников совпадает со стуком сердца. Она нигде не видит машину с персонализированным личным знаком, но чувствует с особой беспокойной уверенностью сна, что та где-то впереди. Во сне все автомобили на автостраде символически ассоциируются с несчастным случаем и кризисом — все шесть полос забиты каретами скорой помощи, полицейскими легковушками и автозаками, пожарными машинами, дорожными патрулями и спасательными автомобилями всех мыслимых видов, все сирены хором поют душераздирающие арии, все маячки включены и сверкают в дожде так, что Джени Робертс кажется, будто ее машина плывет в красках. Скорая помощь прямо перед ней никак не пропускает; меняет полосы вместе с ней. Безымянное беспокойство сна неописуемо ужасно — жена, Джени, чувствует, что просто обязана (дворник) обязана (дворник) *обязана* нагнать машину мужа, чтобы предотвратить какой-то кризис, настолько ужасный, что ему нет названия. Вдоль обочины автострады ветром несет реку, кажется из сырых «клинексов»; во рту Джени полно раздраженных воспаленных болячек; темно и влажно, и вся дорога залита цветами кризиса — ошпаренно-розовым, пощечно-красным и синим цветом критической асфиксии. Когда они влажные, «клинексы» похожи на парящие ошметки кожи; понимаешь, почему они называются «ткань». Дворники совпадают с ее торопливым сердцем, а скорая помощь все не дает, во сне, проехать; Джени в отчаянии неистово колотит по рулю. И вот в окошке фургона скорой помощи, словно в ответ, к стеклу прижимается одинокая рука, давит и бьет по стеклу,— рука тянется с каких-то носилок или каталки и по-паучьи растопыривается, чтобы гладить, бить и добела давить на стекло заднего окна под светом выдвижных галогеновых фар «Аккорда» [12] Джени Робертс, так что она видит очень узнаваемое кольцо на указательном пальце мужской руки, отчаянно распластанной на стекле скорой помощи, и кричит (во сне) от узнавания, и резко подает налево без сигнала, подрезает остальные всевозможные аварийные автомобили, чтобы поравняться со скорой помощью и попросить, пожалуйста, остановитесь, потому что стохастический муж, которого она так любит и почему-то обязана догнать, внутри, на носилках, непрерывно чихает и неистово колотит по окну, чтобы тот, кого он любит, догнал и помог; но потом (у сна такой крутящий момент, что жена даже *обмочилась* в кровати, как она поняла наутро) и но потом, когда она уже едет вровень со скорой помощью, слева от нее, под дождем автоматической кнопкой «Аккорда» опускает пассажирское окно и машет рукой, чтобы водитель скорой помощи тоже опустил окно и можно было упросить его остановиться, оказывается, что это ее *муж* (во сне) ведет скорую помощь, это его левый профиль за рулем — который, как жена всегда каким-то образом чувствовала, он предпочитает правому профилю, и отчасти по этой причине обычно спит на правом боку, хотя они ни разу открыто не говорили о возможных комплексах мужа из-за правого профиля,— и но когда муж за окном и расцвеченным дождем поворачивается лицом к Джени Робертс, пока она машет рукой, кажется, что это и *он*, и *не он* — знакомое и такое любимое лицо мужа искажено, пульсирует красным цветом и принимает выражение, которое нельзя описать никаким иным словом, кроме как: «Непристойное».

Именно лицо, которое (медленно) повернулось налево и взглянуло на нее из скорой помощи,— лицо, что в самых энуретических и пугающих смыслах и *было*, и *не было* лицом мужа, которого она любила,— оно и стимулировало Джени Робертс проснуться и побудило собрать все до единого нервы вместе в кулак и сделать отчаянный унизительный звонок человеку, за которого она когда-то всерьез думала выйти замуж, заместителю менеджера по продажам и ротарианцу на испытательном сроке, вчья асимметрия лица — он пострадал в детстве во время серьезного несчастного случая и впоследствии у него левая половина лица развивалась иначе, чем правая: левая ноздря была необычно огромная, зияющая, а левый глаз,— казалось, почти целиком занятый радужкой,— обрамлялся концентрическими кругами и обвисшими мешками, которые постоянно подергивались и пульсировали, когда случайно срабатывали необратимо поврежденные нервы,— и стала причиной, как решила Джени после разрыва отношений, которая разожгла ее неконтролируемое подозрение, будто у него есть тайна, непроницаемая часть личности, фантазирующая о занятиях любовью с другими женщинами, даже когда здоровая, идеально симметричная и на вид неранибельная штучка была внутри нее. Также левый глаз экс-любовника глядел и изучал заметно другое направление, чем правый, нормально развившийся глаз,— эта черта, как он пытался объяснить, в работе по продаже машин в чем-то давала преимущество.

Несмотря на стимулированный кризис, Джени Робертс чувствовала неловкость и чуть ли не смертельный стыд, когда она и ее экс-любовник встретились, выбрали блюда в меню, сели вместе в кабинке на пластмассовых сиденьях у стены-окна и перебросились из вежливости парой радикально неуместных слов, пока она готовилась попробовать задать вопрос, который нечаянно спровоцирует эпифанию и наступление новой стадии жизни в браке, без прежних невинности и самообмана. В ее одноразовом стаканчике был кофе без кофеина, куда она добавила шесть упаковок сливок, а ее бывший сексуальный партнер сидел с неоткрытой пенопластовой коробкой с заказом и глядел одновременно в окно и на нее. На его мизинце было кольцо, пиджак был расстегнут и на белой рубашке под курткой виднелись характерные складки сорочки из «оксфорда», которую совсем недавно достали из упаковки. Солнечный свет, бьющий из большого окна, цвета полудня, превращал переполненную франшизу в парник; было трудно дышать. Заместитель менеджера по продажам наблюдал, как она надрывала крышечки сливок зубами, чтобы поберечь ногти, складывала крышечки в пепельницу из фольги, а глоточки сливок опрокидывала в одноразовый стаканчик, один за другим размешивала их бесплатной мешалкой с квадратным наконечником, пока в его приемлемом с точки зрения развития глазу светилась нежная ностальгия. Она все еще переводила сливки. На ней было и свадебное кольцо, и бриллиантовое обручальное, с далеко не дешевым камешком. У бывшего любовника сегодня болел живот, а кожа у глаза дергалась от тика особенно заметно, потому что сейчас настали устрашающие три последних банковских дня этого месяца и «Хендай» Безумного Майка невероятно давил на работников, чтобы в эти последние три дня они напряглись и навалились на продажи и чтобы заметно разбухли месячные отчеты для клоунов из регионального офиса. Молодая жена несколько раз по-особенному откашливалась, и единственный человек, ответственный за результативность всех работников Безумного Майка, отлично помнил эту привычку, когда она издавала горлом сухие нервные звуки, транслируя, что понимала, каким неуместным покажется в этот момент ее вопрос, особенно учитывая их несчастливое прошлое и то, что они давно никак не связаны, даже минимально, а также ее счастливый брак, и еще что она умирает от стыда, но при этом находится в ситуации какого-то подлинного внутреннего кризиса, и в отчаянии — в отчаянии, обычно присущем загнанным людям с серьезными кредитными проблемами,— и она смотрела с особым тонущим взглядом в глазах, умолявшим не пользоваться преимуществом ее отчаянной позиции, не осуждать и не насмехаться над ней. И плюс, как она всегда пила кофе — обхватив стакан обеими руками даже в таком жарком помещении. Объем, прибыли и условия финансирования «Хендай-US» были среди бесчисленных экономических материй, на которые влияли флуктуации курса иены и прочих валют Тихого океана. Молодая жена провела целый час у зеркала, в результате выбрав бесформенную блузку и слаксы, даже вынула мягкие контактные линзы, снова надела очки, и на ее лице в свете окна — ничего, кроме капельки блеска. За окном, которое освещало солнцем правую сторону ее лица, поблескивал поток загруженной автострады; и еще за стеклом в разделенном поле зрения бывшего любовника в кабинке — который до сих пор любил ее, Джени Энн Орзолек из класса Маркетинга 204, а не свою нынешнюю невесту, осознал он вдруг с болезненной дрожью вновь раскрывшейся смертельной раны,— лежала стоянка Безумного Майка, с пластиковыми флажками и мужчиной в кресле-каталке с женой или, может, медсестрой, которого обрабатывал толстый весельчак в больничном халате и стрелой сквозь голову, какую должны были надевать все работники, когда на стоянку мог заехать с проверкой Мессерли, а сразу за ней — стоянка «Взрослого мира» со всеми ее моделями и классами автомобилей и с такой ротацией и днем и ночью, о какой Безумный Майк Мессерли мог только мечтать.

Взрослый мир (II)

Часть: 4

Формат: схема
Название: Одна плоть [13]

> «Ослепительно внезапный и драматичный, как и всякий вопрос о сексуальном воображении всякого человека, все же не он сам вызвал эпифанию и стремительное взросление Джени Робертс, но то, на что она смотрела, когда задавала его».
>
> — эпиграф к Ч. 4, в таком же неестественном и высокопарном стиле, как «Взрослый мир (I)» [⟶ подчеркивает смену формата с драматического/стохастического на схематический/упорядоченный]

1а. Вопрос, который задает Джени Робертс,— действительно ли Бывший Любовник фантазировал о других женщинах во время з. л. с ней.

1а(1) В начале вопроса вставлен деепричастный оборот «Извинившись за то, как иррационально и неуместно это прозвучит после стольких лет...»

1b. В какой-то момент во время вопроса Дж. прослеживает взгляд Б. Л. в окно фастфуда & видит личный номерной знак мужа среди автомобилей на парковке «Взрослого мира»: ⟶ эпифания. Эпиф. разворачивается более-менее независимо от того, что отвечает асимметричный Б. Л. на вопрос Дж.

1c. Прозаичное описание внезапной бледности Дж. & неспособности удержать кофе ровно — Дж. переживает внзпн ослепит. осознание, что М.— Тайный Компульсивный Мастурбатор & что бессонница/йена — прикрытие для тайных поездок во «Взрослый мир», чтобы приобрести/посмотреть/мастурбировать до воспаленной натертости на фильмы & картинки XXX, & что подозрения насчет амбивалентности мж к «сексуальной жизни вместе», по сути, были эпифанической интуицией, & что муж, очевидно, страдал от внутренних дефицитов/душевной боли, о которых Дж. из-за собственных зацикленных тревог даже не подозревала [точка зрения в (1c) целиком объективная, только внеш. опис.].

2a. Пока Б. Л. отвечает на изнач. ? Дж. в горячем отриц., в глазу наливаются слезы: черт возьми, нет, боже, нет-нет, никогда, всегда любил ее, только ее, никогда не чувствовал «себя там» так, как когда они с Дж. занимались любовью [если с ТЗ Дж.— вставить «вместе» после «любовью»].

2a(1) Эмоциональный пик диалога — со слезами по ½ лица Б. Л. признается/провозглашает, что еще любит Дж., любил все это время, 5 лет, даже иногда думает о Дж., когда занимается любовью с нынешней невестой, из-за чего чувствует себя виноватым (т. е. «словно меня там нет») во время секса со своей невестой. [Прямая транскрипция всего ответа/признания Б. Л. ⟶ эмоциональный фокус сцены смещен с Дж., пока та переживает травму внзпн эпиф., что М. = Тайный Компульсивный Мастурбатор ⟶ избегаем сложной проблемы передать эпиф. через рассказчика].

2b. Совпадение [NB: слишком в лоб?]: Б. Л. признается, что до сих пор иногда тайно мастурбирует на воспоминания о прошлых з. л. с Дж., иногда до болезненности/воспаления. [⟶ «признание» Б. Л. здесь одновременно укрепляет эпиф. Дж. отн. мужских фантазий & обеспеч. дозу столь необходимой сексуальной уверенности (т. е. это «виновата не она»). NB отн. темы: подразумеваемая печаль в душераздирающем признании в любви Б. Л. из-за того, что Дж. на ½ отвлечена травмой эпиф. из (1b)/(1c); т. е. = новые сети недопонимания, новая эмоциональная асимметрия].

2b(1) Тон признания Б. Л. нвртн трогательный & высокоэмоц, & Дж. (хоть и травмированная сокрушительным эпиф. из (1b)/(1c)) ни на 1 наносек не сомневается в правдивости слов Б. Л.; чувствует, что «действительно знала этого человека» и т. д.

2b(1a) Рассказчик (*не* Дж.) отмечает внезапное появление красного & и демонического отблеска в гипертрофированном левом [«плохом»?] глазе Б. Л.— это или игра света, или подлинный демонический отблеск [= смена ТЗ/вмешательство нарр.].

2c. В это вр. Б. Л., трактуя бледность & паралич пальцев Дж. как взаимный/позитивный ответ на его провозглашения вечной любви, умоляет ее бросить М. ради него или как альтерн. (*«хотя бы»*) проследовать сейчас в «Холидэй Инн» дальше по автостраде

& провести оставшийся день за страстной любовью [⟶ с демон. левым отблеском & т. д.].

2d. Дж. (все еще 100% бледная а ля Настасья Филипповна Достоевского) резко соглашается на адюльтерную интерлюдию в «Холидэй Инн» [тон плоский = «М-м, окей»,— сказала она»]. Б. Л. выбрасывает поднос с несъеденным заказом & пустой стаканчик & сливки & т. д., идет за Дж. на прквку фастфуда. Дж. ждет в «Аккорде», пока Б. Л. пытается вывезти свой «Форд Проуб» [14] [NB: слишком в лоб?] со стоянки «Хендай» ММ, чтобы Месcерли или продавцы не заметили, как он уезжает пораньше в тяжелый день конца месяца.

2d(1) Точная мотив. Дж. при согласии на интерлюдию в «Холидэй Инн» остается непрозрачной [⟶ следовательно (2d) только с ТЗ Б. Л.]. В комическом опис., как Б. Л. крадется за рядом машин на 4-ньках, чтобы проскочить в «Проуб», незамеч. из шоурума ММ, есть жуткий оттенок [⟶ уместно для подтем тайности, жуткой неуместности, непрозрачного стыда].

3a. «Аккорд» Дж. след. за «Проубом» Б. Л. по автостр. к ХИ. Внезапный слепой дождь — Дж. включает дворники.

3b. Б. Л. сворачивает на стоянку ХИ, ждет, пока «Аккорд» Дж. повернет за ним. «Аккорд» *не* поворачивает, едет мимо по автостр. [Резкая смена ТЗ ⟶] Дж. едет через город домой, представляет, как Б. Л. выскакивает из «Проуба» & отчн бежит по стоянке ХИ под ливнем, встает на обочине бушующей автостр. & смотрит, как «Аккорд» удаляется, постепенно исчезая в трафике. Дж. представляет, как влажный/покинутый/асимм. образ Б. Л. уменьш. в зеркале заднего вида.

3с. Подъезжая к дому Дж. обнаруживает, что плачет за Б. Л. & уменьш. образ Б. Л., а не за себя. Плачет за М., «...каким *одиноким* его сделала тайна» [ТЗ?]. Замечает это & размышляет о смысле оборота «плакать за» [= «от имени»?] мужчин. С нач. (3с) в мыслях & рассужд. Дж. проявл. новые мудрость/понимание/зрелость. Тормозит на дорожке дома, чувствуя «[...] странное ликование».

3d. Вмешательство нарр., экспоз. на Джени Робертс [такой же плоский & педантичный тон, как в ¶ 3, 4 из Ч. 3 «ВМ (I)»]: следуя за аква/зел. «Проубом» Б. Л. по автостр., Дж. не «передумала» насчет тайного адюльтерного секса с Б. Л., а только «...осознала, что он не нужен». Понимает, что пережила меняющую жизнь эпиф., «...становится[ала] женщиной и женой» & т. д. & т. д.

3d(1) Впредь нарр. называет Дж. «миссис Джени Орзолек Робертс», М. = «Тайный Компульсивный Мастурбатор».

4а(1) Эпилоговое опис. Д. О. Р. ⟶ расширение нарративной арки: «Миссис Джени Орзолек Робертс с этого дня и впредь верно хранила в душе воспоминание об отчаянном, ½-влажном лице любовника» & т. д. Осознает, что у М. есть «внутренние дефициты», которые «...не [были] связаны с ней как женой [«женщиной]» & т. д. Переживает афтершок эпиф. + другие стандартные афтершоки. [Возможно, упомин. о психотерапии, но теперь в оптим. плане: псих. теперь «свободный выбор», а не «последняя соломинка, чтобы отчн хвататься»]. Д. О. Р. создает отдельный инвест-портфель с существенными позициями во фьючерсах на золото & акциях крупных горнодобывающих компаний. Бросает курить с пом. трансдермальных пластырей. Осознает/постепенно смиряется, что

М. любит свое тайное одиночество & «внутренние дефициты» больше, чем любит [/способен любить] ее; смиряется со своим «неизменным бессилием» над тайными привычками мужа [возможно, упоминание эзотерической Группы Поддержки для супруг ТКМ — есть вообще такие? «АнонОнан»? «Мастер-Маст»? (NB: *избегать простых шуток*)]. Осознает, что истинные истоки любви, безопасности, удовольствия должны находиться внутри человека[i]; и с этим осознанием Д. О. Р. присоед. к ост. расе взрослых людей, больше не «самовлюбленная»/«незрелая»/«иррациональная»/«молодая».

4а(II) Брак теперь входит в новую, более взрослую фазу [«медовый месяц кончился» — простая шутка?]. Ни разу за след. годы брака Д. О. Р. & М. не обсуждают его ТКМ или внутренние боль/одиночество/«дефициты» [NB: довести до упора финансовый каламбур]. Д. О. Р. не знает, подозревает ли вообще М., что она знает о его ТКМ или тратах с карточки «Открытие» во «Взрослом мире»; она обнаруживает, что ей все равно. Д. О. Р. с иронией и любопытством думает о новом «значении» устойчивого подрост. воспоминания о граффити со стоянки. М. [/«ТКМ»] продолжает рано вставать & покидать главспальню; иногда Д. О. Р. слышит, как заводится его машина, тогда как сама «...только слегка ворочается и тут же возвращается ко сну» & т. д. Прекращает тревожиться отн. получает ли удовольствие М. от «сексуальной жизни» с ней; продолжает любить [«»?] М., хотя больше и не думает, что он «чудесный» [/«заботливый»?] партнер по за-

---

[i] [NB: тон Р. здесь макс. прозаичный/безэмоциональный/отдаленный/сухой нет ⟶ различимого одобрения клише].

нят. люб. Их секс переходит на новый уровень; к 5-му г. происх. каждые 2 нед. Теперь их секс назван «приятным» — не таким интенсивным, но и не таким страшным [/«одиноким»]. Д. О. Р. прекращает всматриваться в лицо М. во время секса [⟶ метафора: Тема ⟶ глаза закрыты = «с открытыми глазами»].

4a(II(1)) Принимая «аутентичную ответственность за себя», Д. О. Р. «...постепенно начинает открывать как исток личного удовольствия мастурбацию» & т. д. Неск. раз возвращается в ВМ; почти завсегдатай. Покупает 2-е дилдо [NB: «дилдо» теперь с мал. буквы], затем дилдо «Пенетратор!!®» с вибратором, позже «Массажер с Рукояткой "Розовый Пистолеро®"», наконец «Вибратор с клиторным всасыванием и полностью электрифицированным 12-дюймовым стимулятором шейки матки „Алый Сад MX-1000®"» [«$179.00 в розницу»]. Нарр. вставляет, что в новом туалетном столике/мойдодыре Д. О. Р. нет ящика для духов. [Иронии: новые хай-тек приборы для мастурб. Д. О. Р. (а) произведены в Азии & (б) выставлены во ВМ на стенде с названием «СРЕДСТВА ДЛЯ ЖЕНАТЫХ» (слишком очевидно/в лоб?)]. К 6-му году брака муж часто уезж. в «кризисные командировки в Тихоокеанский регион»; Д. О. Р. мастурб. почти ежедневно.

4a(II(1a)) Вмешательство нарр., экспо: самая частая/приятная фантазия во время мастурб. Д. О. Р. к 6-му году брака = безликая гипертрофированная мужская фигура, которая любит, но не может получить

Д. О. Р., отвергает всех других женщин & взамен ежедневно мастурб. на фантазии о з. л. с Д. О. Р.

4a(III) Заверш. ¶: 7-й, 8-й гг.: Муж мастурб. тайно, Д. О. Р.— открыто. Секс у них раз в 2 мес.— «...и подчинение некоторым свободно избранным реалиям, и почтение к ним». Никто не против. Нарр.: теперь их связывает глубокая & негласная сложность, а это во взрослом браке есть договор/любовь ⟶ «Теперь они были истинно женаты, одна-разъединая [ii] плоть, и этот союз, который дарил Джени О. Робертс прохладное постоянное удовольствие...»

4b. Заверш. [без крас. строки]: «...таким образом, они были готовы к обсудить, спокойно и с взаимным уважением, возможность завести детей [вместе]».

[ii] «Разъединенная»? (*Избегать как шутки в лоб*).

Дьявол — человек занятой

Я три недели назад сделал кое-кому добро. Не могу сказать больше, иначе лишу поступок истинной, высшей ценности. Могу только сказать: добро. Связанное с деньгами, для общего контекста. Не в значении попросту «дать денег» кому-либо. Но близко. Скорее это можно расценивать как «направление» денежного актива кому-то в «нужде». Для меня это настолько подробно, насколько возможно.

Добрый поступок я совершил две недели и шесть дней назад. Также могу упомянуть, что меня не было в городе — то есть, иными словами, меня не было там, где я живу. Объяснение, почему меня не было в городе, или где я был, или в чем заключалась общая ситуация, к сожалению, поставит под угрозу ценность того, что я сделал. Поэтому я недвусмысленно дал понять кассирше, что получатель денег ни в коем случае не должен знать, кто их ему направил. То есть я предпринял некоторые недвусмысленные шаги, дабы моя безымянность стала важным элементом операции по направлению денег. (Технически деньги были не мои, но тайная операция, благодаря которой я их направил, совершенно законна. Возможно, это вызовет вопросы, почему деньги были не «мои», но, к сожалению, я не в состоянии объяснить детали. Это, однако же, правда). И вот причина. Отказ от безымянности с моей стороны уничтожил бы высшую ценность доброго поступка. То есть это подкосило бы «мотивацию» моего доброго жеста — то есть, иными словами, отчасти моей мотивацией стала бы не щедрость, а желание получить благодарность, любовь, одобрение. Увы, этот эгоистичный мотив лишил бы добрый поступок любой вечной ценности, вновь свел бы на нет мои старания классифицироваться как хороший, «добрый» человек.

Посему я занял бескомпромиссную позицию относительно секретности своего имени в операции, и кассирша — единственная, кто обладал какой-либо информацией о процедуре (ее, ввиду специальности, можно расценить как «инструмент» для направления денег),— пошла навстречу, насколько мне известно, в полном объеме.

Две недели и пять дней спустя один из тех, для кого я совершил добрый поступок (великодушное направление фондов предназначалось двум людям — если конкретнее, супружеской паре в законном браке,— но лишь один из них позвонил), позвонил и сказал «алло», и не знаю ли я, между прочим, кто ответственен за, поскольку он ________________________ лишь хотел сказать этому человеку «спасибо!», и каким божьим даром оказались эти ___________ долларов, которые упали словно из ниоткуда из ____, и т. д.

Тотчас, дальновидно подготовившись к такой возможности, предварительно, я ответил, холодно, без эмоций, «нет», и что они, насколько мне известно, идут по совершенно ложному следу. Внутренне, однако, я едва не умирал от искушения. Общеизвестно, что очень трудно совершить добрый поступок и не желать, отчаянно, чтобы благополучатели узнали, что человек, совершивший для них поступок,— вы, и почувствовали благодарность, одобрение, и рассказали множеству людей о том, что вы для них «сделали», вследствие чего прослыть для всех добрым человеком. Как и силы тьмы, зла, безнадежности в мире, это искушение часто может пересилить всякое сопротивление.

Таким образом, во время этого благодарного, но и любознательного звонка, импульсивно, не предвидя никакой опасности, я добавил после слов «нет» и «ложный след», очень холодно, что, хотя я и не обладаю какой-либо информацией, но могу легко представить, как этот таинственный благодетель, *на самом деле* ответственный за ______________________________, горел бы энтузиазмом узнать, каким образом столь необходимые деньги будут потрачены — то есть, например, планируют ли они теперь оплатить страховку здоровья для новорожденного малыша, погасят ли задолженность по потребительскому кредиту, в коем глубоко погрязли, или и т. д.?

Мой интерес, однако, всего в один фатальный миг, был истолкован собеседником как косвенный намек с моей стороны, что я, вопреки предшествующим отрицаниям, разумеется, и являюсь тем самым человеком, кто ответственен за великодушный, добрый поступок, и в течение всего оставшегося разговора он стал щедр на подробности о том, как они собираются распределить деньги на конкретные нужды, подчеркивая своевременность дара с тоном, передающим как благодарность, одобрение, так и что-то еще (если точнее, что-то практически враждебное, или пристыженное, или и то, и другое одновременно, хотя я и не могу описать конкретный тон, который напомнил об этой эмоции, адекватно). Ввиду водопада эмоций с его стороны я, к ужасу своему, слишком поздно, осознал, что прямо сейчас, во время звонка, не только дал понять, что именно я ответственен за столь великодушный поступок, но и намекнул на это в тонкой, лукавой манере, показавшейся вкрадчивой, эвфемистической,— иными словами, употребив эвфемизм: «кто бы ни был ответственен за______________________________»,— что, вкупе с проявленным интересом к «применению» денег, очевидно, указывало на меня как на истинно ответственного, и произвело то вкрадчивое, вероломное впечатление, что я не только человек, совершивший великодушный, добрый поступок, но также что я по-настоящему «добрый» — то есть, иными словами, «скромный», «бескорыстный», «не движимый желанием их одобрения»,— человек, который даже не желает, чтобы они знали, кто ответственен. И, увы, вдобавок, я подал эти намеки чересчур «лукаво» и даже сам, вплоть до дальнейшего — то есть до окончания разговора,— не понял, что наделал. Посему я проявил подсознательную и как будто естественную автоматическую способность обманывать и себя, и других, и это не только совершенно лишило, на «мотивационном уровне», щедрый поступок, который я пытался совершить, всякой истинной ценности, вновь свело на нет мои попытки искренне быть тем, кого можно классифицировать как поистине «хорошего» и «доброго», но, увы, выставило мою личность в таком свете, что теперь я мог классифицировать себя только как «темного», «злого» человека «без всякой надежды когда-либо искренне стать добрым».

Церковь, возведенная не руками

Посвящается Э. Шофиталь, 1977—1987

Искусство

Закрытые веки — экран кожи, по цветной тьме движутся сны-картины Дэя. Сегодня ночью, в промежутке, нетронутом временем, он как будто отправляется в прошлое. Съеживается, сглаживается, теряет живот и слабые шрамы от прыщей. Птичья долговязость; прическа под горшок и уши-ручки; кожа всасывает волосы, убывает в лицо нос; он пеленается в свои штаны и сворачивается, розовый, безгласный, становится все меньше, пока не чувствует, как делится на то, что плывет, и то, что кружится. Больше нигде не жмет. Вращается черная точка. Она разверзается, зазубренная. Душа плывет к одному цвету.

Птицы, серый свет. Дэй открывает один глаз. Он свесился с кровати, где ровно дышит Сара. Он видит параллелограммы окон, под углом.

Дэй стоит у квадратного окна с чашкой чего-то горячего. Мертвый Сезанн пишет этот августовский рассвет угловатыми мазками туманно-красного, меркнущего синего. Беркширская тень постепенно сжимается в один тупой сосок: огонь.

Сара просыпается от легчайшего касания. Они лежат с раскрытыми глазами и молчат, светлея под простыней. Голуби трудятся над утром, урчанье живота. С кожи Сары сходит отпечатавшийся узор простыни.

Сара прикалывает волосы для утренней службы. Дэй пакует еще один чемодан для Эстер. Одевается. Не находит туфлю. На краю большой кровати, в одной туфле, он следит, как хлопковая пыль вращается в сливочно-желтых колоннах уходящего утра.

Черное искусство

В этот день он покупает швабру. Сметает дождевую воду с брезента над бассейном Сары.

В эту ночь Сара остается с Эстер. Всю ночь трогает металл. Дэй спит один.

Он стоит у черного окна в спальне Сары. Небо над Массачусетсом заляпано звездами. Звезды медленно ползут по стеклу.

В этот день он идет к Эстер с Сарой. Сталь кровати Эстер поблескивает в светлой комнате. Эстер тускло улыбается, пока Дэй читает про великанов.

— Я великан,— читает он,— я великан, гора, планета. Все где-то далеко внизу. Мои следы — округи, моя тень — часовой пояс. Я смотрю из высоких окон. Я моюсь высоко в облаках.

— Я великан,— пытается сказать Эстер.

Сара, аллергик, чихает.

Дэй:

— Да.

Черное и белое

«Любое истинное искусство — музыка» (Другой учитель). «Изобразительные искусства — лишь один угол всеобъемлющей комнаты музыки» (Там же).

Музыка раскрывается как связь между одной клавишей и двумя нотами, замкнутыми клавишей в танце. Ритм. И в расцветших предснах Дэя музыка тоже поглощает все законы: даже самое прочное раскрывается здесь ритмами, ничем кроме. Ритмы — связи между тем, во что веришь, и тем, во что верил.

Сегодня священник в монохроме и с воротничком.

Благословите меня

Берешь ли ты Сару

Быть моей

Сколько прошло

Ибо я

с вашей последней исповеди тому, кто вправе отпустить грехи. Исповедь необязательно

Ибо я прощаю тех, кто поплыл против меня

влечет отпущение, откровенно говоря, исповедь в отсутствие осознания греха —

Благословите меня отец ибо не может быть осознания греха без осознания проступка без осознания границ

Благодати полная

бесполезна. Помолимся вместе ради откровения о границах

Красные облака в кофе Уорхола

так устрой в себе осознание того.

Один цвет

В этот день он возвращается на первую неделю работы. Солнечный луч розовым переворачивает надпись ЗДОРОВЬЕ на стикере лобового стекла. Дэй ведет муниципальную машину мимо фабрики.

— Habla Espanol? — спрашивает Эрик Янь с пассажирского места.

Дэй кивает, дым из фабричной трубы висит зазубренно.

— Ты хотел, чтобы тебе обрисовали суть,— говорит Янь. Его глаза закрыты, пока он вращает.— Я обрисую. Habla?

— Да,— говорит Дэй.— Hablo.

Проезжают мимо домов.

Особый талант Эрика Яня — мысленное вращение трехмерных объектов.

— В этом деле говорят только по-испански,— говорит Янь.— Сына женщины убили в прошлом месяце. У них в квартире. Жутко. Шестнадцать. Какие-то банды, какие-то наркотики. Большая лужа крови на полу у нее на кухне.

Проезжают мимо касок и отбойных молотков.

— Говорит, это все, что от него осталось! — кричит Янь.— Не дает нам смыть. Говорит, это его,— говорит он.

Мысленное вращение — хобби Яня. Он сертифицированный консультант и соцработник.

— Твоя сегодняшняя работа,— Янь вертит воображаемую веревку, набрасывает лассо на что-то мысленное, торчащее на приборной доске,— убедить ее нарисовать его. Даже если только кровь. Ндьявар сказал, ему все равно. Просто чтобы у нее была картина, так сказал. Чтобы мы потом, может, все-таки смыли кровь.

В зеркале заднего вида, за спиной, Дэй видит на заднем сиденье свой кофр с инвентарем. Его нельзя держать на солнце.

— Пусть она его нарисует,— говорит Янь, выпуская веревку, которую не видит Дэй. Снова закрывает глаза.— Теперь буду вращать телефонный счет за этот месяц.

Дэй проезжает мимо белого фургона. Тонированные стекла. Блюдца ржавчины на боку.

— Сегодня мы увидим бедную женщину, что любит кровь, и богача, что молит о времени.

— Мой старый учитель. Я говорил Ндьявару,— Дэй смотрит налево.— В прошлой жизни — учитель живописи.

— Там нарушение общественного, Ндьявар ему звонит,— говорит Янь. Хмурится, концентрируясь.— Вращаю список адресов. Мы проедем мимо него. Он по дороге. Но не первый в списке.

— Он был моим учителем,— повторяет Дэй.— У меня в школе.

— Мы следуем списку.

— Он повлиял на меня. На мою работу.

Проезжают мимо выгона.

Искусство

Сегодня, у окна, под звездами, что отказываются двигаться, у Дэя почти получается, и сны-картины оживают.

Он рисует, как стоит на обвисшем брезенте бассейна, с которого поднимается в полуденное небо. Он воспаряет невесомо, его не тянет сверху и не толкает снизу, одна идеальная прямая к точке в небе над головой. Грубо расселись горы, в долинах, как марля, сворачивается сырость. Холиок, а потом Спрингфилд, Чикопи, Лонгмидоу и Хэдли — тусклые кривобокие монеты.

Дэй поднимается в небо. Воздух синеет все больше. Что-то в небе моргает, и Дэй исчезает.

— Цвета,— говорит он в черную сетку экрана.

Экран дышит мятой.

— Она жалуется, что я становлюсь разных цветов, когда сплю,— говорит Дэй.

— Она что-то понимает,— выдыхает экран,— наверняка.

Саднят колени, Дэй бренчит в карманах. Как много монет.

Два цвета

Синеглазый, за своим столом директора департамента психического здоровья округа сидит доктор Ндьявар — смуглый лысый мужчина, кажется, он приезжий. Когда говорит, он любит складывать руки так, чтобы получился церковный шпиль, а потом смотреть на него.

— Вы рисуете,— говорит он.— В студенчестве — скульптура. Брали психологию,— он поднимает взгляд.— Во многих количествах? Знаете языки?

Медленный кивок Дэя создает точку отраженного света кабинета на скальпе Ндьявара. Дэй рождает точку и убивает ее. Стол директора огромен и до странного чист. Резюме Дэя выглядит крошечным на фоне такой ширины.

— У меня есть сомнения,— говорит Ндьявар,— насчет вас,— он чуть расширяет угол рук.— Здесь нет денег.

Дэй дает точке две коротких жизни.

— Однако вы заявляете, что у вас есть собственные средства, благодаря браку.

— И выставки,— тихо говорит Дэй.— Продажи,— ложь на голубом глазу.

— Вы заявили, что продаете картины из прошлого,— говорит Ндьявар.

Эрик Янь высок, под тридцать, с длинными волосами и мутными глазами, которые не столько моргают, сколько закрываются и открываются.

Дэй жмет руку Яню:

— Как дела.

— На удивление неплохо.

Ндьявар склонился к открытому ящику стола.

— Твой новый арт-терапевт,— говорит он Яню.

Янь смотрит Дэю в глаза.

— Слушай, друг,— говорит он.— Я вращаю трехмерные объекты. Мысленно.

— Так, ты и ты, на полставки, станете полевой командой, которая выезжает по округу и окрестностям,— Ндьявар читает Дэю по заранее приготовленной бумажке. Держит ее обеими руками.— Янь старший, когда вы вместе посещаете амбулаторных больных на дому. Очень плохих. Здесь им мест нет.

— Такой у меня талант,— говорит Янь, причесывая кудри четырьмя пальцами.— Закрываю глаза и формирую идеальный детальный образ любого объекта. Под любым углом. Потом вращаю.

— Вы посещаете амбулаторных больных по готовому расписанию списка,— читает Ндьявар.— Янь, который старший, консультирует этих людей в нужде, пока вы воодушевляете их, с помощью мастерства, выразить расстроенные чувства в творческом акте.

— Еще я вижу на объектах текстуры, несовершенства, игру света и тени,— говорит Янь. Он делает незаметные жесты руками, которые, кажется, не обозначают ничего конкретного.— Очень личный талант,— он глядит на Ндьявара.— Просто хочу быть откровенным с парнем.

Доктор Ндьявар игнорирует Яня.

— Воздействуете на них, чтобы они направили девиантный или дисфункциональный аффект на то, что они творчески создают,— читает он монотонно.— На предметы, которые невозможно повредить. Это полевая модель интервенции. Например, глина, хороша как предмет.

— Я практически доктор медицинских наук,— говорит Янь, стуча сигаретой по костяшке.

Когда Ндьявар отклоняется, снова возникает шпиль.

— Янь — социальный работник, но он употребляет лекарства. Однако он дешев, и в его груди бьется доброе сердце...

Янь таращится на директора.

— Какие еще лекарства?

— ...которое идет навстречу другим.

Дэй встает.

— Мне надо знать, когда начинать.

Ндьявар протягивает обе руки.

— Покупайте глину.

В ночь перед тем, как с Эстер случилась беда, Сара ведет Дэя к бассейну. Просит Дэя потрогать воду, подсвеченную снизу лампами в плитке. Он видит центральный слив и что тот делает с водой вокруг. Вода такая синяя, что даже на ощупь синяя, говорит он.

Она просит его погрузиться там, где мелко.

Дэй и Сара занимаются сексом на мелководье синего бассейна у дома, где Сара провела детство. Сара — вокруг него теплой водой в холодной воде. Оргазм Дэя — внутри нее. Отверстие слива шлепает и булькает. У Сары начинается оргазм, веки трепещут, Дэй пытается влажными пальцами удержать их открытыми, она висит на нем, стучась спиной о плитку стенки с ритмичным шелестом, шепча: «О».

Четыре цвета

— Я не знаю Сутина,— говорит Янь, когда они уезжают от дома женщины, которая понимает только по-испански.— Говоришь, было похоже на Сутина?

Цвет машины — нецвет, не коричневый, но и не зеленый. Дэй ничего подобного не видел. Он стирает пот с лица. «Похоже». Его кофр с инвентарем сзади, под стальным ведром. Ручка швабры звенит о ведро. Кофр и инвентарь оплатила Сара.

Янь бьет по приборной доске. Кондиционер испускает запах затхлости. Жара в машине нестерпимая.

— Представляй телефонный счет,— говорит Дэй, вставая за городской автобус, волосатый от аэрозольной краски. У автобуса сладкие выхлопные газы.

Янь опускает окно и закуривает. Его дым бледный от солнечного света.

— Ндьявар рассказал о дочке твоей жены. Прости за шутку про отпуск в первую же неделю работы. Прости, я не знал.

Дэй видит краем глаза профиль Яня:

— В телефонных счетах мне всегда нравилась их синева.

Кондиционер начинает бороться с собственным запахом.

У Яня очень черные волосы, тонкий шерстяной галстук и глаза цвета форели. Он их закрывает:

— Теперь я сложил счет в треугольник. Но одна сторона сложилась неудачно и не касается основания. Но все равно треугольник. В хаосе есть порядок, типа того.

Дэй видит у дороги что-то желтое.

— Эрик?

— У счета на правой стороне треугольника крошечная надорванность,— говорит Янь,— и он на шестьдесят долларов. Надорванность крошечная, белая и как бы мохнатая. Наверное, волокна бумаги, типа того.

Дэй газует мимо пикапа с цыплятами. Брызги кукурузы и перьев.

— Вращаю дальше, надорванность исчезает из виду,— шепчет Янь. Его профиль бьется на полумесяцы.— Теперь осталась только синева телефонного счета.

Сигнал, рывок поворота.

Янь открывает глаза:

— Вау.

— Прости.

Проезжают мимо каких-то темных зданий без стекол в окнах. Грязный мальчишка бросает в стену теннисный мячик.

— Надеюсь, они,— говорит Янь.

— Что?

— Поймают пьяницу.

Дэй поворачивается к Яню.

Янь смотрит на него:

— Того, кто сбил твою девочку.

— Какого еще пьяницу?

— Просто надеюсь, ублюдка поймают.

Дэй смотрит в лобовое стекло:

— У Эстер был несчастный случай в бассейне.

— У вас есть бассейн?

— У жены. Там был несчастный случай. С Эстер случилась беда.

— А Ндьявар рассказал, ее сбили.

— Выход слива забился. Слив засосал ее под воду.

— Господи боже.

— Она пробыла под водой слишком долго.

— Как жаль.

— Я не умею плавать.

— Боже.

— Я так ясно ее видел. Бассейн очень ясный.

— А Ндьявар сказал, будто ты сказал, что пьяный водитель.

— Она еще в больнице. Будет повреждение мозга.

Янь смотрит на него.

— Тогда чего ты здесь?

Дэй выгибается, чтобы увидеть уличные знаки. Останавливаются у светофора.

— Куда.

Янь смотрит в блокнот посещений на солнцезащитном щитке. Резинка блокнота когда-то была зеленой. Показывает.

Очень высоко

Взмахи кистью в лучших снах-картинах тоже видятся как ритмы. Картина этого дня раскрывает свои ритмы в мире, где свет подвержен влиянию ветра. Этот ветер сильно и непостоянно дует по школьному кампусу, свистит у колокольни в стиле Де Кирико, с которой содрал всю тень. Это мир, где перемежаются затишья и порывы света. Где открытые пространства горят, как больные нервы, а на согнутых деревьях висит вязкая аура, что опускается и поджигает траву виллемитовым огнем, где у оснований заборов, стен скапливаются торосы света, и колышутся, и сияют. Острые грани колокольни дрожат порывами, размываясь в спектры. Расступающееся сияние, подобно ножам, рассекают высокие мальчики в блейзерах с альбомами на уровне глаз; перед ними летят их тени. Переливающиеся ветры стихают и собираются, словно сворачиваются, а потом бушуют и свистят, и стробируют, и выбивают слабо-розовый цвет сквозь витраж Зала искусств. Записки Дэя озаряются. На экраны с искусственной подсветкой два слайда одного и того же проецируют хрупкую и лапчатую тень профессора искусствоведения на подиуме, старый сухой иезуит шипит свои «с» в сбоящий микрофон, читая лекцию для мальчиков, занявших ползала. Когда он касается глаз, его тень на фоне вермееровского цветного Делфта насекомоподобна.

Иссохший священник читает лекцию о Вермеере, светопроницаемости, светимости и о свете как принадлежности/облачении контура объектов. Умер в 1675-м. Малоизвестный в свое время, видите ли, ибо очень мало писал. Но теперь мы о нем знаем, верно же, кхм. Сине-желтые оттенки преобладают по сравнению, кхм, скажем, с де Хохом. На студентах синие блейзеры. Бесподобный свет — намек на славу Божью. Кхм, хотя другой сказал бы — богохульство. Видите ли. Вы же видите. Слывущий унылостью лектор. Подразумевается, что наблюдающему пейзаж даровано бессмертие. Вы, кхм, видите. «Прекрасный ужасающий покой Делфта», как в той исторической цитате. Позади светящегося ряда Дэя зал темен. Мальчикам позволена некоторая личная свобода в выборе галстуков. Ирреальная ровность фокуса, преображающая картину в то, чем мечтает стать стекло в своих самых сладких грезах. «Окна в интерьеры, где все конфликты решены», как в той исторической цитате. Освещено и предельно четко, видите ли, и кхм. Лекция по вт и чт после обеда и выдачи почты. Решенный конфликт, органический и божественный. Плоть и дух. Дэй слышит, как рвется конверт. Зритель видит, как видит Бог, кхм. Освещение сквозь время, видите ли. Вне времени. Кто-то лопает жвачкой. Где-то в заднем ряду наверху смех шепотом. Зал тусклый. Парень слева от Дэя стонет и дергается в глубоком сне. Учитель действительно целиком и полностью сух, не от мира сего, неживой. Парень рядом с Дэем глубоко заинтересован областью запястья, окружающей наручные часы.

Профессор искусствоведения — шестидесятилетний девственник в черно-белом, он монотонно читает о том, как взмахи кистью одного голландца убили смерть и время в Делфте. Аккуратно постриженные головы повернуты под острым углом, чтобы разглядеть угол щелкающих стрелок часов. Слывущие бесконечными лекции иезуита. Часы на задней стене, между окнами с театральными кулисами, что хлопают о стекло с каждым порывом.

Тощий прыщавый Дэй видит, как из-за дующего под углом яркого ветерка у экрана влажное лицо на подсвеченной тени священника сияет. Над распечатанной лекцией старика светятся большие желейные слезы. Дэй следит, как одна капля на щеке учителя переползает в другую. Профессор все читает о четырехцветном оттенке отражения солнца в реке Делфта, Голландия. Две капли сливаются, набирают скорость у челюсти, стремятся к тексту.

Четыре окна

А теперь, в третьей istoria озаренной звездами картины священник по-настоящему стар. В прошлой жизни учитель. Он на коленях в ломком, хрустком поле на границе промпарка. Его ладони сложены в старомодном благочестии: поза заступника. Дэй, который ошибся уже дважды, стоит вне трехсторонней фигуры, образованной другими фигурами поля. В сухих сорняках кричат цикады. Сорняки мертвенно-желтые, в длине и углах их теней нет смысла; у августовского солнца своя логика.

— Человек заслуживает...— Голова Ндьявара ослепительно сверкает на солнце, он читает по заранее подготовленной записке. Янь укрывает сигарету от ветра.

— ...домашний арест как естественное следствие поведения, которое девиантно к другим,— читает Ндьявар.

Маленькая белая планета на стебле, что видит Дэй,— готовый просеяться одуванчик.

Янь сидит, скрестив ноги, под углом к коленопреклоненной тени, курит. На его футболке написано: «Спроси меня про моих невидимых врагов». Причесывается ладонью.

— Это вопрос места, сэр,— говорит он.— На улице, как здесь, это уже общественный вопрос. Я же прав, доктор Ндьявар.

— Сообщи ему, что общество других — не вакуум.

— Вы же здесь не в вакууме, сэр,— говорит Янь.

— Права существуют в состоянии напряжения. Права всегда обострены,— бегло читает Ндьявар.

Янь вдавливает окурок в землю:

— Вот в чем дело, сэр, отец, если позволите. Хотите молиться на картину себя молящегося — это ладно. Нормально. Ваше право. Только там, где вас другие не увидят. У других есть право не видеть против своей воли то, что их беспокоит. Что, скажете, не разумно?

Дэй наблюдает разговор через свой снежный леденец. Полотно прибито к закрепленному в поле мольберту. Его четырехугольная тень перекошена. На картине — бывший иезуитский учитель искусствоведения на коленях.

— Человек заслуживает... — снова Ндьявар,— более строгого домашнего ареста, если стоит на улице у всех на виду и просит прохожих уделить ему несколько минут.

— Всего одну.

— Нет такого права — приставать, тревожить, просить невинных.

У Яня нет тени.

— Одну минуту,— говорит профессор в закрепленной картине.— Вы же можете уделить мне всего одну минуту.

— Место плюс попрошайничество равно домашний арест, сэр,— говорит Янь.

— Приставать и заставлять смотреть... эти прохожие невиновные, скажи ему.

— Столько, сколько позволите. Скажите, сколько времени можете уделить.

— Снова быть амбулаторным пациентом на дому. Спроси его, разве ему это нравится. Напомни о смысле слова «условное освобождение».

— Вакуум — это одно,— говорит Янь, подавая сигнал Дэю, быстро оглянувшись через плечо.— Главное — не на улицах,— хотя Дэй даже не позади него.

Директор возвращает записку в картонную папку. Намек на шпиль, пока он изучает поле. Глаза иезуита так и не сходят с квадрата на мольберте. Поскольку полотно — это точка зрения зрителя на сон-картину — так сказать, окно в сцену,— глаза священника, таким образом, смотрят в глаза Дэя, на крошечную мертвую сферу семян между ними. В перспективе нет смысла. Безголовая тень Ндьявара, как видит Дэй, теперь над Дэем, над белым шариком с семенами.

— Требуются навыки,— говорит Ндьявар,— очень.

Своя логика.

Собственное дыхание Дэя разрывает шарик.

Граница

Голова Эстер обернута марлей. Голова Дэя склонена над страницей. Голова Сары на коленях пастора в светлом углу комнаты. Комната белая. Голова священника откинута назад, глаза на потолке.

— Мне жаль,— говорит голова Сары в черные колени.— Телефон. Отверстие. Слив. Всасывание. Она становится белой, а он меняет цвета. Я прошу прощения.

— Хотя великаны,— Дэй читает вслух.— Хотя великаны все одного роста, они разных форм. Есть греческие циклопы, французский Пантагрюэль и американский Баньян. Есть распространенные межкультурные циклы о великанах — в виде столбов пламени, туч с ногами, гор, которые переворачиваются и бродят, пока весь мир спит.

— Нет, это я прошу прощения,— говорит голова пастора. Белая рука гладит приколотые волосы Сары.

— Есть раскаленные докрасна великаны, теплые великаны,— читает Дэй.— Есть и ледяные великаны. Таковы их формы. Одна из форм ледяного великана описана в циклах как километровый скелет из цветного стекла. Стеклянный великан живет в девственно-белом от мороза лесу.

— Ледяные великаны.

— После вас,— шепчет Сара, открывая дверь в комнату Эстер.

— Он хозяин этого леса.

Голова над черно-белым улыбается.

— Нет, после вас.

— Шаг стеклянного великана шириной в милю. Каждый день, целый день, он шагает. Никогда не останавливается. Не может отдохнуть. Ибо живет в страхе, что его ледяной лес растает. Страх заставляет его мерить дебри шагами каждую минуту.

— Не спит,— говорит Эстер.

— Да, никогда не спит, стеклянный великан шагает по белому лесу, шаг в милю шириной, день и ночь, и жар его шагов растапливает лес позади.

Эстер пытается улыбнуться закрывающейся двери. На ее марле ни пятнышка.

— Радуга.

— Да,— Дэй показывает картинку.— Растаявший лес превращается в дождь, а стеклянный великан — радуга. Это цикл.

— Растаял в дождь.

В коридоре чихает Сара, приглушенно. Дэй ждет слов священника.

Закрой их

— Просчитай свое дыхание,— руководит иссушенный и поистине старый бывший иезуит. Янь и Ндьявар стоят в пене на краю голубого моря у поля.

— Вдыхай воздух,— говорит профессор, изображая взмах.— Сплевывай воду. Ритм. Вдох. Выдох.

Дэй имитирует взмах.

Эрик Янь закрывает глаза:

— Надорванность на счете вернулась.

Сон-картина с учителем в нескончаемой молитве прибита к закрепленному мольберту. Поднимается ветер; вокруг снежатся одуванчики. Пчелы трудятся над желтизной поля на фоне растущей синевы.

— Вдыхай сверху. Выдыхай внизу,— руководит старик.— Кроль.

Сухое поле — остров. Синяя вода вокруг приперчена белыми сухими островами. На соседнем острове лежит на тонкой чистой стальной койке Эстер. В канале движется вода.

Дэй имитирует взмах. Его падающие ничком руки прибивают белое семя. Растение прорастает за миг. Его верхушка уже достает до колен Дэя.

Янь рассказывает Ндьявару о текстуре мысленного счета. Ндьявар жалуется Яню, что для его лучшей церкви не хватает рук, чтобы открыть дверь. Символизм диалога очевиден.

Учитель искусствоведения взмахнул рукой за спину, от трепещущего роста черного растения. Дэй барахтается в пыльце, пытаясь поддерживать ритм.

По каналу у острова Эстер на спине плывет Сара. Затем тень растения закрывает свет. Тень — самое большое, что Дэй видел в жизни. Ее фасад вытягивается прочь из пределов зрения, требуя приставки бронто-. Земля грохочет под весом контрфорса. Контрфорс изгибается вверх к фасаду и также уходит прочь из пределов зрения. У верхней границы неба поблескивает розовый витраж. Мольберт опрокидывается. Из ниоткуда в нем появляются двери, корчатся, как губы. Бросаются на них.

— Помогите! — зовет Эстер, очень слабо, пока церковь с картины не затаскивает их внутрь. Дэй слышит отдаленный стон продолжающегося роста. Непостроенная церковь тусклая, освещена лишь через витражи. Двери проскочили вокруг них, скрылись из виду.

Розовый витраж продолжает расти. Он круглый и красный. Излучает преломленные шипы света. В витраже печальная женщина пытается улыбкой проложить себе путь из стекла.

Дэй по-прежнему изображает кроль — единственный взмах, который он знает.

Окно пропускает только свет и ничего больше, окрашивает этот свет.

— Закрой глаза, что в твоей голове,— слышится деревянное эхо Ндьявара.

— Закрой их,— Янь глядит на неф.

Над розовым цветом мрачнеют бочковые своды. Окно изменяет нормальный порядок, все раскрывается иначе — все твердое здесь черное, все легкое — блестящего цвета. Дэй на вдохе видит форму цвета. Цвет от окна сужается, сходится в преломленный шип, его наконечник — темная точка. Вокруг нее вращается что-то в белом.

Дэй плывет кролем к острому наконечнику, взмывая, невесомый.

Лишенный сана профессор искусствоведения кладет водонепроницаемые часы Дэя на алтарь. Встает перед ними на колени, богохульствуя.

Эстер в марле парит в темной точке на заостренном цвете, идущем из красно-розового витража. Дэй видит точку сквозь влажный звездный занавес, который написали его руки. Синева воздуха кажется черной, он плывет сквозь занавес, звезды падают вверх от взмахов его рук. Он изображает взмахи кроля сквозь звезды. Может разглядеть Эстер ясно, как она вращается.

— Не смотри!

И снова, как только он смотрит вниз, он ошибается. Желая увидеть, откуда вознесся. Доля секунды — меньше — и все рушится. Начинается с апсиды. Восток бросается на запад, и западный фасад не выдерживает, осыпается. Стены словно пожимают плечами, обрушиваются друг на друга. Черная точка на красном шипе с треском раскрывается. Эстер вращается, извивается меж ее зазубренных половин, падая к розовому витражу, когда тот кренится. Все ясно, как на фото. Янь говорит «Вау». Контрфорс выгибается и разваливается. Ее падение не мгновенно. Ее тело медленно вращается в воздухе, оставляя марлевый кометный след. Розовизна бросается на нее. Километровый человек мог бы поймать и укрыть ее в руках среди падающих звезд; марля летела бы следом. Синим Дэй становится из-за ошибки в дыхании. Стекло цвета крови сдерживает мать внутри, она ждет, когда ее освободит дитя.

На великой стеклянной высоте — звук столкновения: ужасный, многоцветный.

Вращение

Небо — глаз.

Закат и рассвет — кровь, что питает глаз.

Ночь — закрытое веко.

Каждый день веко поднимается, раскрывая кровь — и голубую радужку лежащего великана.

Очередной пример проницаемости некоторых границ (VI)

Восстановленная транскрипция последних минут брака родителей мистера Уолтера Д. («Уолта») Деласандро-мл., май 1956

— Больше тебя не люблю.

— Взаимно.

— Развод, засранец.

— И отлично.

— Только что теперь с домом.

— Грузовик мой, ничего не знаю.

— Хочешь сказать, дом мне, грузовик тебе.

— Я только сказал — чур грузовик мой.

— Потом — что с мальчиком.

— Имеешь в виду, за грузовик?

— Имеешь в виду, он тебе нужен?

— Имеешь в виду, нет?

— Я тебя спрашиваю, ты говоришь, нужен он тебе или нет.

— Значит, говоришь, он нужен тебе.

— Так, мне дом, тебе грузовик, насчет мальчика кинем жребий.

— Вот ты как говоришь?

— Прямо здесь и сейчас.

— Ну доставай.
— Господи, это всего лишь четвертак.
— Доставай-доставай.
— Боже, ну вот, вот.
— Ну поехали.
— Я бросаю, ты называешь?
— А может, я бросаю, ты называешь?
— Задолбал уже.

Короткие интервью с подонками

КИ № 59 04/98
ЗАВЕДЕНИЕ ДЛЯ ПОСТОЯННОГО УХОДА
ГАРОЛЬДА Р. И ФИЛЛИС Н. ЭНГМАНОВ
ИСТЧЕСТЕР, НЬЮ-ЙОРК

Будучи ребенком, я очень много смотрел американское телевидение. Куда бы ни командировали моего отца, везде казалось, что американское телевидение доступно, с его великолепными и сильными актрисами. Возможно, это было еще одно преимущество работы отца на оборону государства, так как мы имели привилегии и жили комфортабельно. Тогда я предпочитал смотреть телевизионную передачу под названием «Моя жена меня приворожила» с американской актрисой Элизабет Монтгомери в главной роли. Будучи ребенком, во время просмотра этой телевизионной передачи я впервые испытал эротические ощущения. Но, однако, только через несколько лет, в подростковом возрасте, я сумел проследить свои ощущения и фантазии до своего впечатления как зрителя от тех серий «Жены», когда протагонистка, Элизабет Монтгомери, исполняла рукой круговое движение под аккомпанемент цитры либо арфы и производила сверхъестественный эффект, при котором все движение прекращалось и другие персонажи телепередачи внезапно замирали на полужесте и становились слепыми к миру и застывшими, без всякой анимации. В такие моменты, казалось, исчезало само время, позволяя Элизабет Монтгомери свободно маневрировать одной на ее усмотрение. В передаче Элизабет Монтгомери применяла этот круговой жест только в самых крайних случаях, когда надо было спасти ее мужа-предпринимателя, Дариона, от политических катастроф, которые бы случились, если бы в ней разоблачили волшебницу,— частая угроза в этих сериях. Передача «Моя жена меня приворожила» была скверно дублирована, и многие подробности повествования я в своем возрасте не понимал. Но мой интерес привлекала великая сила останавливать время передачи на месте и делать других свидетелей застывшими и беспамятными, пока Элизабет Монтгомери применяла тактики спасения среди живых статуй, которых могла вновь реанимировать круговым жестом, если того требовали обстоятельства. Спустя годы я, как и многие подростки, начал мастурбировать, создавая при этом в своем воображении эротические фантазии собственной конструкции. Я был слабый, неатлетический и несколько болезненный подросток, похожий на своего отца, увлеченный учебой и мечтами юнец нервной конституции, малой социальной отзывчивости или уверенности в себе. Нет ничего удивительного в том, что я искал компенсации своим слабостям в эротических фантазиях, в каких фантазиях обладал сверхъестественной силой над женщинами, выбранными мной. Эти фантазии мастурбации были крепко связаны с передачей «Моя жена меня приворожила», виденной мной в детстве, но их родство тогда было мне неведомо. Я позабыл о нем. Но все же я хорошо запомнил невыносимую ответственность, идущую с силой, ответственность, грандиозность которой я во взрослой жизни со времени приезда сюда научился умалять, но это история для другого раза. Эти фантазии мастурбаций брали место действия из мест наших реальных пребываний в те времена — разбросанных по множеству военных постов, куда мой отец, великий математик, привозил нас, свою семью, с собой. Мы с моим братом, хоть и разделенные возрастом меньше чем на год, были тем не менее во многом несходны. Часто мои фантазии мастурбации брали место действия из Государственных тренажерных залов, которые моя мать, бывшая в молодости профессиональным атлетом, посещала религиозно, с энтузиазмом занимаясь каждый день, куда бы нас ни заводила отцовская служба. В большинстве дней нашей жизни в спортивные залы ее охотно сопровождал мой брат, атлетический и энергичный человек, а часто сопровождал и я сам, сперва с нежеланием и принуждением, а потом, когда мои эротические мечтания развились и стали сложнее и могущественнее, с охотой, рожденной по моим собственным причинам. По обычаю мне разрешалось приносить учебники и сидеть, тихо читая, на мягкой скамье в углу Государственного спортивного зала, пока мой брат и моя мать исполняли упражнения. С целью понять картину в общем представьте себе эти Государственные спортивные залы в виде оздоровительных спа вашей нации сегодня, хотя оборудование тогда было не такое разнообразное и новое, и чувствовался дух повышенной безопасности и серьезности из-за военных постов, где располагались залы для нужд персонала. И атлетическая форма женщин Государственных тренажерных залов очень отличалась от нынешней, состояла из цельных костюмов из полотна с кожаными лямками и ремнями, похожих на мой, что открывало куда меньше, чем форма для занятий сегодня, и больше оставляло для воображения. Теперь я опишу фантазию, которая развилась в этих залах в юности и стала моей фантазией мастурбации на прошлые годы. Вас не оскорбляет это слово, мастурбация?

Вопрос.

И я правильно его произношу?

Вопрос.

В фантазии, которую я описываю, я представлял себя в подобный день в Государственном тренажерном зале, и, пока мастурбирую, я представляю, как осматриваю зал энергичных упражнений и позволяю взгляду упасть на привлекательную, чувственную, но энергичную, атлетическую и настолько сконцентрированную на упражнениях женщину, что она кажется недружелюбной на вид, часто она напоминает тех привлекательных, энергичных, суровых молодых женщин из военной или гражданской атомной энергетики, которые обладали доступом к этим тренажерным залам и упражнялись с такой же неприступной серьезностью и интенсивностью, что и моя мать и мой брат, часто проводившие долгие периоды своего времени, с крайней силой швыряя друг другу тяжелый кожаный медицинский мяч. Но в моей фантазии мастурбации сверхъестественная сила взгляда тревожит внимание избранной мной женщины, и она отрывается от своего тренажерного оборудования, оглядывает зал в поисках источника непреодолимой эротической силы, проникшего в ее сознание, и наконец находит меня в дальнем углу оживленного деятельностью помещения, так что объект моего внимания и я сталкиваемся глазами во взгляде сильного эротического влечения, к которому остаток энергично занимающегося персонала остается слеп. Ибо, видите ли, в фантазии мастурбации я обладал сверхъестественной силой, силой разума, происхождение и механика которой никогда не раскрывались, оставаясь таинственными даже для меня, кто обладал этой тайной силой и мог применить ее по желанию, силой, благодаря которой выразительный, чрезвычайно сконцентрированный взгляд с моей стороны, направленный на женщину, которая была его объектом, преображал ее, непреодолимо влек ее ко мне. Сексуальная компонента фантазии, пока я мастурбирую, далее изображает избранную женщину и меня, как мы сношаемся в разнообразии сексуального буйства на мате для упражнений в центре помещения. Есть кое-что еще в этих компонентах фантазии — сексуальной, подростковой и в чем-то обыденной, как я теперь осознаю ретроспективно. Я еще не объяснил то, как на эти фантазии соблазнения повлияла американская передача «Моя жена меня приворожила» моей ранней юности. Как и великую вторичную силу, которой я также обладал в фантазии мастурбации,— сверхъестественную силу скрытым круговым движением руки задерживать время и магически останавливать всех остальных упражняющихся на месте, прекращать все движение и деятельность в Государственном спортивном зале. Представьте себе это все: мускулистые накачанные ракетчики лежат без движения под штангой жима, сложно останавливаются борющиеся наводчики, останавливаются в параболах под разными углами кружащиеся скакалки компьютерных техников и висит, остановленный, между вытянутыми руками моего брата и моей матери медицинский мяч. Они и все остальные свидетели в тренажерном помещении всего одним жестом по моему желанию становятся застывшими и беспамятными, и только привлекательная, околдованная, побежденная женщина моего выбора и я сам остаемся анимированными и зрячими в этом тусклом деревянном помещении с запахами линимента и немытого пота, в котором теперь прекратилось время — соблазнение случается вне времени и большинства самых основ физики,— и между тем как я призываю ее к себе наделенным силой взглядом и легким круговым движением лишь одного пальца, а она, побежденная эротическим влечением, идет ко мне, я также поднимаюсь со скамьи в углу и в той же мере иду ей навстречу, пока, как в формальном менуэте, мы с женщиной моей фантазии не встречаемся на мате для упражнений точно в центре зала, она снимает бретельки тяжелой одежды в буйстве сексуальной мании, тогда как моя школьная форма снимается с куда более контролируемой и довольной неторопливостью, я заставляю ее ждать в агонии эротической жажды. Говоря сжато, далее следует сношение в разнообразных неразборчивых позициях и способах среди застывших, незрячих фигур, для которых я остановил время великой силой своей руки. Конечно, здесь вы можете увидеть связь передачи «Моя жена меня приворожила» и моих детских ощущений. Ибо эта дополнительная сила внутри фантазии — останавливать живые тела и задерживать время в Государственном спортивном зале,— которая началась лишь с логистической уловки и плавно перетекла, как мне кажется, в первичный источник энергии всей фантазии мастурбации — фантазии мастурбации, которая, как легко заметил бы посторонний, была фантазией скорее о силе, чем только о сношениях. Этим я хочу сказать, что представление о моих великих силах — над желаниями и движением граждан, над течением времени, над застывшим беспамятством свидетелей, над способностью моего брата и моей матери хотя бы двигать свои здоровые тела, которыми они так справедливо гордились и кичились,— скоро это сформировало истинное ядро силы моей фантазии, и именно на фантазии об этой силе, неведомо для себя, я истинно мастурбировал. Теперь я это понимаю. В юности не понимал. Я знал, будучи подростком, только то, что для фантазии о всепобеждающем соблазнении и сношении требовалась некая строгая логическая достоверность. Я хочу сказать, что для успешной мастурбации сцене требовалась рациональная логика, по которой сношение с упражняющейся женщиной достоверно на людях в Государственном спортивном зале. Я нес ответственность перед этой логикой.

Вопрос.

Конечно, это может показаться причудливым с точки зрения того, как мало логики в представлении о том, что болезненный юнец пробуждает сексуальную страсть одним движением руки. Я правда не имею ответа. Сверхъестественная сила руки, возможно, была Первой Посылкой или *аксиомой* фантазии, сама по себе она была неоспоримой, но после нее все остальное обязано было происходить рационально и согласовываться. Здесь, думаю, я должен был сказать, что это Первая Посылка. И все обязано с ней согласовываться, ведь я был сыном великого человека государственной науки — то есть если в условиях фантазии мне попадалось логическое противоречие, то оно требовало решения, непротиворечащего рамочной логике силы моей руки, и за это я нес ответственность. Иначе меня начинали отвлекать грызущие мысли о противоречии, и я был не в силах мастурбировать. Для вас это понимаемо? Этим я хочу сказать следующее: то, что началось с детской фантазии о безграничной силе, стало серией проблем, сложностей, противоречий и ответственностей за создание рабочих, внутренне непротиворечивых решений всего этого. Именно эти ответственности затем быстро расширились и стали слишком невероятными даже внутри фантазии, чтобы разрешить снова пользоваться истинной силой любого типа, тем самым ввергнув меня в обстоятельства, которые вы слишком ясно видите теперь.

Вопрос.

Для меня истинная проблема начинается в скором понимании, что Государственный спортивный зал на самом деле публичен, открыт для всего персонала поста с должной документацией, кто хотел упражняться: следовательно, в любой момент кто угодно мог с легкостью войти в помещение посреди соблазнения рукой, засвидетельствовав сношение посреди сюрреалистической сцены остановившихся, нечувствительных атлетов. Для меня это было неприемлемо.

Вопрос.

Не столько из-за страха, что меня поймают или разоблачат, как беспокоилась Элизабет Монтгомери в передаче, но скорее из-за того, что для меня это представляло выбившуюся нитку в полотне силы, которую, конечно, символизировала фантазия мастурбации. Казалось нелепым, что я, чья сила кругового жеста рукой над физикой и сексуальностью зала так абсолютна, вынужден терпеть вмешательство любого случайного военного, который забредет снаружи, желая заняться калистеникой. Это был изначальный сигнал того, что метафизические силы моей руки, хотя и сверхъестественные, были тем не менее слишком ограниченными. Скоро мне пришло на ум еще более серьезное противоречие в фантазии. Ибо недвижимый, слепой персонал в зале для упражнений — когда мы с подчинившейся силе женщиной моего выбора уже пресытились друг другом, оделись и вернулись к нашим двум позициям друг напротив друга в широком зале, чтобы теперь от нее — от ее воспоминания об интервале, теперь, осталось только расплывчатое, но сильное эротическое влечение к бледному мальчику, читающему напротив, что разрешит сексуальным отношениям произойти вновь в любом будущем моменте по моему выбору, и я исполнил обратный, второй жест рукой, разрешивший продолжиться движению времени и сознания в помещении,— теперь возобновленный персонал посреди своих упражнений поймет, осознал я, лишь взглянув на наручные часы они поймут, что минуло необъяснимое количество времени. Следовательно, реально они были не в полном беспамятстве и понимали, что случилось что-то необычное. Например, и мой брат, и наша мать носили наручные часы «Победа». Свидетели не были по-настоящему в *беспамятстве*. Это противоречие было неприемлемо в логике фантазии об абсолютной силе, и скоро совершить успешную мастурбацию, представляя ее, стало невозможно. Вы можете сказать «помеха». Но это что-то большее, да?

Вопрос.

Первым решением было расширить воображаемые силы руки, остановить все хронометры, настенные и наручные часы в этом помещении, пока не случилось грызущее осознание, что стоит персоналу из зала покинуть Государственный спортивный зал и вернуться в наружное течение жизни военного поста вовне, как первый же взгляд на любые другие часы — или, например, выволочка из-за опоздания на встречу со старшим — все это снова привело бы их к осознанию, что произошло нечто *странное* и необъяснимое, и это вновь компрометировало посылку, будто все пребывают в *беспамятстве*. Меня начала грызть мысль, что это еще более серьезное противоречие в фантазии. Несмотря на круговой жест и короткий проигрыш арфы, сопровождавший его силу, я отнюдь, как наивно полагал вначале, не побуждал течение времени прекратиться и не извлекал самого себя и привороженных атлетических женщин из физики времени. Пытаясь мастурбировать, я был слишком взбудоражен тем, что сила моей фантазии на самом деле преуспевала в задержке лишь поверхностной *видимости* времени, и то только в пределах ограниченного пространства Государственного спортивного зала фантазии. Именно в это время труд воображения над фантазией о силе стал экспоненциально сложнее. Ибо в пределах рамочной логики моей фантастической силы мне теперь требовалось, чтобы этот круговой жест руки задерживал все время и останавливал весь персонал целого военного поста, которого это помещение было частью. Логика этой необходимости казалась очевидной. Но также неполной.

Вопрос.

Великолепно, да. Вы видите, к чему все идет, эта логическая проблема, чья окружность расширяется с каждым решением, раскрывая дальнейшие противоречия и дальнейшие необходимости для действия силы в моей фантазии. Ибо, да, поскольку посты, на которые нас приводил компьютерный долг отца, находились в стратегической коммуникации с целым оборонным аппаратом государства, тем самым мне скоро требовалось фантазировать, что один только жест руки — имевший место в одном только мрачном сибирском оборонном аванпосте и ради очарования воли лишь одной женщины-программистки или конторской помощницы — тем не менее, теперь он должен был достичь мгновенной остановки целого государства, удержать время и сознание почти двухсот миллионов граждан посреди каких бы то ни было действий, способных вторгнуться в мое воображение,— действий таких разнообразных, как очистка яблока, преодоление перекрестка, починка башмака, погребение детского гробика, разработка траектории, сношение, извлечение готовой стали из промышленной домны и так далее, нескончаемые и бессчетные разли...

Вопрос.

Да-да, и поскольку само государство существовало в близком идеологическом и оборонном альянсе со многими соседними государствами-сателлитами и, конечно, находилось в коммуникации и торговле с неисчислимыми странами прочего мира, я слишком быстро, будучи подростком, пытаясь всего лишь украдкой мастурбировать, обнаружил, что моя единственная фантазия о неизвестном соблазнении вне времени требовала, чтобы единственным жестом руки останавливалось все население мира, все часы и занятия целого мира, от выращивания ямса в Нигерии до покупки синих джинсов и рок-н-ролла богатых западников, и далее, далее... и вы, конечно, видите, да, не только человеческое движение и измерение времени, но и, конечно, само движение земных облаков, океанов и преобладающих ветров, ибо едва ли разумно реанимировать к сознанию земное население в возобновленные два часа дня, если приливы и погоды, чьи циклы научно классифицированы до мельчайших деталей, теперь пребывают в состоянии, отвечающем трем или четырем часам дня. Вот что я имел в виду, говоря об *ответственности*, которая приходит с подобной силой,— ответственности, которую американская передача «Моя жена меня приворожила» во время моих детских просмотров целиком подавляла и отрицала. Ибо этот труд по остановке и удержанию каждого элемента природного мира земли, что вторгся ко мне, случился озарением, пока я лишь пытался вообразить привлекательные, атлетические, неконтролируемые крики страсти на продавленном мате,— этот труд воображения стал для меня изнурительным. Фантазии мастурбации, ранее занимавшие только пятнадцать коротких минут, теперь требовали многих часов и огромных мыслительных трудов. Мое здоровье, и так нехорошее, в этой период драматическим образом ухудшилось в той мере, что я был часто прикован к постели и отсутствовал в школе и в Государственных спортивных залах, которые мой брат посещал с моей матерью после школьного периода времени. Также в это время мой брат начал становиться профессиональным тяжелоатлетом в малых категориях своих возраста и веса, участвовал в соревнованиях по тяжести, которые часто посещала наша мать, путешествуя наряду с ним, пока мой отец оставался на службе с программами прицеливания, а я — один в постели в нашей пустой квартире на несколько дней подряд. Большая часть времени в постели в нашей комнате в их отсутствие все чаще посвящалась не мастурбации, но труду воображения, я конструировал достаточно неподвижную и атемпоральную планету Земля, чтобы разрешить моим фантазиям просто существовать. Теперь я на самом деле не помню, требовала ли подразумеваемая доктрина американской передачи, чтобы круговое движение рукой Элизабет Монтгомери деанимировало все человечество и природный мир вне пригородного коттеджа, где она проживала с Дарионом. Но я живо помню, что позже в детстве, под конец доступности американской передачи приемникам на Алеутах, роль Дариона принял новый, другой телевизионный исполнитель, и помню мое замешательство, даже будучи ребенком, из-за противоречия, что Элизабет Монтгомери не могла распознать, что ее сексуальный партнер и предприниматель был теперь совершенно другой человек. Он был совсем непохожий, и все же она как будто оставалась в беспамятстве! Для меня это стало причиной большого расстройства. Конечно, также всегда стоял вопрос солнца.

Вопрос.

Наше Солнце в небе, над головой, чье видимое движение через южный горизонт было, конечно, первым способом измерять время человека. Оно тоже, по логике фантазии, было обязано, также как и все остальное, удерживаться в своем видимом движении, а в реальности это влекло приостановку вращения самой земли. Очень хорошо помню момент, когда мне, в постели, пришло в голову это дальнейшее противоречие, и труды и ответственность, которые оно налагало в пределах фантазии. Тоже хорошо помню эту зависть, которую чувствовал к моему грубому, лишенному воображения брату, на которого были совсем впустую потрачены превосходные научные преподавания стольких многих школ военных постов, ведь его бы ничуть не одолели последствия осознания дальнейшего: что вращение земли была не чем иным, как только одной частью ее темпоральных движений, и чтобы не подрывать первую посылку фантазии, не вызывать несообразности в научно каталогизированных измерениях Астрономических Суток и Синодического Периода Обращения, должна быть удержана жестом моей сверхъестественной руки сама эллиптическая орбита Земли вокруг Солнца — орбита, плоскость которой, как я, на свое несчастье, узнал в школе, находилась под углом в 23.53 градуса к оси собственного вращения Земли, имея в той же мере различные эквиваленты в измерениях Синодического и Сидерического Периодов Обращения, что требовало потому ротационной и орбитальной остановки всех других планет и тел их спутников в Солнечной системе, и все они заставляли меня прерывать фантазию мастурбации для исполнения исследований и подсчетов, основанных на многообразных вращениях и углах разнообразных планет по отношению к плоскости их собственных орбит вокруг Солнца. Это было трудоемко в той эпохе очень простых ручных калькуляторов... и более того, ибо вы видите, к чему идет этот кошмар, так как, да, само Солнце находится во множестве сложных орбит по отношению к таким близлежащим звездам, как Сириус и Арктур,— звездам, которые теперь тоже были обязаны повиноваться гегемонии силы кругового жеста рукой, как галактика Млечного Пути, на чьем краю сложно вращается и ходит по орбитам кластер звезд — включающий в себя наше собственное Солнце,— вокруг многих других подобных кластеров... и далее, и далее — ширящийся кошмар ответственностей и трудов, потому что, да, галактика Млечного Пути сама по себе вращается по орбите вокруг Местной группы галактик в противовес галактике Андромеды на удалении более чем в 200 миллионов световых лет,— по орбите, чья задержка повлечет также задержку красного смещения и тем самым задержку доказанного и измеренного полета ныне известных галактик друг от друга в ширящемся расцвете расширения Известной Вселенной, с бесчисленными усложнениями и факторами для ночных расчетов, которые не давали мне уснуть, о чем все более умоляло мое измождение,— как, например, факт, что такие отдаленные галактики, как 3С295, удалялись на скоростях, превышающих треть скорости света, тогда как более близкие галактики, в том числе проблемная галактика NGC253 в лишь тринадцати миллионах световых лет, на самом деле, по всей видимости, математически *приближались* к галактике Млечного Пути с собственной движущей силой,— приближались быстрее, чем их могли понудить удаляться от нас расширения красного смещения,— так что теперь моя постель была затоплена стопками научных томов, журналов и пачек с расчетами, и мне не было места мастурбировать, даже если бы я и мог исполнить мастурбацию. И именно тогда на меня снизошло, посреди взбудораженного полусна на захламленной постели, что данные и расчеты этих всех месяцев были, как это ни глупо, основаны на опубликованных астрономических наблюдениях с Земли, чье вращение, орбиты и сидерические позиции были в природно неостановленном, изменчивом режиме реальности, и что это все, следовательно, обязано быть пересчитано для теоретических задержек Земли и соседних спутников в моей фантазии, чтобы соблазнение и сношение среди безвременного беспамятства всех граждан избежали безнадежного противоречия,— именно тогда я от этого сломался. Единственный жест одной подростковой руки в фантазии влек за собой бесконечно сложную ответственность, более под стать Богу, нежели лишь ребенку. Это все меня сломало. Именно в этот момент я сдался, смирился, стал вновь болезненным и неуверенным юнцом. Я сложил силы в семнадцать лет, четыре месяца и 8.40344 дня, подняв теперь обе руки высоко вверх, чтобы сделать обратный жест в виде сплоченных кругов, который вновь освободил мир в расцвете отречения, который начался от моей постели и плавно разошелся, чтобы включить все известные тела в движение. Я думаю, вы не представляете, чего это мне стоило. Бред, уединение, разочарование моего отца — но это все было ничто в сравнении с ценой и вознаграждениями того, что я пережил. Эта американская передача «Моя жена меня приворожила» была лишь искоркой за этим бесконечным взрывом и напряжением творческой энергии. Пусть в бреду, пусть сломленный — но как много других людей ощущали силу стать Богом, а потом отрекались от нее? Вот тема моей силы, о которой, как вы сказали, вы хотели узнать: *отречение*. Как много других знают его истинное значение? Никто из этих людей здесь, я вас уверяю. Там, снаружи, они повторяют свои беспамятные распорядки, переходят улицы, очищают яблоки и сношаются бездумно с женщинами, которых, как они думают, любят. Что знают они о любви? Я, кто своим выбором вступил в целибат вечности, один видел любовь во всех ее ужасе и необузданной силе. Я один могу иметь право говорить о ней. Все прочее лишь шум, излучение фона, что даже теперь удаляется всегда дальше. Его нельзя удержать.

КИ № 72 08/98
НОРТ-МАЙЯМИ-БИЧ, ФЛОРИДА

Я люблю женщин. Правда. Люблю. Все в них. Даже не могу объяснить. Низкие, высокие, толстые, худые там. От шикарных до обычных. Как по мне — эй: все женщины прекрасны. Их много не бывает. Некоторые мои лучшие друзья — женщины. Люблю смотреть, как они двигаются. Люблю, какие они разные. Люблю, что их никогда не понять. Люблю люблю люблю их. Люблю, как они хихикают — такие разные смешки. Что их не удержать от шопинга, хоть ты тресни. Люблю, как они хлопают глазками, или надувают губки, или бросают на тебя такой незаметный взгляд. Как они выглядят в каблуках. Их голос, их запах. Эти крошечные красные точки на ногах от бритья. Изящные трусики и особые женские продуктики в магазинах. Все в них сводит меня с ума. Как дело доходит до женщин, так я беспомощен. Стоит им только в комнату войти — все, я конченый человек. Что за мир был бы без женщин? Просто... о нет опять оглянись *сзади!*

КИ № 28 02/97
ИПСИЛАНТИ, МИЧИГАН [ОДНОВРЕМЕННО]

К——: Чего хочет современная женщина. Сложный вопрос.

И——: Согласен. Сложный, еще как. Это, так сказать...

К——: Или скажем иначе, «что современная женщина *думает*, что хочет» против «чего она *хочет* на самом деле в душе».

И——: Или что думает, что *должна* хотеть.

Вопрос.

К——: От мужчины.

И——: От парня.

К——: В плане секса.

И——: В смысле брачных танцев.

К——: Может, это прозвучит по-неандертальски, но я все равно буду настаивать, что это сложный вопрос. Потому что он весь превратился в такой бардак.

И——: Слабо сказано.

К——: Потому что теперь на современную женщину ложится беспрецедентный груз противоречий из-за того, что она должна хотеть и как ей полагается себя вести в плане секса.

И——: Бардак противоречий современных женщин, который на них ложится и сводит их с ума.

К——: Вот почему так трудно понять, чего они хотят. Трудно, но не невозможно.

И——: Типа взять классическое противоречие Мадонна-или-шлюха. Девочка или девка. Девушка, которую уважаешь и ведешь домой знакомить с мамой, или девушка, с которой просто трахаешься.

К——: Но не будем забывать, что поверх этого есть еще новое феминистское-слэш-постфеминистское ожидание, что женщины — тоже полноправные проводники секса, как и мужчины. Что нормально быть сексуальной, что нормально присвистывать вслед мужской заднице, и быть агрессивной, и брать все, что хочешь. Что нормально трахаться со всеми подряд. Что для современной женщины почти что *обязательно* трахаться со всеми подряд.

И——: И под этим все еще лежит старый слой «уважаемая девушка» или «шлюха». Если ты феминистка, нормально трахаться со всеми подряд, но и не нормально трахаться со всеми подряд, потому что большинство парней — не феминисты, они не будут тебя уважать и больше не позвонят, если ты трахаешься со всеми подряд.

К——: Делай, но не делай. Вилка.

И——: Парадокс. Проиграешь в любом случае. А СМИ его сохраняют.

К——: Можно представить груз внутреннего стресса, который давит им на психику.

И——: «Мы прошли долгий путь, девочка», чтоб их.

К——: Вот почему многие из них свихнулись.

И——: Сошли с ума из-за внутреннего стресса.

К——: И они даже не виноваты.

И——: Кто бы не свихнулся из-за такого бардака противоречий, который сваливает на них современная медиакультура?

К——: И суть в том, что поэтому очень трудно — когда ты, например, сексуально заинтересован в женщине,— понять, чего она на самом деле хочет от мужчины.

И——: Полный бардак. Сам свихнешься, пока поймешь, какой подход выбрать. Может, ей понравится, может, нет. Современная женщина — полный трындец. Как разгадывать дзен-коан. Если в деле участвуют их желания — можно просто закрыть глаза и прыгать наугад.

К——: Не согласен.

И——: Я в метафорическом смысле.

К——: Не согласен, что невозможно определить, чего они на самом деле хотят.

И——: Я вроде и не сказал, что *невозможно*.

К——: Хотя я согласен, что в современной постфеминистской эре это беспрецедентно трудно и требует серьезной дедуктивной огневой мощи и воображения.

И——: В смысле, если б это было реально буквально *невозможно*, что бы стало с нами как с видом?

К——: И я согласен, что нельзя обязательно полагаться только на то, что они *скажут*, что хотят.

И——: Потому что вдруг они это говорят только потому, что думают, что этого от них ждут?

К——: Моя точка зрения — в основном *можно* вычислить, чего они хотят,— в смысле, почти логически вывести, если попытаться понять их и понять их невозможную ситуацию.

И——: Но нельзя просто полагаться на то, что они скажут, вот что важно.

К——: Здесь я соглашусь. Современные феминистки-слэш-постфеминистки *скажут*, что хотят взаимности и уважения их личной независимости. Если секс будет, скажут они, то будет он по взаимному согласию и желанию между двумя независимыми равными существами, в равной степени ответственными за свою сексуальность и ее выражения.

И——: Почти слово в слово, как я от них слышал.

К——: А это полная бредятина.

И——: Они идеально усвоили этот свой жаргон расширения прав и возможностей, факт.

К——: Можно легко заметить, какая это бредятина, если помнить о вилке, которую мы только что обсуждали.

И——: Не так уж трудно заметить.

Вопрос.

К——: Что от нее ожидают сексуальную раскрепощенность, независимость и решительность, и в то же время она все еще помнит старую дихотомию «уважаемая девушка или шлюха» и знает, что некоторые девушки позволяют использовать себя в сексуальном плане из-за обычной низкой самооценки, и все еще боится, что ее могут принять за такую же безотказную жалкую женщину.

И——: Плюс помним, что постфеминистка теперь знает, что мужская сексуальная парадигма и женская в корне отличаются...

К——: Марс и Венера.

И——: Вот именно, точно, и она знает, что женщина природой запрограммирована относиться к сексу как к чему-то благородному и долгоиграющему и больше думать в категориях отношений, чем разового перепихона, так что если она сразу соглашается и трахается, то сама потом считает, что ее в каком-то смысле использовали.

К——: Это понятно, потому что нынешняя постфеминистская эра еще и постмодернистская эра, когда, предположительно, все знают, что происходит на самом деле под семиотическими кодами и культурными конвенциями, и все, предположительно, знают, из каких парадигм все исходят, и потому теперь мы как личности куда более ответственны за нашу сексуальность, раз беспрецедентно осознаем и понимаем все свои действия.

И——: И в то же время она все еще под невероятным чисто биологическим давлением «найти самца, построить гнездо и размножаться» — например, возьмите и прочтите ту книжку «Правила» [15], и попробуйте объяснить ее популярность с другой точки зрения.

К——: Суть в том, что сегодня женщины должны нести ответственность и перед современностью, и перед историей.

И——: Не говоря уже о чистой биологии.

К——: Я уже включил биологию в категорию *истории*.

И——: То есть ты говоришь об *истории* больше в духе Фуко.

К——: Я говорю об истории как о наборе осознанных и намеренных человеческих реакций на целый ряд сил, куда входят и биология, и эволюция.

И——: В общем, суть в том, что для женщин это невыносимое бремя.

К——: На самом деле суть в том, что они просто логически несовместимы, эти две ответственности.

И——: Даже если современность *сама* исторический феномен, как сказал бы Фуко.

К——: Я просто говорю о сути — что никто не может соблюдать два логически несовместимых вида ответственностей. Тут история ни при чем, тут чистая логика.

И——: Лично я виню СМИ.

К——: И какое же решение.

И——: Шизофренический медиадискурс, как, например, в «Космо»: с одной стороны, будь свободна, с другой — обязательно найди мужа.

К——: А решение — осознать, что современные женщины поставлены в невозможную ситуацию в плане предполагаемой сексуальной ответственности.

И——: «Я могу купить бекон мм-мм-мм-мм и пожарить на плите мм-мм-мм-мм» [16].

К——: И таким образом, они, естественно, будут хотеть того, чего бы хотел любой человек с двумя неразрешимо взаимоисключающими друг друга ответственностями. То есть на самом деле они хотят как-то от этих ответственностей *избавиться*.

И——: Спасательный люк.

К——: В психологическом плане.

И——: Черный ход.

К——: Отсюда вневременная важность — *страсти*.

И——: Они хотят быть и ответственными, и страстными.

К——: Нет, они хотят испытать страсть такую всеобъемлющую, ошеломляющую, бурную и непреодолимую, что та сотрет любую вину или напряжение из-за предательства кажущихся ответственностей.

И——: Другими словами, они хотят от парня *страсти*.

К——: Они хотят потерять голову. Чтобы их сшибло с ног. Унесло на крыльях. От логического конфликта между ответственностями избавиться невозможно, но можно избавиться от постмодернистского *осознания* этого конфликта.

И——: Сбежать. Отрицать.

К——: То есть в душе они хотят мужчину, который будет таким ошеломляюще страстным и мощным, что у них как будто не останется выбора, что чувства будут больше их обоих, что можно будет забыть о том, что вообще есть такая штука — постфеминистская ответственность.

И——: В душе они хотят быть безответственными.

К——: Пожалуй, в чем-то я соглашусь, хотя не думаю, что их можно за это винить, потому что вряд ли это сознательное желание.

И——: Это своеобразный лакановский крик в незрелом подсознании, если говорить на психологическом жаргоне.

К——: Я хочу сказать — оно и понятно, да? Чем тяжелее давят на современных женщин эти логически несовместимые ответственности, тем сильнее их подсознательное желание ошеломляюще мощного, страстного мужчины, с которым смысловая вилка покажется неважной, потому что он ошеломит страстью так, что они позволят себе поверить, будто ничего не могут поделать, будто секс больше не вопрос сознательного выбора, за который они несут ответственность, будто если *кто-то* и несет здесь ответственность, то это *мужчина*.

И——: Что объясняет, почему чем фанатичнее так называемая феминистка, тем сильнее она на тебя вешается, когда с ней переспишь.

К——: Не думаю, что соглашусь.

И——: Но ведь логично, что чем фанатичнее феминистка, тем больше благодарной и зависимой она станет, когда покатаешь ее на белом коне и освободишь от ответственности.

К——: Я не согласен с «так называемой». Не верю, что современные феминистки сознательно лгут в своих речах о независимости. Как не верю, что только они виноваты в своей жуткой ситуации с вилкой. Хотя в душе, пожалуй, я вынужден согласиться, что женщины исторически не готовы брать ответственность за себя.

Вопрос.

И——: Я так понимаю, никто не знает, где тут комната для мальчиков?

К——: Я говорю не в плане «очередной-самец-неандерталец-аспирант-показал-женщинам-их-место-потому-что-слишком-боится-признать-их-сексуальную-субъективность». И я на костер пойду, чтобы защитить их от презрения или обвинений в ситуации, в которую они явно попали не по своей вине.

И——: А то скоро надо ответить на зов природы, если вы меня понимаете.

К——: В смысле, даже если просто взглянуть на эволюционный аспект, то придется согласиться, что определенный недостаток независимости-слэш-ответственности был для первобытных человеческих самок очевидным генетическим преимуществом, так как слабое чувство независимости приводило первобытную самку к первобытному самцу в поисках пищи и защиты.

И——: Тогда как независимые самки типа бутч охотились одни — по сути, конкурировали с самцами.

К——: Но суть в том, что именно менее самостоятельные и менее независимые самки находили партнеров и размножались.

И——: И растили потомство.

К——: И таким образом сохраняли вид.

И——: Естественный отбор поощрял тех, кто находил партнеров, а не уходил на охоту. В смысле — много вы видели наскальных рисунков с охотницами?

К——: Но, наверно, стоит заметить, что исторически, как только *слабая* в кавычках самка находила партнера и размножалась, она часто проявляла невероятное чувство ответственности, если дело касалось ее потомства. Не то чтобы у женщин вообще не было ответственности. Я вовсе не это имею в виду.

И——: Из них получаются чудесные мамы.

К———: Мы говорим только об одиноких взрослых еще не рожавших самках, их генетической-слэш-исторической способности к независимости, она же ответственность *за себя*, в отношениях с самцами.

И———: Эволюция это из них вывела. Взгляните на журналы. Взгляните на любовные романы.

К———: Если вкратце — чего хочет современная женщина, так это мужчину с чувствительной страстью и дедуктивной огневой мощью, чтобы понять, что все ее заявления о независимости на самом деле отчаянные крики в глуши смысловой вилки.

И———: Все они этого *хотят*. Только сказать не могут.

К———: И ставят нас, современных заинтересованных мужчин, в парадоксальную роль почти что их терапевта или священника.

И———: Они хотят отпущения грехов.

К———: Когда они говорят: «Я сама по себе», «Мне не нужен мужчина», «Я несу ответственность за свою сексуальность»,— по сути, они перечисляют то, что ты должен помочь им забыть.

И———: Они хотят спасения.

К———: Они хотят, чтобы на одном уровне ты искренне согласился и уважал их слова, а на другом, в душе, понял, что это полная бредятина, и прискакал на своем белом скакуне, и ошеломил их страстью, как мужчины делали с незапамятных времен.

И———: Вот почему нельзя принимать их слова за чистую монету, а то свихнешься.

К———: В основном это все тот же изощренный семиотический код, где новые постмодернистские семионы независимости и ответственности пришли на смену старым домодернистским семионам рыцарства и ухаживания.

И———: Слушайте, мне уже правда надо отвести своего скакуна в стойло.

К——: Единственный способ не запутаться в коде — подходить к вопросу логически. Что она говорит на самом деле?

И——: Нет не значит да, но не значит и нет.

К——: В смысле, способность к логике — вот что всегда отличало нас от животных.

И——: И кстати, без обид, но логика — не самая сильная женская сторона.

К——: Впрочем, если эта *ситуация* с сексом нелогична, нет никакого смысла обвинять современную женщину в отсутствии логики или в постоянном шквале парадоксальных сигналов.

И——: Другими словами, они не несут ответственность за то, что не несут ответственность, говорит К——.

К——: Я говорю, что это запутано и трудно, но если думать головой, то не невозможно.

И——: Потому что давайте не забывать: если бы это было реально *невозможно*, что бы случилось с нашим видом?

К——: Жизнь всегда найдет дорогу.

«Три-Стан» и сальдо: как несчастную Цисси Нар продали Эхо

Нечеткий джим-хенсоновский эпиклет Овидий Ограниченный, синдикационный[17] хроникер трансчеловеческих событий интертейнмента для дешевых органов страны, мифологизирует происхождение призрачного двойника, который всегда оттенял человеческие фигуры на дециметровых волнах, так:

Жил & был, до Низвержения Эфирного[18], мудрый & разумный программный директор по имени Агон М. Нар. Сего Агона М. Нара почитали во всем сиятельном бассейне средневековой Калифорнии за разумную мудрость & большие cojones, с которыми повелевал он Рекомбинантным Программированием для «Телефем Студий», дочки Tri-Stan Entertainment Unltd. Архэ программирования Агона М. Нара служили метастазы оригинальности. Он умел тасовать & рекомбинировать проверенную формулу интертейнмента, отчего муза Знакомого казалась переодетой в Инновацию. Был Агон М. Нар и семьянином примерным. & случилось так, что, пока его «Семейка Брэди» & «Все в семье» благоденствовали & зачали «Семейные узы» & «Различные ходы» & «Дай передохнуть» & «Кто в доме хозяин?», из которых гидрообразно ответвились «Уэбстер» & «Мистер Бельведер» & «Проблемы роста» & «Женаты с детьми» & «Жизнь продолжается» & мифический «Косби» & так ad практически infinitum, в частной семейной жизни Агон М. Нар зачал три полунезависимых продукта, дочерей, дев, Маль & Колептик & Цисси, что росли & цвели, как кудзу, средь пальм & моллов & пляжей & храмов сиятельного бассейна.

&, как гласит легенда индустрии, так благоволили Агону М. Нар все директора компании — Стэнли, Стэнли & Стэнли,— а также сам Стазис, Бог Пассивного Приема, & так одарен был он смекалкой, что, когда его три красавицы-дочери,— которых он теперь видел & любил каждый третий выходной,— претерпели свои первые Хирургические Усовершенствования, Агон М. Нар свергнул алчного, мощно выдающего & выдающегося Реджи Эхо из Вениса на посту Главы Рекомбинантного отдела всея «Три-Стана», после чего Р. Эхо из В. плавно пал обратно на пастельную землю бассейна под эгидой златого шелка парашюта, низложенный & просто по-королевски выбешенный.

& ведал Агон М. Нар делами «Три-Стан Интертейнмент» мудро & разумно; & сказано, что при нем на некогда хаотические MHz, до н. э., пришли властвовать & услаждать рекомбинации дериваций от плагиата спин-оффов бледных подражаний.

& пока рекомбинация как этос давала метастазы, услаждая & вознаграждая по всему розово-оранжевому ландшафту средневековой КА, беспризорные дочери Агона М. Нара уж распустились в нимф. Извечно дальновидный, Агон М. Нар мудро обеспечил ежемесячное подношение Богу Хирургических Усовершенствований сиятельного бассейна — шевелюрою сферическому & убранством ретроградному, зато операционно искусному д-ру Герму («Афро») Диту о клетчатых клешах & лиловом халате; & д-р Г. («А.») Д., проф. мед. SE [19], ублаженный воздаянием, обратил дочерей Агона М. Нара в нимфеток гораздо, гораздо прелестней, чем справились бы соло маломощные прихоти Природы. Природу это малость выморозило, но в средневековой КА ей & без того было чем заняться. Долго ли, коротко ли, расцвели Маль & Колептик Нар в чирлидерш USC [20], поствестальных прислужниц субботнего храма футбогов Ра & Сисбумба [21]; об их последующей карьере Овидий Ограниченный хранит молчок.

Но только младшая дочь Агона М. Нара, его Деточка, его Крошка, его Маленькая Принцесса — т. е. Цисси, единственный начинающий лицедей семьи Нар, демонфикс кастингов рекламы & дневных сериалов,— стала любимым & Личным Проектом Герма («Афро») Дита, мастера технэ Усовершенствований; & после обильных жертвоприношений без ОМС [22] плюс ритуалов & процедур столь жутких, что требуют лирического умолчания, почти 100%-Усовершенствованная Цисси Нар настолько, типа, в натуре превзошла своих акробатических сестер & прочих дев сиятельного бассейна, что казалась, согласно Varietae [23], «...самой богиней, что знается со смертными».

& она только и знала, что зналась. Ибо лишь только слух о красе трансчеловеческой разошелся по бассейнам & просторам & внутренним пустошам средневековой КА, как мужи с кожей бронзовой & подбородками раздвоенными & прическами стоячими прибывали в шумных & невероятно фаллических колесницах аж из самого Края Великих Красных Сосен, чтобы полюбоваться спандекстральной формой Цисси Нар с удивлением & восторгом гормональным, & знаться. Историк трагедий Дирк Фреснийский пишет, что столь головокружительно выдающимся был бюст Цисси Нар, что не могла она лечь без помощи, столь выступающе сумрачны были скулы, что отбрасывала она хищные тени & входила в двери лишь профилем, & столь совершенно неземными были ее зубы & загар, что Кэри & Эритема, демиургини времен до н. э., смертельно оскорбленные & поруганные, подали апелляцию в поисках эстетической справедливости (а именно: жалобу на вероломный приступ черных угрей & рецессии десен) Стазису — т. е. да, тому самому Стазису, Повелителю Сан-Фернандуса, председателю экс-официо головной компании «Три-Стана» — «Семьи исключительно прекрасных компаний «Штурм & Дранг»; тому самому Стазису — summum solo [24], Олимпийскому Небожителю, Богу Пассивного Приема & кругом Большой Мифотворческой Шишке. Но дело Кэри & Эритемы даже не попало в олимпийский реестр; ибо Стазис, БПП, персонально узрел & восхитился мисс Цисси Нар, & на домашнем развлекательном модуле все время держал руку на видеопульсе жизни поразительной девы благодаря ручному передовому технэ его пенокрылых фактотумов, Найку & Филе (работали посменно).

Вот здесь Овидий О. сменяет тон на Элегический. Ибо увы, бессмертная супруга Бога Стазиса, Царица-Богиня бассейна Созависи, была отнюдь не рада тому, что Стазис тратил больше времени своего досуга на восхищение записанным видеообразом Цисси Нар с высоты своего велотренажерного модуля, чем хотя бы на попытки отрицать перед Созав. во время овсяного завтрака олимпийской четы свое увлечение столь Усовершенствованной девой. Пренебрежение Стазисом было амброзией Созависи, & она нашла отсутствие возможности оного неприемлемым & уязвляющим до экстремума. & плюс когда она вышла из сауны & обнаружила, что Бог Приема прицениватся на своем мобильном к прокатным костюмам лебедя — что ж, от этого по понятным причинам было невозможно абстрагироваться; & Созависи перед всей своей Группой Поддержки поклялась страшно отмстить смертной & изгибистой старлетке. Разъяренная Королева начала телеконференцию с оскорбленными демиургинями Кэри & Эритемой плюс велела своему референту связаться с референтом Природы & назначить деловой бранч; & Созав., по сути, вынудила всех этих транссмертных с самооценкой, подкошенной Усовершенствованной & Пассивно Принятой красой Цисси Нар, объявить подковерную войну Цисси & ее столь любимому отцу, Агону М. Нару из «Три-Стан Анлтд». Если на тебя за раз выморозились три богини плюс Природа — это хорошей кармой не назовешь, но по-смертному наивная Цисси & трудоголик Агон М. проигнорировали внезапные резкие надбавки к авансовым платежам по страховке & продолжали, более-менее как обычно, дальше жить & быть & рекомбинировать & подвергаться Усовершенствованиям & прослушиваться & знаться & избегать всякой авторефлексии. Т. е. были они беспечны.

Скоро случилось так, что Созависи & Ко, после множества переговоров, нашли орудие мести. Им оказался телефемически развенчанный, золочено парашютированный & до мести охочий Реджи Эхо Венисский, пострадавший от гигантского падения самооценки & продавший дом & аквариум с породистым карпом & переехавший в прококаиненный клоповник — одиозный венисский отель для проживания, известный на променадах как Храм Очень Коротких Молитв,— & теперь тративший все время & увольнительные на курение трубки с алкалоидами & распитие «Краун Ройял» прямо из бархатного мешка & бросание дротиков в фото 8 × 10 Агон М. Нара & потребление невероятно больших доз вечернего синдикационного телевидения под скрежет все более сереющих зубов &, типа, вообще ожесточенный. Подковерная стратегия вступила в силу. Пока демиургиня Эритема являлась Реджи Эхо в смертном обличии Роберта Вона каждую ночь с 4 до 5 в рекламной серии «Новостей об облысении» [25] на Канале 13 & обрабатывала, Созависи лично начала обрабатывать сердце, разум & cojones Агона М. Нара, прокравшись в его фазу активного сна в 4—5 утра в церберовском образе трех директоров «Три-Стана» Стэнли — древних магнатов развлечения, что никогда не покидали свой видеоцентр & делили один широкий экран & пульт на троих. Под руководством Созависи их образы в психике Нара начали надоумливать & Вещать. & здесь следуют очень, очень пространные овидиевские строки о транслируемых через директоров сиреновых песнях мстительной богини пронейрически впечатлительному А. М. Н... такие пространные, что литредактор Овидия из одного глянцевого органа в итоге удалил львиную долю эпиклетовского файла СИРЕН.ПСН. Соль же не исчерканного красной ручкой в том, что подковерный план Соз. начал, увы, претворяться со всей мрачной логикой истинного вдохновения рынка развлечений.

Это вдохновение — а именно тезис, который Нар по пробуждении по-смертному принял за свой,— стало таким же неминуемым, как участие в плане его Усовершенствованной Принцессы-дочурки. Тогда «Телефем Студии» & «Три-Стан Интертейнмент» после консультаций с рясофорными весталками Оракула Нильсена, самого Бога Жизни [26], были весьма раздосадованы распространением зародившегося Кабельного Телевидения & геометрической экспансией вечного возвращения зернистой синдикации. Тернер & телесеть ESP & канал «Супер 9» из Чикаго [27] были тогда еще in utero [28]. Вся индустрия кипела. Говорили, что Стазис собственной персоной повесил блестящие спутники TelSat в забитом звездами небе, повелев платить за просмотр. Итак, 4—5 утра. Поспеши, о эфирный «Три-Стан», проскочить в двери первого этажа Кабельного, пока еще есть время, поет трехголовая сирена; & Агон М. Нар, спящий & нистагмический, чувствует озаренность того, что Вещают три С.,— лучший из двух возможных миров: никаких проповедей, никакого индейского плача из-за мусора, ни гимна с флагом, ни Отключения канала на ночь — *вообще никакого Отключения канала* [29]: взамен 24-часовая петля низкой себестоимости чего-нибудь настолько архаичного, что покажется прогрессивным, & не по «кабелю», но в самом небесном эфире. Сирена поет Нару Вещие предсказания, питчит с графиками & указкой: Кабельное не предложит ничего нового или хорошего & умрет в тщете, а гиперборейское MHz-TB завладеет раннейшей ранью при помощи черно-белой рециркуляции. & рециркуляцией не просто каких-то «Хэзел» или «Я женился на Джоан», нет,— коварные & трижды ряженые С. пели об Абсолютном Повторе, 100%-ном эхо: *мифе*, классике & Классическом *мифе*: роскошном, многосмысленном, архетипичном, космологичном, поливалентном, доступном для нескончаемого обновления, неувядающем. Песнь сна высоким альтом была сложной & в основном C#. Так были посеяны тайные семена анчара А. М. Нара: мебиовидная телеграфная петля, ставшая мантрой фазы быстрого сна: ЭНДИМИОН ПИРАМ ФАЭТОН МАРПЕССА ЭВРИДИКА ЛИН ТОР ЭШУ ПОЛЛУКС ФИСБА ВААЛ ЕВРОПА НИБЕЛУНГ ПСИХЕЯ ДЕМЕТРА АСМОДЕЙ ЭНДИМИОН WALKÜRE ПИРАМ ETCETERA.

Пробудившись в фуге & пароксизмах, Агон М. Нар немедля проконсультировался с транслирующими Оракулами, принес взятую в кредит дань образам Нильсена & Стазиса & сжег целых два хьюмидора «Давидофф 9'' Делюкс» на жертвенном костре в честь Эмми, Крылатой Богини Победы. И рисечили рынок день, рисечили рынок ночь. Наконец лично отправившись в униэкранный видеоцентр Стэнов 1-3 & проведя питчинг (при помощи графиков & указки) своего озарения большим парням, Агон М. Нар увидел, что руководители «Три-Стана» & «Ш. & Д.» были довольны. А Созависи перехватывала все срочные вызовы на пейджер Стазиса.

& случилось так, что в ту же неделю, когда нос Цисси Нар был Усовершенствован до вековечной орлиности, родилась & лицензировалась для аналоговой трансляции раскрученная телесеть «Сатир-Нимфа Нетворк» Нара & «Три-Стана». Вкратце С-НН состояла из гениально простой 24-ч. петли мифотворчества низкой себестоимости, добытой по 10¢/$1 из складских залежей BBC мифофилического периода 1961-7-х — периода тог & фиговых листьев. Здесь дофеминистский эпиклет Овидий О. узурпирует & дифирамбирует — без указания авторства или благодарности — повесть Дирка Фреснийского о философии С-НН, гнусной песне Созависи & онейрически вдохновленной ставке Агона М. Нара на запуск величайшей магнатской телесети всех времен до Низвержения Эфирного — «Сатир-Нимфа Нетворк»: «...по сути, гениально простая 24-ч. межсклеенная петля мифотворчества, собранного из урожайных амбаров BBC с антикачественным антиквариатом 60-х & нацеленная на тот беспокойный неоклассический демографический класс, что уже поглощал повторы, даже не прожевывая. Сия одинокая & бессонная аудитория увидела, что неизменная одинаковость кругооборота на С-НН британских ч/б мифических скетчей — сериальных легенд, как-то: «Эндимион» & «Пирам» & «Фаэтон» & «Ваал» & «Марпесса» & сюрреалистические кокни из «Нибелунгов»,— это хорошо: надежно, знакомо, гипнотически & вкусно, как вкус их собственных ртов. Для Агона М. Нара аппетит к повторяющемуся эхо гласил о божественном вдохновении — или, на языке статистической микроэкономики, *автогенеративном Спросе*. Ибо не просто С-НН питалось в синдикационной лоханке голодом зрителей до знакомого, но и знакомое питало мифотворчество, а то питало рынок: двойные слепые опросы показали, что в нации, чей великий коренной миф — что у нее нет великого коренного мифа, знакомое равняется безвременью, всеведенью, бессмертию, искре эрзац-Божественного.

...что А. М. Н., в глубоком сне, внемля злодейской Богине о трех седых главах & одном универсальном пульте «Кертис Мейтс», действительно уверовал, что понимает нацию, на чьем левом плече он жил & был. Сегодня существует, пели три лже-Стэна, непочатый национальный рынок мифа. История мертва. Линейность — тупик. Новинка уже старье. Национальное «Я» теперь — текучий & вечный повтор. Разница в одинаковости. «Творчество» — см. напр. сами рекомбинации Нара — заключается в манипуляциях существующими темами. & скоро, Вещала сирена в С#, он будет признан, сей апофеоз статичного потока, & будет цинично использован тем, что и символизировал, как воронка, всасывающая самое себя. «Скоро на всех экранах страны — мифы о мифах»,— вот предсказание & долгосрочное предложение сирен. Телешоу о телешоу. Опросы о надежности исследований. Скоро, быть может, уважаемые & глянцевые органы высокого искусства даже начнут приглашать искрометных иронистов, чтобы осовременить & метисировать мифологию до н. э.; & вся эта поп-ирония нацепит улыбающуюся маску на ужасный стыдливый голод & потребность нации: посылу, подлинной *информации*, будет позволено залечь, скрыто & питательно, в деревянном брюхе пародийного фарса.

Т. е. Медиум займется пиаром Месседжа.

& для мудрого & разумного Агона М. Нара все уже началось. Этот процесс. Ибо, разумеется, Созависи делала с Агоном М. Наром то же, что С-НН Агона М. Нара сделает с сиятельным рынком до н. э., т. е. убеждала его, что эти самые двухвалентные фармаконы, обоюдоострые дары, столь невероятно драгоценны & столь тяжелы для души, что их цену не окупят даже тысяча бессонных лет рыданий... заверяла А. М. Н. & США, что неокупаемые дары вдохновения были не чем иным, как продуктом его собственного смертного гения благодаря практике рекомбинации. Агону М. Нару предложили, кратко (но незаметно для него) говоря, сымитировать Бога. Переизложить историю. Скомбинировать, скажем, например, падение Люцифера & вознесение Эпита, чтобы вышла притча об отцеубийстве Хроноса в стиле «Династии». Опра — Изида, Сигурд — ДФК. & все для прикола, вот что главное. Полегче, посамоироничней, напевает Созависи во сне Нару голосом три-Стэнов. Пусть герои сами рассказывают «свою историю», & их конфабуляция мифа с фактом & Классики с пост-Просвещением раскроют смыслы & захватят долю рынка. & да будут молодежные высококлассные рекламные ролики, модные пеаны Бахусу & Елене & ультракачку Тору. & доходы от фарсовых старых вырезок ВВС можно вложить снова в нарочито дешевые & театральные воспроизведения мифов от «С-НН/Телефем», а эти «оригинальные» ремейки сами по себе можно повторять снова & снова, реально поздно ночью, скажем, с 4 до 5, снайперски нацелившись на бессонных Предкабельных повторофилов, что ловят кайф от просмотра.

«Другими словами,— подковерно вещает Созависи из-за графиков А. М. Нара для трех древних Стэнли, чьи личины она использовала, чтобы изначально диббучить Нара, таким образом замыкая собственную коварную петлю — невидимую,— С-НН будет поставлять мифы & захватывать долю, поставляя миф о трансмогрификации «вневременного» мифа в современный фарсовый образ. Целый новый ритуальный нарратив, не Старый Комический и не Новый Трагический — а ситтраг. Чистая легенда: о себе, легенде, краже, повторе, вечном возвращении, самовозрождении как утрате как самовозрождении. Словно космические вырезанные сцены — Боги запарывают реплики, ржут, кривляются в камеры». Etcetera.

Все это согласно Дирку Фреснийскому.

&, короче говоря, «Сатир-Нимфа Нетворк» явилась на свет. Три паралитичных больших пальца в лентиго показали вверх, прежде чем вновь продолжить извечную битву за единственный пульт Стэнов. С-НН подняли на электромагнетический флагшток. & смотри-ка! Sine[30] стоимость производства или накладные расходы на спутники, но очень сильно cum[31] — олимпийский рекламный бюджет, и вот С-НН уже надирало задницу 24 ч. в сутки. Реанимированные ситуационные трагедии ВВС стали мгновенной синдикационной классикой со спонсорами «Раскалс» & «Цезарь/Кока». Безвестные контрактные актеры ВВС из низших эшелонов RSC [32], уже в летах, обзавелись фанатскими культами & внезапным диапазоном предложений. Компания по производству глушителей подписала пожизненный контракт с беззубым кокни Мидасом & с тем процветала; лысый & трифокальный Самсон снимался в рекламе оздоровительных клубов; & т. д. Все были в выигрыше. «Три-Стан» стал еще более гордым членом «Семьи ИПК Штурм & Дранг»; Агон М. Нар получил почетную Эмми & был при том мудро & разумно скромен; Цисси Нар продолжала Усовершенствоваться, загорать, аэробировать, благоденствовать & знаться; Реджи Эхо Венисский заходил & выходил из реабилитационных клиник, неизменно возвращаясь к высокоазотной трубке & бархатному «Крауну» & Храму Очень Коротких Молитв & «Тринитрону» ждать, под опекой Роберта Вона, волосами не обделенного, трансформации своего бентосного гнева в нарративное значение.

Где-то в этот момент Созависи & Кэри & Эритема откинулись и наблюдали, как Природа, распаленная бранчриторикой Созав., занимает место у руля возмездия.

Увы, мы больше не говорим «увы» с серьезным лицом, но «увы» говорили, как гласит легенда, во время великой стоической печали пред лицом неотвратимой трагедии, из-за черного неумолимого телоса порочной стороны Природы. Так что увы: ибо, учитывая дитовскую миловидность Цисси Нар & ее скромную, недоступную зеркалам грацию под великим бременем технической красоты, & учитывая позицию & престиж & рыночное провидение ее прозорливого отца плюс его преданность Маленькой Принцессе (не говоря о соразмерных вложениях как в «Сатир-Нимфа Нетворк», так & в эстетическое технэ д-ра

Герма («А.») Д.), естественно & трагически неотвратимо, что эта Цисси Нар, начинающий лицедей, перед тем, как репертуар сезона изучили два Нильсеновских Опроса, прослушивалась & пробовалась & пережила две отмены & да, наконец-то получила главную роль в самой первой оригинальной репродукции мифа от С-НН/«Три-Стан». То было рекомбинантное обновление «Эндимиона» — одного из самых популярных театральных сандал-фестов от BBC. Репродукция — «Пляжный Эндимион» — не только вышла при минимальном бюджете, но и дебютом в прайм-тайме чуть не поставила под угрозу господство во временном слоте сериала «Едва ли восемьдесят» от NBC — адаптации постановки «Тридцать с чем-то» про флэпперов & стиляг, которые пытаются найти себя & бороться с недержанием в современном контексте дома престарелых.

& фокус-группы, & почта подтвердили: мисс Цисси Нар в оригинальной репро от С-НН — просто феном. Вообще да, непозитивно, что она не умеет играть & что ее неУсовершенствуемый голос — как ногтями по стеклу. Но эти недостатки несмертельны. Ибо главная роль Цисси Нар, в противоположность роли лунной Селены логос-легенды того времени Ванне Белые Руки[33] в этой слегка сапфической вариации знаменитого минимифа об Эндимионе, требовала только кататонии. Цисси оказалась кататоничкой от бога. В вечной дреме на чрезвычайно нереалистичном пляже у г. Латм ей нужно было только лежать — переодетой, Усовершенствованной & нечеловечески вожделенной: ее антиприродной красоты вполне хватало. В ее стазисе была поэзия. Несмотря на легкую тенденцию к пальпебральному тику, ее закрытые глаза были волшебны. Зачерствевшие зрители были тронуты, роль Ванны — переплюнута, критики — всепрощающи, а спонсоры — едва ли не маниакальны. Стазис у себя дома даже записывал серии на кассеты. Цисси Нар достались обложка Guide & статья в Varietae. Она стала, пока ПЭ появлялся точно по расписанию каждые 23 часа, высокорадиоактивным светом на небосклоне малого экрана, хотя & в чем-то характерной актрисой: ибо ФГ-респонденты[34] «Три-Стана» в один голос засвидетельствовали, что обожали Цисси за ее жутковатое изображение состояния овоща, а не вопреки ему. Видимо, ее морфейная пассивность затронула рыцарский нерв. Рыночную нишу Романтики с большой буквы «Р». Любители классики жаждали девичьей комы, славной бессознательности — ибо кто более отдален & недоступен & таким образом вожделен, чем слепой к миру? Сноска Дирка Фреснийского гласит, что, похоже, в сердце любой Романтики лежит какое-то стремление к смерти («...**любая** история про любовь — это история про привидений...») & что роскошное возлежание Цисси Нар апеллировало к этому черному танатизму в эротическом Гайсте эпохи. Каков бы ни был источник бессознательного обаяния Цисси, индустрия увидела, что это хорошо & т. о. рекомбинабельно. Поторопили на производство «оригинальную» перетасовку С-НН северного мифа о Зигфриде с Цисси в роли нарколептической Брюнхильды. Диспепсические мужчины в камвольных костюмах странствовали за тридевять земель, чтобы прощупать обоих Наров по поводу мерчендайзинга, ибо Официальная Кукла Цисси Нар — славно лишенная любых функций — казалась Игрушкой от Бога.

Можно сказать, что даже мудрый, разумный, искушенный & рассудительный Агон М. Нар был чрезвычайно доволен.

Увы, доволен зря. Ибо из всех восхищенных красноглазых приверженцев, включавших телевизор в раннейшую рань эфирных часов посмотреть на Цисси в роли Эндимиона, вожделенно отдыхающую, пока ему/ей снова & снова & снова сапфически прислуживала Селена, выделялся разгневанный & зловещий Реджи Эхо Венисский, до недавнего времени служитель «Три-Стана» & Рекомбинантной епархии, в недавнее время пребывавший в безвестности & клинике Б. Форда, а в настоящее время — под властью сивилловской & яговской ночной кампании Роберта Вона от Эритемы. Явления Эритемы постепенно становились эффективней: после многих литров & поллитр & очень коротких молитв над стеклянной трубкой & пламенем дипломатические отношения между Р. Эхо & реальностью по большей части разорвались. & ранним утром, на последнем & отвесном краю пропасти фармакологического безумия, случилось так, что, увы, Эхо впервые узрел андролежачую игру Цисси Нар в «Пляжном Эндимионе» от С-НН в тот же час, когда Природа & Созависи, в новой одежде & усах на клею, проникли в его клоачный номер в роли доставщика пиццы «Доминос» напористого сотрудника некоего кредитора химикатов, известного только как «Хавьер Х.», соответственно... & пока литоральный Эндимион так славно не мог приступить к сюжету, они принялись обрабатывать его психику — как и, сама того не зная, Цисси Нар на экране «Тринитрона».

& Овидий Ограниченный, & его обычно надежный «Холиншед» [35] Д. Ф. оставляют без ответа драматический вопрос, почему Романтическая любовь к коматозному 2D образу Цисси Нар поглотила Эхо Венисского целиком, от поехавшей крыши до туфель из змеиной кожи: из-за партенопных обольщений П. & С., или же из-за дионисийской горячности, связанной с хроническим употреблением $C_{17}H_{21}NO_4$, или из-за того, что он просто уже поехал & зашел за край, или из-за того, что ранее выдающийся Реджи Эхо стал корпоративно невидим & разглядел в Цисси Нар апофеоз коммерческого образа; или, как вариант, это просто Романтическая (с большой буквы «Р») любовь-с-первичного-приема, плоть от плоти из рыцарских мифов, тристанский/ланселотский нырок с головой в стиле «да пошло оно все», сицилийская молния, вагнеровская Liebestod. Это не так важно. Важно то, что, увы, сей эрос навлек.

Злокачественно осеренаженный Воном, «Доминос» & латиноамериканским кредитором плюс, конечно, не понаслышке знакомый с одержимостью со времен корпоративного смещения & люциферoподобного падения в то, что поначалу казалось лишь временным отпуском, Р. Эхо Венисский созрел для метаморфозы в самое ужасное чудовище сиятельного бассейна до н. э.: безумного сталкера-фаната. Все, что осталось от его психики, вмиг поглотилось & стало одержимо образом Цисси, пассивно лежащей у Латма. Он начал жить целиком & полностью ради нового появления «Пляжного Эндимиона» в 4—5 утра по Тихоокеанскому времени, но при этом представлял катодный экран барьером между измерениями, мешавшим его 3D единству со столь Усовершенствованным 2D образом Цисси Нар. Он разбивал во гневе свои «Сони» & тут же бежал покупать новые. Стандартный алгоритм безумной любви/ненависти. Писал жуткие письма без пунктуации в С-НН & «Три-Стан» (красным фломастером), делал умоляющие/воинственные звонки. Жуткие письма он еще более жутко подписывал «Твой Охотник Актеон». Использовал свое алкалоидное изобилие, чтобы выслеживать & отваживать тех юных Адонисов, с которыми Ц. Нар зналась на пути к рекомбинантной славе. Плюс начал вести бессвязный клинический дневник, какой & следует ожидать от классического сталкера-фаната. В нем он представлял себя Странствующим Рыцарем, изгнанным со своего причитающегося места & времени & отбывшего в типичный обреченный любовный поход из рыцарского былого, при этом, правда, мучимый своим постРомантическим пониманием химерности похода: он отлично знал, что его трансмерная любовь обречена, нереальна, инфантильна, компенсационна, вертерианска — т. е., в его узусном выражении, «суть в ФИКЦИИ, а не ФРИКЦИЯХ»,— но он был беспомощен, одержим, неудержим, словно одурманен, & за этот приворот винил обоих Наров, pater et filia duae[36]: они создали для него в

Цисси из ПЭ Собирательный Эротический Объект современной индустрии: идеально пропорциональный, эстетически безупречный, туалетно гермафродитный, восторженно пассивный & — что самое привораживающее — во всех смыслах 2D, недоступный измеренчески; ergo, плоский экран для проецирования нестареющих фантазий каждого мужчины с красной машиной & черными очками & наглостью, за которыми бьется сердце, просто-таки алчущее, не задумываясь, купиться с потрохами на то, во что уже слишком поздно по-настоящему верить. Реджи записывал в дневник, что во время просмотра слышал, как Цисси поет,— слышал безусловную элегию в С #, пока полногрудая пастушка нежилась под ласками луны в блистании катодного пульса. Полное самозабвение — он *знал*, что ее роль немая, но *чувствовал*, как ее недвижные чревовещательные губы движутся в песне для одного только Р. Э. из Храма ОКМ; & только потому, что он так хотел. (Овидий берет риторическую паузу, чтобы вопрошать: не была ли музыкальная фатаморгана вдохновлена эритемически? Созависически? Нереальна? Неважно?) Реджи Эхо записывает пение свое флогистонным дуэтом с коматозным телеобразом & с этой вялой фигурой достигает невообразимых высот страсти, достижимых лишь с куклами & грезами — грезами о недоступно мертвом живом. Было то дело рук пагубных богинь или нет, но Эхо воспламенел в самом классически-Романтическом смысле: агония из-за недоступности Цисси Нар стала в нем рыбаком, что собрал в невод все другие боли & фрустрации & раздражения & ужасы в пропито-мрачной психике & слагал улов в одну невыносимую анамнетическую кучу, опрокидывая утлый челн. & так Эхо занюхивал убийственные дозы вещества & сочинял жуткие поэмы фломастером & беседовал с С. и Ко & под их уговоры целиком купился на в целом избитую & трендовую ерунду средневековой КА — про «дисфункциональность-созависимости-с-внутреннимребенком», эту танатофилическую тему про «любовь-неразумную-но-безмерную» [37], т. е. уверовал, что не только пассивная 2D Цисси Нар была извечным & идеальным объектом его глубочайших томлений, но & что эта любовь по природе своей неконсумируема в безжалостном дневном свете 3D реальности (Философ Аланон [38] Лос-Анджелесский, кстати, поставил бы диагноз «смертельная комбинация Чувства Собственного Величия & Жалости к себе»).

...наконец Овидий доходит до того, как Эхо Венисский совместно с ТВ решает, что может «достичь» Цисси Нар лишь в том единенном сплаве, что есть само «спокойной ночи» смертного сна. & Роберт Вон, & сирены высокого альта подтверждают, что его решение удовлетворительное & верное (Созависи называет Эхо «esse» [39]).

Засим Созависи решает поразить Агона М. Нара следующим сном. Дочерей А. М. Н. из Рас-10 [40], Маль & Колептик, удерживают в заложниках какие-то боевые латиноамериканцы КА с чрезвычайно серьезным настроем, которые угрожают повесить их на их же буйных локонах, если Нар не выполнит по требованию террористов одно-единственное телемаркетинговое действие: он должен найти гипнотическую аватару древнегреческого Нарцисса & транслировать ее, т. е. показывать неотразимый образ снова & снова, чтобы ввести всех англов средневековой КА в пустоглазый наркоз, после чего они станут легкой добычей для тощих голодных варваров с латиноамериканского юга. Их голоса в сотовом Нара звенят высоким альтом. Агон М., как обычно, отправляется за советом в видеонический штаб «Три-Стана», но три древних Стэна не могут сосредоточиться на его беде: любая вещь у них одна на троих, & когда двое или больше хотят одновременно посетить служебную уборную, всегда начинается шумиха из-за тайминга & последовательности, & А. Нар в присущей кошмарам афазической фрустрации не может достучаться через эмпедоклову свару из-за фарфорового трона, после чего удаляется. Наконец таинственный рябой испаноязычный сторож окликает от дверей «пс-ст», без контекста или объяснения сообщая Нару, что консультировался с Оракулом Стазиса & что гадание по кишкам зеленушки Вещало, будто Агон М. Нар ни за что не успеет найти вовремя подходящего мужчину Нарцисса II (ни единый современный мужчина, даже в обильном Усовершенствованиями сиятельном бассейне, недостаточно божественен, чтобы приковать восторженный взор демографических миллионов), но что за bona fide [41] объектом уровня Нарцисса в *женской* версии, как ни иронично, не надо ходить дальше люльки в собственном неоколониальном доме Нара или обложки последнего Guide: да, это его Крошка, esse, Малинькая Принтсеска — которая, впрочем, как, по словам сторожа, недвусмысленно Вещали кишки за 88.95 доллара, сама станет персональной погибелью Нара,— & затем исчезает с жутким & вовсе не испаноязычным или даже не маскулинным смехом. Тем не менее несказанно испуганный предсказанием спящий Нар (да, это все еще сон, на который Созависи не пожалела времени & сил) спящий А. М. Н. заключает новую нордическую репродукцию с Цисси в главной роли в чистилище вечного слота 4—5 утра, когда мала даже демография 24-часовой петли. & все же фаталистическое увы, ибо сей слот раннейшей рани — также слот, когда преданно включали канал все торчки & неврастеники & воспламеневшие & безумные сталкеры-фанаты С-НН с реально серьезной бессонницей; не меньше 400 разных безумных сталкеров-фанатов стали преследовать его наркоБрюнхильдовую деточку, иногда даже наталкиваясь друг на друга посреди преследования за дверью гримерки Цисси в С-НН; & но в конце концов во сне один из сталкеров наконец-то достигает своей цели & она умирает под градом нацеленных по лазеру полуавтоматических экспансивных пуль; & хотя в остатке сна сам Агон М. Нар не погибает (так что угроза рябого сторожа не исполняется внутри самой грезы), к концу цикла быстрого сна А. М. Н. чувствует себя так ужасно & скверно, что не сомневается, когда просыпается в 5 утра: если бы эпилог кошмара не был пресечен мягким тычком латиноамериканского мальчика-слуги, Нар склеил бы ласты из чистых лайевских скорби & вины.

Суть в том, что Агон М. Нар колоссально перепуган & расстроен сном (редакторы сетки вещания до н. э. придавали большое значение онейромантии) & немедленно останавливает перепродукцию сериала про Зигфрида, & звонит Цисси Нар, & заклинает ее уехать & на какое-то время скрыться в пляжном домике в Венисе, & залечь на дно и с него не высовываться... что Цисси немедленно выполняет, ведь натурой пассивна & делает все, как говорит А. М. Н., а также потому, что у нее чрезвычайно маленькое эго, так как она ни разу не видела себя в зеркало. Да только увы, для коренного венисца Реджи Эхо — который уже заложил «Тринитрон» & купил АК-47 в киоске автоматического оружия прямо на Доквейлер-Бич в Плайя-дель-Рэй,— поиск, где живет затаившаяся Цисси,— дело на один плевок: ее спящее лицо давно прожглось на сознании КА, & Реджи надо только показать глянцевую фотку 4 × 5 в разных венисских оздоровительных клубах & оптовиках силикона, чтобы чики & чуваки немедленно узнали лицо затаившейся девчушки с С-НН, которая залегла на дно всего через энное количество дюн.

& так Реджи Эхо,— облаченный в лучшие «Альфани» & светонепроницаемые очки & страдающий от коксовых глюков & общего дезидеративного исступления,— тотчас устремляется к фиолетоватому пляжному домику Цисси, где после осмотра задернутых штор, неоднократного вытряхивания песка из туфель & нажатия на дверной звонок с записью Синди Лопер вышибает дверь & срывает жалкую и наивную цепочку, & Цисси там, невинно проводит время с «Уокменом» & записью с аэробикой «Стальные ягодицы»; &, как позже определят лучшие криминалисты, Эхо,— ворвавшись & увидев Цисси Нар не только стоячей & неспящей, но &, подумать страшно, в целеустремленном движении,— на короткий «слишком-человеческий» миг засомневался открывать ли огонь & собственно стрелять, & у Цисси был краткий шанс сбежать & спастись от летального подношения сталкера,— вот только, видимо, она заметила свое двойное отражение в зеркальных солнечных очках, которыми Эхо защищал слезящиеся Романтические сетчатки от беспощадного света 3D дня, &, видимо, как бы, была заворожена собственным человеческим обличием, ее буквально сковало откровение о своей Усовершенствованной & трансчеловеческой красе в первом зеркале в ее жизни, &, видимо, она столь статично, пассивно & безэмоционально замерла от шока, что сердце Эхо вновь возбухло от гибельной невыносимой протоРомантической любви в стиле арии в C#, столь захлестнув его потрепанную ЦНС, что он внезапно опять пришел в / удалился из себя & нашпиговал Цисси Нар, от щедрот, а потом еще как-то умудрился выстрелить себе в голову не один раз, а сразу три.

...с трагикомической иронией полоумная & ретроградная Романтическая фантазия Эхо о единстве с Цисси в смерти *воплотилась в реальность*. Ибо Ц. Нар & Эхо рекомбинантно сплотились в том самом 2D мире, который, по его Вещему предсказанию, был единственно возможным местом их единства. Ибо синдикационные продукты «Донахью!» & «Интертейнмент тунайт» & их многие аватары вроде «Опра» & «Джеральдо!» & «Актуальные события» & «Взгляд изнутри» & «Неразгаданные тайны» & «Салли Джесси!» & «Разгаданные, но все равно реально интересные тайны» воздали щедрую & неоднократную дань уже трагическому эпосу о кометном взлете Цисси Нар, падении Реджи Эхо от рук отца Цисси, сновидческих & лайевских прозрениях отца, парализации Цисси от зеркал линз Эхо, крупнокалиберном шпиговании, кровавой смерти со все еще включенным «Уокменом», скомандовавшим прибывшей на место преступления полиции Поработать Булочками, таинственном трибаллистическом суициде Эхо & впоследствии найденном фломастерном дневнике. & самая знаменитая фотография Varietae бессознательной Эндимионизированной Цисси & фотография Реджи Эхо на водных лыжах с Рикардо Монтальбаном, еще когда Эхо жил & был на пике «Три-Стана» — эти два изображения постоянно сопоставлялись на экране & размещались бок о бок под мультиформенными заголовками комментаторов; & «Инквайер» даже без зазрения совести слепил два негатива вместе & заявил, что они все это время были любовниками, Эхо & Цисси, с фетишем к переодеванию & водному спорту... & так фанат/любовник & звезда/объект соединились — в цинично фарсовом, но все же современно глубоком & мифическом смысле, в союзе, слились в смерти, в 2D, в байках & на экранах.

& затем, когда однажды во время спиногравитационной процедуры словообильный массажер-рольфер Овидия Ограниченного как-то раз обсуждал собственную одержимость прославленным делом & говорил (говорил рольфер), что это прозвучит ужасно бесчувственно & мрачно, но Эхо & Цисси Нар в 2D-сопоставлении выглядели типичной идеальной обреченной парочкой, о которой слышат & читают & Романтически фантазируют со времен еще, скажем, сказок Братьев Гримм все добрые американцы любых эротических убеждений до н. э... в этот момент к Овидию О. пришла идея превратить сюжет в этакое иронически современное & самоосознанное, но все же мифически резонансное & весьма лирическое развлекательное произведение. То, что Агон М. Нар — так перипетийно сокрушенный, что на публике проклинал Богов в Пресс-Релизе, прекратил всякое житье/бытье/рекомбинирование & позволил пошлому кабельному имитатору «Хит или Миф Нетворк» Теда Атлантийского превзойти свою сеть С-НН,— что Нар велел адвокатам передать Овидию Ограниченному, что любая неавторизированная лирика на тему Цисси представляет основания для судебного иска, не смутило О. О. ни на йоту. Стремясь, как говорится в его лапидарной заявочной аннотации, «...обновить наше неизменное любопытство к подобным страданиям человеческим», Овидий предложил переосмыслить & представить историю как «...высококонцептуальный метамиф типа „метисизация-Романтических-архетипов“» — своеобразный джакузи-свингерский инцест Тристана & Нарцисса & Эхо & Изольды; & в аннотации он не только подтверждает, но и, по сути, ворует теорию Дирка Фреснийского, что так безмерны были скорбь Стазиса, Бога П. Приема, из-за ухода его смертной Любимицы-Месяца & гнев на снедаемого любовью экс-руководителя, из-за которого она сложила головушку, что Стазис отказал трижды простреленной душе Реджи Эхо в визе в Подземный мир & взамен обрек призрака Эхо вечно бродить по самым ультра из дециметровых волн телевидения, прозябать там в нервирующем & неидеальном контрасте с прочими фигурами & внахлестку перекрывать & передразнивать их экранные движения, словно надоедливое визуальное эхо, чтобы напомнить впечатлительным смертным, что завораживает нас искусственное, что транслируется оно неидеальным технэ. (Будто мы & так не знали. (Плюс на Кабельном к этому времени все равно прием был почти идеальный)).

& но последнее & эпексегетическое «увы». Ибо столь сильна оказалась любовь дискантного Овидия к рефлексированию по поводу собственных перифрастических теорий о том, отчего Агон М. Нар & Стазис & Созависи & «Сатир-Нимфа Нетворк» & популяризация вневременной лжи до сих пор эстетически резонируют, что он не позаботился упомянуть о том, что Цисси Нар на самом деле скиннеровски[42] растили бояться, избегать & религиозно сторониться зеркал, любых поверхностей с отражающим покрытием, т. к. ее мудрый & разумный, но довольно бихевиористский отец страшился, что от увиденной красы

Усовершенствующегося изображения дочка впадет в непривлекательный нарциссизм, подсядет на автолюбовь; & Овидий не озаботился объяснением, что А. М. Н. потому только избрал для дебюта Цисси коматозную роль, чтобы ее глаза во время съемок всегда оставались кротко закрыты & чтобы спасти ее от невольных взглядов на мониторы или пленку, & т. д.; что если бы А. М. Н., может, разрешил своей Усовершенствованной Принцессе один-два раза быстренько по-митридатовски глянуть на себя в зеркало — чтобы таким образом хоть в какой-то степени уловить, что сотворили эстетические Усовершенствования д-ра Герма Дита,— до того, как в ее неподготовленное поле зрения вплыли отражающие очки Эхо Венисского, то она бы не заворожилась & не шокировалась образом, который вообще-то во всем сиятельном бассейне только она одна считала *неидеальным*, если не *гадким*, неадекватно Усовершенствованным & типа реально ненормально *смертным*, & ей бы хватило сил психологически взять себя в руки, чтобы бежать без оглядки & спастись от полуавтоматических вагнеровских устремлений безумного будущего призрака дециметровых волн. Так что Овидий задвинул весь этот нарративно важный бэкграунд в самый конец, претенциозно назвав его «эпексегезисом», & Старший Редактор уважаемого глянцевого органа, куда пришла заявка, остался недоволен, & орган в итоге так и не купил статью, хотя кабельное ХИМН Теда Атлантийского приобрело права на общий концепт Овидия для трибьют-спешла типа «Вспоминая Цисси» в рубрике «Панегирик», где можно снова & снова лепить футаж из открытых источников; & хотя «Вспоминая Цисси» так в итоге & не вышел на экраны («Хит или Миф» тогда обрабатывали 660 миф-рекомбинационных концептов per diem[43]), Овидию по Контракту причиталась далеко не обидная сумма, & в совокупности с ней плюс Неполным Гонораром от глянцевого органа Овидий Ограниченный не особо проиграл; не тревожьтесь об Овидии.

На смертном одре, держа тебя за руку, отец знаменитого нового молодого внебродвейского драматурга просит о милости

ОТЕЦ: Слушайте: я презирал его. Презираю.

[*ПАУЗА из-за приступа офтальморрагии; техник промокает тампоном / промывает правую глазную орбиту; смена повязок.*]

ОТЕЦ: Почему об этом никто не говорит? Почему все считают это благословением? Словно есть заговор, чтобы держать нас в неведении. Почему никто не отведет в сторону и не скажет, что грядет? Почему не говорят правду? Что ты потеряешь право на свою жизнь? И все ожидают, что ты отдашь все и не только не получишь благодарностей, но и не должен думать о них? Ни одной. Позабыть про принцип «дай-получи», который годами считал основой жизни, и теперь ничего не желать? И я скажу — хуже чем ничего: что у тебя не останется поистине *своей* жизни? Что все, чего ты желал себе, теперь должно желать ему? Отколе такое ожидание? Разве справедливо ожидать такого? От живого человека? Не иметь ничего и не желать ничего *для себя*? Что вся твоя человеческая натура должна измениться, переиначиться, как по волшебству, в тот же миг, когда оно возникает из нее, причинив столько боли и так уродуя тело, что никог... что она-то сама себя переиначит автоматически, словно по волшебству, в тот же миг, стоит ему возникнуть, словно по какому-то гормональному колдовству,— но что ты, кто не носил его, кто не был с ним соединен трубками, внутри останешься тем же, каким был всегда, и тем не менее тоже обязан измениться, отбросить все, сам? Почему никто не предупредит об этом, об этом безумии? Что если ты не сможешь отринуть самого себя, измениться и позабыть все от радости — что за это тебя осудят. Не только как так называемого родителя, но как человека. Твое человеческое достоинство. О, чопорный самодовольный взгляд тех, кто судит родителей, судит за то, что они не изменились по волшебству, что не уступили мгновенно все, о чем желали прежде, и — securus judicat orbis terrarum [44], отец. Но, отец, неужели мы действительно так верим, что это очевидно и естественно, что никто даже *не думает* об этом сказать? Инстинкт, как моргать? Почему никто не хочет предупредить? Мне это очевидным не казалось, могу вас уверить. Вы когда-нибудь видели своими глазами послед? наблюдали с раскрытым ртом, как он выползает и шлепается на пол, и что с ним потом делают? Никто мне не говорил, уверяю. Что сама супруга осудит тебя как неполноценного только за то, что ты просто остался человеком, за которого она выходила замуж. Мне одному не говорили? Почему заговор молчания, когда...

[*ПАУЗА из-за приступа диспноэ.*]

ОТЕЦ: Я презирал его с первой секунды. Я не преувеличиваю. С первой же секунды, как они сочли уместным впустить меня, и я увидел, что он уже пригрелся, пристроился к ней, уже сосет в свое удовольствие. Сосет ее, иссушает, и ее поднятое горе лицо — той, что очень твердо обозначила свое отношение к желанию сосать ее части тела, могу вас... ее лицо, она изменилась, стала абстракцией, Матерью, с лицом роженицы в святом восторге, лучезарным, словно не было этих агрессии и гротеска. Она кричала на столе, *кричала* — и где теперь та девчушка? Никогда не видел у нее такого выражения...

как говорится, «сама не своя», да? Кто-нибудь задумывался над этим оборотом? что он подразумевает на самом деле? С той же секунды я понял, что презираю его. Нет другого слова. Презренный. Как и все, что было потом. Правда: я не нашел это ни естественным, ни радостным, ни прекрасным, ни справедливым. Думайте обо мне что хотите. Это правда. Только мерзость. Неуемно. Атака на чувства. Вы даже представить себе не можете. Недержание. Рвота. Сам запах. Крики. Депривация сна. Эгоистичность, устрашающая эгоистичность новорожденного — вы не представляете. Никто нас к этому не готовит, к абсолютной *отвратительности*. Безумные траты на пластмассу пастельных тонов. Клоачная вонь детской. Бесконечная стирка. Ароматы и постоянный шум. Нарушение всевозможных графиков. Слюни, ужас и пронзительные вопли. Те вопли — как иглы. Может, если бы нас готовили, предостерегали. Бесконечная реконфигурация графиков вокруг него. Из-за его желаний. Он правил из колыбели, правил с первой секунды. Правил ею, укоротил и переделал ее. Какой властью он обладал даже в младенчестве! Я познал бездонную жадность его. Моего сына. Запредельную надменность. Царскую жадность, бездумное неповиновение, бессмысленную жестокость — буквальную *бездумность* его. Кто-нибудь задумывался о смысле этих слов? О бездумности, с которой он относился к миру? Как он швырялся вещами и вцеплялся в них, как он ломал их и просто шел дальше. В младенчестве. Кризис двух лет, о да. Я видел других детей; я изучал других детей его возраста — что-то в нем было не так, чего-то не хватало. Психопат, социопат. Гротескное наплевательство на все, что мы давали. Поверьте мне. Разумеется, запрещено говорить «Я за это заплатил! Береги же! Прояви толику уважения хоть к чему-то, кроме себя!» Нет, никогда. Никогда. Ты станешь чудовищем. Какой родитель попросит подумать, отколе все берется? Никогда. Ни единой мысли. Я годами следил с отпавшей челюстью, слишком устрашенный, чтобы даже понимать, что... неуместно об этом говорить. Никто другой даже ничего этого не замечал. Его. Органическое расстройство характера. Отсутствие всего, что мы называем «человеческим». Психоз, который никто не смеет диагностировать. Никто об этом не говорит — что ты живешь ради психопата и служишь психопату. Никто не упоминает о злоупотреблении властью. Никто не упоминает, что будут психотические истерики, после которых пожалеешь... даже одно его лицо — правда, я питал отвращение к его лицу. Мягкое влажное личико, нечеловеческое. Круг сыра, с такими чертами, словно кто-то торопливо выщипал прокисшее тесто. Я такой... я был такой один? Что лицо младенца совершенно неузнаваемое, нечеловеческое лицо — это правда,— так почему все торопятся заломить руки и назвать его красивым? Почему просто не признать уродство, которое сойдет с возрастом? Почему же — но как с самого начала его глаз — правый глаз моего сына — он выдавался — да, легко, но чуть сильнее левого, и моргал слишком быстро, словно от тика, словно мерцание из-за отошедшего контакта в цепи. То трепещущее моргание. Выпуклость того же глаза — легкая, но раз замеченная — впредь незабываемая. Легкий, но агрессивный напор глаза. Все создано для него, а этот глаз выдавал... триумф, остекленелое ликование. Педиатрический термин — «экзофтальмический», предположительно безвредно, со временем излечимо. Я никогда не говорил ей о том, что понял сразу: не излечимо, не случайный знак. Если хочешь увидеть то, чего никто не желает видеть или признать, смотреть надо именно туда, в этот глаз. Единственный зазор маски. Послушайте. Я гнушался своим ребенком. Его глазом, ртом, губами, выщипанным пятаком, влажными отвисающими губами. Сама его кожа была болезнью. Термин — «парша», хроническая. Педиатры не могли установить причин. Кошмар для медстраховки. Я полжизни провел на телефоне с этими людьми.

Носил маску заботы под стать ее. Никогда ни слова. Хворый ребенок, слабый и сырно-белый, с хронической закупоркой пор. Нагнаивающиеся язвы хронической парши, струпья. Прорывающиеся инфекции. «Нагноение»: термин означает, что он «сочится». Мой сын сочился, выделял, шелушился, нагнаивался, истекал в каждом секторе. Кому об этом сказать? Что он научил меня презирать тело и то, что значит иметь тело... испытывать омерзение, отвращение. Не раз мне приходилось отворачиваться, выходить, скрываться за углом. Рассеянное бездумное ковыряние, расчесывание, колупание, игра, бездонно нарциссическое увлечение своим собственным телом. Будто его конечности были всеми сторонами мира. Раб себя. Двигатель бессмысленной воли. Власть ужаса, поверьте мне. Безумные истерики, когда оспаривали его волю. Когда очередное удовольствие откладывали или запрещали. Кафкианство — тебя наказывают за то, что ты защищаешь его от него же самого. «Нет, нет, дитя, сынок, я не могу разрешить тебе сунуть руку в кипяток испарителя, лопасти оконного вентилятора, не пей домашний растворитель» — истерика. Безумие их. Не объяснить, не урезонить. Можно лишь уйти, устрашившись. Заставить себя не разрешить и в следующий раз — не разрешить с улыбкой: «Попробуй растворителя, сынок», учись на ошибках. Нытье, скулеж, докука и вспышки гнева. Не просто психотик, как я понял. Откровенно спятивший. Подоплека каждого взрыва. «Перевозбудился, переутомился, капризничает, горячится, нужно полежать, просто расстроился, просто долгий день» — вот литания ее оправданий. Его бесконечная эмоциональная манипуляция ею. Его неуемность и ее нечеловеческая реакция: даже когда она понимала, что он вытворяет, то прощала его, она очаровывалась обнаженностью его беззащитности, его, как она это называла, «потребностью» в ней, как она это называла — «недостатком уверенности». Уверенность? Недостаток? Он же никогда ни в чем не сомневался. Он знал, что все принадлежит ему. Он никогда не сомневался. Словно все было из-за него. Будто он все заслужил. Безумие. Солипсизм. Он хотел все. Все, что я тогда имел, имел раньше, никогда не буду иметь. Бесконечно. Слепой, бессмысленный аппетит. Не побоюсь сказать: зло. Вот. Могу представить ваше лицо. Но он был злом. И кажется, я единственный это знал. Он карал меня тысячей способов, а я ничем не мог ответить. К вечеру лицо начинало не на шутку болеть от тех усилий, с которыми приходилось держать себя под контролем... даже в его дыхании отражалась легкая нотка жалобы. Круги синяков неутомимого аппетита под глазами. Выдох — всхлип. Два разных глаза, один из них ужасен. Краснота и дряблость его рта, и какими влажными были его губы, сколько их не вытирай. От природы влажный ребенок, всегда липкий, с еле заметным запахом плесени. Отсутствующее лицо, когда увлекался каким-нибудь баловством. Чрезвычайное бесстыдство его жадности. Чрезвычайное чувство права на все. Как долго мы учили его даже формальному «спасибо». И он никогда не говорил всерьез, а она не обращала внимания. Она никогда... не обращала внимания. Она была его слугой. Рабская ментальность. Совсем не эту девчушку я просил выйти за меня замуж. Она была его рабой и верила, что живет в радости. Он играл с ней, как кошка с мышью, а она испытывала радость. Сумасшествие? Куда пропала моя жена? Что это за существо она лелеяла, пока оно присасывалось к ней? Большая часть детства — моих воспоминаний — в основном сводится к тому, что я стою в паре метров, наблюдаю за ними в устрашенном изумлении. Скрываясь за исправной улыбкой. Слишком слаб, чтобы заявить вслух, попросить. Такова была моя жизнь. Вот что за правду я таил. Благодарю, что выслушиваете. Важнее, чем вы думаете. Говорить вслух. Te ju... судите меня как пожелаете. Нет, прошу. Я умираю — нет, я это знаю,— прикованный к постели, почти слепой, распотрошенный, катаральный, умирающий, одинокий, в мучениях. Только взгляните на эти чертовы трубки. Жизнь в таком молчании. И это моя исповедь. Благодарю вас. Не за то, что вы... не вашего прощения я... только услышьте правду. О нем. Что я его презирал. Нет другого слова. Часто я был вынужден отводить взгляд, отворачиваться. Таиться. Я узнал, почему отцы держат вечерние газеты именно так.

[*ПАУЗА, когда ОТЕЦ пытается изобразить жестами, будто держит перед лицом что-то развернутое.*]

ОТЕЦ: Я вспоминаю, как однаж... что-то, истерика из-за того или иного за ужином. Я не хотел, чтобы он ел в гостиной. Думаю, это разумно. Чтобы есть, придумана столовая; мне пришлось объяснить ему этимологию и смысл слова «столовая». Гостиная же, которую я резервировал для себя, чтобы посидеть полчаса с газетой после ужина... и вот он там, вдруг передо мной, на новом ковре, ест конфету в гостиной. Я требовал неразумного? Он получил конфету в награду за то, что съел здоровый ужин, за который тяжело работали и я, и она — чувствуете? осуждение, отвращение? ведь нельзя говорить подобного, упоминать, что платил, что посвятил свои ограниченные ресурсы... это эгоистично, нет? плохой родитель, нет? скаредный? *эгоистичный?* И все же да, да, я заплатил за цветные шоколадные конфетки, конфетки, с которыми он стоял передо мной, опрокинув пакетик, чтобы засыпать все конфетки в рот разом — никогда не одна за другой, всегда все сладости разом, как можно быстрее, несмотря на утечки, отсюда моя натужная улыбка, осторожно мягкое напоминание об этимологии «столовой» и не столько приказ — памятую о ее реакции, всегда,— сколько *просьба*, пожалуйста, не надо конфет в... и уже с набитым конфетами ртом началась истерика, пищал, топал ногами и вопил изо всех сил в гостиной с полным ртом шоколада, открытый красный рот полон разжеванных конфет вперемешку со слюной, и, пока он вопил, все переливалось через губы, пока он вопил и топал, и текло по подбородку и рубашке, и, робко выглядывая из-за газеты, выставив ее перед собой как щит, я заставлял себя оставаться в кресле, молчать и наблюдать, как мать теперь, стоя на колене, вытирает шоколадную слюну с подбородка, пока он кричит на нее и отмахивается от салфетки. Как можно видеть такое и не устрашиться? Как... где решено, что подобное приемлемо, что подобное существо требуется не только терпеть, нет, но *утешать*, даже *умиротворять*, как она тогда на коленях, нежно, в кошмарном контрасте с неприемлемостью происходящего. Что это за сумасшествие? Что я слышал напевную интонацию, с которой она его утешала — из-за *чего?* — снова и снова терпеливо подносила салфетку, от которой он отбивался и кричал, что ненавидит мать. Я не преувеличиваю; он так говорил: ненавижу тебя. *Ненавидит* ее? *Ее?* Стоящую на коленях, делающую вид, что ничего не слышит, что это ничто, каприз, долгий день, что... что за колдовство хранило это терпение? Что за человек способен оставаться на коленях, вытирая слюни, вызванные *его, его* нарушением простого и разумного запрета на как раз именно такой мерзкий беспорядок в комнате, где по этимологии должно принимать *гостей*? Что за пропасть безумия разверзлась между нами? Что это было за создание? Почему мы все терпели? Как я могу заслуживать порицание лишь за то, что закрылся газетой от подобной сцены? Тут либо отвернуться, либо убить на месте. Как то, что приходится сделать, чтобы контролировать се... как это можно приравнять к тому, что я холодный или невеликодушный, так сказать, или, Господь упаси, «жестокий»? Жестокий к *этому*? Почему «жестокими» называют только тех, кто платит за шоколадки, которые он выплевывает на рубашку, оплаченную мной, которыми заляпывает ковер, оплаченный мной, и которые он размазывает ботинками, оплаченными мной, яростно топоча ногами в ответ на кроткую просьбу предпринять разумные шаги, дабы отвратить именно тот беспорядок, который он учинил? Я единственный, кому это кажется бессмыслицей? Кто отвращен, устрашен? Почему даже говорить об этой мерзости запрещено? Кто установил это правило? Почему это меня нельзя видеть и слышать? Откуда эта инверсия моего собственного воспитания? Каким немыслимым наказаниям мой отец подверг бы...

[*ПАУЗА из-за приступа диспноэ, бленнорагии.*]

ОТЕЦ: Да. Иногда я, нет, буквально не мог выносить его вида. Парша — заболевание кожи. Язвочки на затылке нагнаивались и образовывали струпья. Струпья становились желтыми. Детская болезнь кожи. Детское состояние. Когда он кашлял, желтые струпья осыпались. Его выпученный глаз постоянно истекал чем-то вязким, чему нет названия. Во время завтрака, приготовленного матерью, в его ресницах были сгустки бледной слизи, которую приходилось счищать тампоном, а он корчился и жаловался, пока его чистили от отвратительной слизи. Над ним всегда висел запах порчи, гнилости. И она прижималась к нему, чтобы просто понюхать. Из носа текло неуемно и необъяснимо, вызывая красные пупырчатые язвочки у ноздрей и на верхней губе, отчего возникало еще больше струпьев. Хронические ушные инфекции значили не только всплеск возбудимости истерик, но и запах, выделения, от описания аромата которых я вас избавлю. Антибиотики. Он был истинной чашкой Петри инфекций, выделений, извержений и истечений, ярко-белых, пятнистых, влажных, плоть от плоти чего-то из подвала. И все же любой, кто его видел, заламывал руки и восклицал. Прелестный ребенок. Ангелок. Душечка. Изящество. Разбивает сердца. Употребляли слово «прелестный». Я просто стоял — что я мог сказать? Осторожное выражение удовольствия. Но видели бы они нечеловеческое рвотно-белое личико во время инфекции, приступа, истерики, свинской зловредности, воинственной уверенности, что ему все должны, ненасытности.

Уродства. «И мерзостные струпья облепили, как Лазарю, мгновенною коростой все тело мне» — уродливая правда. Слизь, гной, рвота, экскременты, понос, моча, воск, сера, мокрота, многоцветные струпья. Вот его природные таланты... дары, что он нам преподнес. Метался во сне или горячке, хватался за самый воздух, словно хотел прижать его к себе, никому не отдать. И всегда подле постели она — его, в рабстве, околдованная, подтирающая, промокающая, ухаживающая, лелеющая, никогда ни слова признания чистого кошмара, который он производил и который, согласно ожиданиям, она должна была подтирать. Бесконечное неблагодарное ожидание. Никогда не признавала. Девчушка, на которой я женился, реагировала бы на это существо совсем, совсем иначе, поверьте мне. Относился к ее грудям, будто они его. Собственность. Ее соски цвета драной коленки. Мял, хватал. Издавал жадные звуки. Обращался как с вещью. Чихал, сопел. Полностью увлеченный своими ощущениями. Без рефлексий. В своем теле как дома — как может чувствовать себя дома только тот, чье тело — не *его* работа и забота. Полон собой, до самых краев, как набухший после дождя пруд. Он *был* своим телом. Я часто не мог смотреть. Даже скорость роста в первый год — статистически необычная, отмечали врачи,— темп паразитный, агрессивный, волевое навязывание себя пространству. Мерцающий напор правого глаза. Иногда она кривилась в гримасе под его весом, когда держала, поднимала, но тут же замечала короткую гримасу и стирала — уверен, я видел,— тут же заменяла выражением наркотического терпения, абстрактного рабства, я в нескольких метрах, экстрорзный, пытаюсь не...

[*ПАУЗА из-за приступа диспноэ; техник подсоединяет трахеобронхиальный дренажный катетер.*]

ОТЕЦ: Так и не научился дышать, вот почему. Отвратительно слышать это от меня, да? И конечно, да, иронично, учитывая... и она бы умерла на месте, если бы услышала такое от меня. Но это правда. Какая-то хроническая астма и склонность к бронхиту, да, но это не то, что я... я имею в виду назальное. Физически его нос был в порядке. Несколько раз платил за исследования, анализы, все сошлись, нос нормальный, большинство закупорок от простого неупотребления. Хронического неупотребления. Правда: он так и не потрудился научиться. Дышать. И зачем утруждаться? Дышал через рот, что, конечно, в краткосрочной перспективе проще, требует меньше усилий, максимизирует всасывание, получаешь все разом. И по сей день он дышит, мой взрослый сын, через дряблый и столь обожаемый рот, который, как следствие, всегда приоткрыт, этот рот, дряблый и влажный, и в уголках рта скапливаются белые крошки едкой пены, и, конечно, слишком затруднительно посмотреться в зеркало уборной и незаметно убрать их, и избавить других от вида гранул массы в уголках рта, вынуждая всех молчать и притворяться, будто никто ничего не видит. Эквивалент длинных, неухоженных или длинных мужских ногтей, а я неустанно объяснял, что в его же интересах держать их постриженными и ухоженными. Когда я его представляю, его рот всегда приоткрыт, нижняя губа влажная и отвисшая и выдается куда дальше, чем полагается выдаваться нижней губе, один глаз мутный от жадности, а второй — дрожащая выпуклость. Что, уродство? Так и было. Вините гонца. Прошу. Заткните меня. Одно слово. Воистину, отец, но чье уродство? Ибо она.... что он был хворым ребенком, ребенком, который.... всегда в постели с астмой или ушами, постоянным бронхитом и серьезным гриппом, легкой хронической астмой, да, правда, но целыми днями кряду в постели, когда солнце и свежий воздух могли бы только по... позвоните, больно... у него был серебряный колокольчик на носу ракеты, в который он звонил, чтобы вызвать ее. Не обычная нормальная детская кровать, но кровать по каталогу, свинцово-серого цвета, с

«Аутентичным серебристым покрытием», плюс доставка и комплектация аэродинамическими крыльями и носом, необходима сборка, и приложенные инструкции в основном на кириллице, и да, и как вы думаете, от кого ожидалось ее со... серебряное звяканье колокольчика — и она летит, летит к нему, неловко горбится над крыльями ракеты, холодными железными крыльями, ухаж... он все звонил и звонил.

[*ПАУЗА из-за приступа офтальморрагии; техник промокает/промывает правую глазную орбиту; смена повязки на лице.*]

ОТЕЦ: Колокольчиками, разумеется, на протяжении истории вызывали слуг, челядь — это наблюдение я держал при себе, когда она поставила ему колокольчик. Официальная версия — колокольчик на случай, если он не сможет дышать, чтобы дать знать. Колокольчик для критических ситуаций. Но он злоупотреблял. В болезни он звонил беспрестанно. Иногда только чтобы заставить ее посидеть подле кровати. Требовалось ее присутствие — и она шла. Даже если колокольчик звонил во сне, хотя бы и мягко, лукаво — намек на зов, а не звон,— но она слышала, и вскакивала с постели, и бежала по коридору, даже не накинув халата. В коридоре часто холод. Дом плохо утеплен и отопление стоит баснословно. Я, когда просыпался, брал ее халат, тапочки; она не вспоминала. Увидеть, как она, еще спящая, встает под раздражающий звон,— увидеть контроль над разумом во всей красе. Вот его гений: *нуждаться*. Сон, который он у нее крал, по желанию, ежедневно, годами. Видеть, как сдавали ее лицо и тело. Ее тело так и не успело восстановиться. Иногда она казалась старухой. Скверные круги под глазами. Ноги отекли. Он отнимал у нее годы. А она могла бы поклясться, что отдавала их по собственной воле. Клялась. Я уже не говорю о *своем* сне, *своей* жизни. Он никогда не думал о ней иначе, только в контексте себя. Это правда. Я знаю его. Видели бы вы его на похоронах. В детстве он... она слышала колокольчик и, даже еще не проснувшись, плелась в уборную, выворачивала все краны и заполняла ее паром, и сидела на стульчаке с ним на руках часами, в пару, пока он спал... что она променяла свой покой на его, на следующую же ночь после... и что не только на следующее утро расходовалась вся горячая вода для нас самих, но и что постоянный пар проникал на второй этаж, и все было постоянно сыро от пара, и в теплую погоду поднималось влажное зловоние грибка, и если бы я открыто указал на него, на ракету и звон как на источник, она бы устрашилась, половицы повело, обои отслаивались лентами. Вот его дары. Тот рождественский фильм — шутка в том, что благодаря нему крылья выросли у тысяч ангелов.[45] Не то чтобы он никогда по-настоящему не болел, не могу ложно обвинить его в... но он этим *пользовался*. Колокольчик был только одним из самых очевидных... и она верила, что это все ее затея. Вращаться вокруг него. Изменять себе, уступать себя. Испаряться как личность. Стать абстракцией: Матерью, Коленопреклоненной. Вот что за жизнь настала после того, как он явился,— она вращается вокруг него, я регистрирую ее движения. Что она звала его благословением, солнцем в ее небе. Это уже была не та девчушка, на которой я женился. И она даже не знала, как я скучал по той девчушке, скорбел по ней, как замирало сердце при виде того, чем она стала. Я был слишком слаб, чтобы сказать ей правду. Презирал его. Не мог. Вот что самое тлетворное, вот что я истинно презирал — что он правил и *мной*, хотя я видел его насквозь. Я ничего не мог поделать. Когда он явился, между нами разверзлась пропасть. Через нее не долетал мой голос. Как часто поздней ночью я слабо приваливался к косяку уборной, стирая пар с очков поясом халата, и так отчаянно хотел сказать, произнести: «А как же *мы*? Куда делись наши жизни? Почему это удушающее сосущее неблагодарное создание значит больше, чем мы? Кто решил, что так и должно быть?» Умолять ее стать собой, вырваться. В отчаянии, слабый, не произнес — она бы не услышала. Вот почему нет. Боялся, что она услышит... услышит лишь плохого отца, неполноценного человека, незаботливого, *эгоистичного*, и тогда падут последние из свободно избранных нами уз. Что она выберет. Слаб. О, я был обречен, я знал и сам. Мое самоуважение тоже стало игрушкой в этих липких ручонках. *Гений* его слабости. Ницше и понятия не имел. И еще большая чепуха — и это, вот это была моя благодарность — бесплатные билеты? Черный юмор. И их зовут бесплатными? И оплата билетов, которая хвалит и вытягивает мои губы в улыбку, чтобы притворяться вместе со... *Это* моя благодарность? О, бесконечное чувство, что ему все должны. Бесконечное. Что ты понимаешь вечные муки во все ночные хворые часы, когда она горбится на одной ягодице на прикрученном крыле ускорителя нелепой кровати в форме ракеты, которую он у нее выклянчил,— скорее игрушка, чем кровать, на коленях с невозможными инструкциями и неподходящим инструментом, пока он загораживал свет,— ироническое крыло не шире ляжки, но будь я проклят, если встану на колени у этой с трудом собранной кровати. Моя работа — следить за испарителем, забирать влажное белье и присматривать за дыханием и температурой, пока он лежал с колокольчиком, а она, не выспавшись, неслась по холоду к круглосуточному аптекарю, горбиться на крыле ракеты-носителя омытым ароматами геля с ментолом, зевать, поглядывать на часы, смотреть, как он отдыхает с раскрытым нараспашку влажным ртом, следить, как поднимается и опускается его грудь с тщедушным минимальным усилием, пока он пялится без выражения из-под трепета правого века, или признавать — вырываться из сновидческого откровения, что я желал, так сильно хотел, чтобы она унялась, эта грудь, успокоила свое ленивое движение под ватным одеялом с Близнецами, которым он требовал себя накрывать,— видел в мечтах, что она опадает в покое, успокаивается, колокольчик унимает свое патрицианское звяканье — последнее содрогание слабой и всемогущей груди, и да, потом я бил себя по груди, крест-накрест, вот так...

[*ОТЕЦ слабо изображает удары по груди.*]

...в наказание за свое желание, пристыженный, в таком я был рабстве. Он лишь пялился с обмякшим ртом на мое самоистязание, с влажно отвисшей красной влажной губой, едкой пеной, струпьями, как у Лазаря, слюной на подбородке, ментоловой вонью мази для груди, торчащим сливочным сгустком соплей, пустым глазом, мерцающим, как негодная лампочка — выдерни ее! выдерни!

[*ПАУЗА из-за удаления, прочистки, возвращения техником трубки для подачи О2 в ноздрю ОТЦА.*]

ОТЕЦ: Втиснувшись на крыло, нежно промокая его лоб, стирая мокроту с подбородка и изучая сгусток на платке, пытаясь... и... да, на подушку, глядя на подушку, уставившись и думая, как быстро можно... как мало движений требуют не только желания, но и воли, навязать мою волю, как он всегда беспечно и делал, лежал и притворялся, что в горячке не видит мои... но это было, это было жалко, даже не... я думал о своем весе на подушке так, как человек с недоимками думает о внезапном состоянии, выигрыше в тотализаторе, наследстве. Мечтания. Я верил, что борюсь с собственной волей, но то была лишь фантазия. Не воля. Velleitas[46] Аквинского. Мне не хватало того, что, казалось, нужно для... или, может, мне не хватало того, чего должно не хватать, да? Я не мог. Желал, но не... возможно, и достоинство, и слабость. Te judice, отец, да? Я знаю, что был слаб. Но послушайте: я желал этого. Это не исповедь, а лишь правда. Я желал. Я презирал его. Я скучал по ней и скорбел. Я ненавидел... я не понимал, почему его слабость должна позволить ему победить. Это безумие, бессмыслица — благодаря какой заслуге или умению *он* должен победить? И она так и не узнала. Это самое страшное, его lèse majesté [47], непростительно: пропасть, что он разверз между ней и мной. Мое нескончаемое притворство. Мой страх, что она примет меня за чудовище, неполноценного. Я притворялся, что люблю его так же, как она. Я исповедуюсь вам. Я подверг ее... последние двадцать девять лет нашей жизни были ложью. Моей ложью. Она так и не узнала. Я умел притворяться лучше всех. Ни один неверный муж не был таким осторожным лицедеем, как я. Я помогал ей с перевязкой и забирал сверток от аптекаря, и шептал свой искренний доклад о состоянии его дыхания и температуры в ее отсутствие, она слушала, но смотрела сквозь меня, на него, не замечая, как идеально мое выражение заботы копировало ее. Я слепил лицо по ее подобию; она научила меня притворяться. Ни разу даже не задумалась об этом. Вы понимаете, каково мне было? Что она ни на миг не сомневалась, будто я не чувствую того же, что я не уступил всего себя... что я не был тоже зачарован этим сосущим существом?

[*ПАУЗА из-за серьезного приступа диспноэ; медсестра применяет трахеобронхиальный дренажный катетер.*]

ОТЕЦ: Что впредь и присно она не знала меня? Что моя жена перестала знать меня? Что я отпустил ее и притворился, словно все еще с ней? Могу ли я надеяться, что кто-нибудь вообразит, как...

[*ПАУЗА из-за приступа глазной дрожи; техник промывает/удаляет последствия офтальморрагии; смена глазной повязки.*]

ОТЕЦ: Что мы занимались любовью, а потом унимались, свернувшись, в нашей особой позе для отхода ко сну, и она была неспокойна, все шептала и шептала о нем, всякий мыслимый пустяк о нем, треволнения и желания, материнский щебет,— и принимала молчание за согласие. Суть пропасти была в том, что она верила, будто пропасти нет. Ширина нашей кровати росла день ото дня, и она никогда... ни разу не задумалась. Что я видел насквозь и гнушался им. Что я не только не разделил ее околдованность, но был в ужасе от его чар. Это я виноват, не она. Вот что я скажу: он стал моей единственной тайной от нее. Она была истинным солнцем на моем небе. Одиночество тайны стало запредельной бо... о, как я ее любил. Чувства мои ни разу не дрогнули. Я полюбил ее с первой секунды. Мы были предназначены друг для друга. Вместе, едины. Я понял это в тот же миг... увидел ее в руках того шута-боудинца[48] в меховом воротнике. Держала вымпел университета, как иной держит зонтик. Что я полюбил ее на месте. Тогда у меня еще был слабый акцент; она шутила над ним. Передразнивала меня, когда я злился... так может лишь любовь всей жизни... гнев испарялся. Как она воздействовала на меня. Она следила за американским футболом и родила сына, который не мог играть, а потом — когда хвори таинственно унялись, а сам он стал лоснящимся и полным жизни,— не захотел. Взамен она смотрела, как он плавал. Тошнотворные уменьшительные, Медвежонок, Тигренок. В средней школе он плавал. Вонь дешевой хлорки в залах, не вздохнуть. Пропустила она хоть раз? Когда она перестала следить, за футболом, на «Зените» с плохой настройкой, который мы смотрели вместе... подержите, вот... занимались любовью и лежали свернувшись, как близнецы во чреве, рассказывая все. Я мог рассказать ей все. Так когда все это ушло. Когда же он все у нас отнял. Почему мне никак не вспомнить. Помню день, когда мы познакомились, словно вчера, но провалиться сквозь землю, если помню вчера. Жалкий, отвратительный. Им все равно, но если бы они знали, каково... как больно, черт возьми, дышать. Опутан трубками. Ублюдки, истечение из каждой... да, я видел ее, и она меня, скромно держала вымпел, я был новенький и не мог разобрать... наши глаза встретились, все клише тут же стали правдой... я знал, что она та, которой я принадлежу целиком. За ней по лужайке следовал свет. Я просто знал. Отец, она была апогеем моей жизни. Наблюдал... что «она была девушкой для всего меня / моя недостойная жизнь для тебя» [мелодия незнакомая, нестройная]. Стоять перед церковью и священником и клясться. Разворачивать друг друга, как дары от Бога. Разговоры длиною в жизнь. Если бы вы видели ее на свадьбе... нет, конечно нет, тот ее взгляд... только для меня. Любить с такой глубиной. Нет лучшего чувства на всем божьем свете. Как наклоняла головку, когда веселилась. Как ее только не веселил. Мы смеялись надо всем. Мы были нашей тайной. Она выбрала меня. Друг друга. Я рассказывал ей то, что не рассказывал родному брату. Мы принадлежали друг другу. Я чувствовал себя избранным. Кто выбрал *его*, молю, ответьте? С чьего ведома дано согласие на наши утраты всего доныне? Я презирал его за то, что он вынудил меня скрывать, что я его презирал. Обыватели — это одно, с их осуждениями, требованием, чтобы ты нянчил, ворковал и бросал мячик. Но для нее? Что я обязан носить маску для нее? Звучит чудовищно, но это правда: он виноват. Я просто не мог. Сказать ей. Что я... что он поистине отвратителен. Что я так горько жалел о том, что она зачала. Что она *не видела* истинного его. Убедить ее, что она околдована, потеряна для себя. Что она обязана вернуться. Что я так по ней скучал. Ничего из этого. И не из-за себя, поверьте — она бы этого не вынесла. Это бы ее погубило. Она была бы загублена, и все из-за него. Это он сделал. Извратил все по-своему. Околдовал. Боялся, что она... «Бедный мой беззащитный Медвежонок у твоего отца чудовищная незаботливая бесчеловечная душа которую я не разглядела но теперь мы все видим правда же но он нам не нужен правда же а теперь позволь тебя радовать пока не сдохну к черту». Чего-то не хватало. «Он нам не нужен правда же ну ну». Неуемно вращалась вокруг него. Ее первая и последняя мысль. Она больше не была девчушкой, на которой... теперь она стала Матерью, играла роль в сказочке, опустошив себя всю... Нет, неправда, что это ее погубило бы,— в ней и так ничего не осталось, она вообще не могла меня *понять*, все равно что говорить с... она бы наклонила головку вот так и посмотрела на меня безо всякого понимания. Все равно что сказать ей, что солнце не встает каждый день. Он сделал себя ее миром. *Он* был настоящей ложью. Она верила *его* лжи. Она верила: солнце встает и садится только...

[*Пауза из-за приступа диспноэ, визуальных признаков гематурии; медсестра находит и очищает пиурическую закупорку в мочевом катетере; генитальная дезинфекция; техник переустанавливает и калибрует урологический катетер.*]

ОТЕЦ: Суть. Соль. Выкинуть все остальное. Вот почему. Великая черная огромная ложь, которую почему-то мог только я видеть насквозь... насквозь, как в кошмаре.

[ПАУЗА *из-за серьезного приступа диспноэ; медсестра применяет трахеобронхиальный дренажный катетер, закупорка легочной артерии; техник (1) применяет тампоны для пережатия кровоточащего сосуда; находит и предпринимает попытку удаления слизистой закупорки в трахее* ОТЦА; *техник (2) вводит распыленный раствор адреналина; коклюшное выкашливание сгустка мокроты; техник (2) удаляет сгусток в одобренный Приемник для Медицинских отходов; техник (1) возвращает трубку для подачи O_2 в ноздрю* ОТЦА.]

ОТЕЦ: Рабство. Слушайте. Мой сын — зло. Я слишком хорошо знаю, как это звучит, отец. Te judice. Вам меня судить уже бесполезно, как видите. Слово «зло». Я не преувеличиваю. Он что-то высосал из нее. Какую-то способность к распознаванию. Она потеряла чувство юмора, вот очевидный знак, за который я цеплялся. Он излучал какое-то необыкновенное забвение. Сводит с ума — видеть его насквозь и не... и не только она, отец, нет. Все. Сперва незаметно, но потом, о, скажем, к средней школе это проявилось во всей красе: околдованность всего мира. Как будто никто не мог *увидеть* его. Начались, к чистому шоку с ее стороны, сюрреалистические упоительные излияния педагогов и директоров, тренеров и комитетов, и деканов, и даже духовенства, приводившие ее в материнское упоение, пока я стоял и жевал язык, не веря ушам своим. Словно все они стали его матерью. Она и они впали в слепое блаженство, пока я кивал рядом с осторожным, исправно довольным выражением лица, отрепетированным за годы практики, сам не свой. Потом, когда мы уносились домой, я изобретал какой-нибудь предлог и сидел в одиночестве в своем кабинете, схватившись за голову. Он как будто делал это по желанию. Все вокруг. Великая ложь. Он покорил чертов мир. Я не преувеличиваю. Вас там не было, вы не слушали с отпавшей челюстью: о, такой гениальный, такой чуткий, такая проницательность, скороспелость без бахвальства, какое удовольствие знаться с ним, столь многообещающий, такая беспредельная одаренность. Снова и снова. Такой непередаваемый *вклад*, очень *приятно* видеть его в нашем классе, нашей команде, нашем списке, нашем штате, нашей сраматургической группе, нашей плеяде умов. Такая беспредельная одаренность, конец цитаты. Вы не представляете, что чувствуешь, когда слышишь это: «одаренность». Будто дары получены бесплатно, а не... хоть раз достало бы мне духу схватить одного из них за узел широкого галстука, подтянуть и провыть правду в лицо. Эти остекленевшие улыбки. Рабство. Если бы только он покорил и меня. Мой сын. О, и да, я молился, размышлял и искал, изучал и узнавал его, и молился, и искал, не унимаясь, молился, чтобы меня покорили, околдовали, позволили их чешуе закрыть и мои глаза. Я изучал его со всех ракурсов. Я усердно тщился отыскать, что же они в нем видели, natus ad glo [49]... Как на том торжестве директор отозвал нас в сторонку, чтобы отвести в сторону и дышать джином, что это лучший и самый многообещающий ученик, какого он видел за весь срок в средней школе, пока за ним твидовый хор педагогов, прислушивающихся и вставляющих словцо — какое удовольствие, стоит работать ради таких редких учеников, как... беспредельная одаренность. Искусственная мина, давно застывшая на лице, казалась улыбкой, пока она заламывала перед собой руки, благодаря, благо... поймите, я *занимался* с мальчиком. Немало. Я его испытывал. Я сидел с ним за сложением. Пока он ковырял струпья и отсутствующе пялился в страницу. Я бдительно наблюдал, как он мучился с чтением, а после тщательно его расспрашивал. Я занимался им, экзаменовал, тонко и тщательно, и без пристрастия. Прошу, поверьте. Ни единой искры гениальности. Я клянусь. Это дитя, интеллектуальным апогеем которого оставалась умеренная компетенция в сложении, приобретенная через бесконечную зубрежку самых элементарных операций. Чьи печатные «S» оставались перевернутыми до восьми лет, несмотря на... кто произносил «катарсис» амфибрахием. Отрок, вся социальная личность которого заключалась в пустом дружелюбии и в котором отсутствовали напрочь остроумие или уважение к нюансам выдающейся английской прозы. Это не грех, разумеется, заурядный мальчик, обычный... заурядность не грех. О нет, но тогда откуда столь высокая оценка? Какие *дары*? Я читал его сочинения, все до единого, не пропустив ни буквы, до того, как он их сдавал. Я взял себе за правило отводить на это время. На его исследование. Заставлял себя обуздать пристрастие. Я хоронился за дверями и наблюдал. Даже в университете он оставался тем, для кого «Орестея» Софокла была неделями мучений со слюнями на подбородке. Я скрывался за дверями, в альковах, печных трубах. Наблюдал за ним, когда рядом никого не было. «Орестея» — не трудное или непостижимое произведение. Я искал, не унимаясь, втайне, что же все в нем видели. И *перевод*. Недели зубрежки, и даже не с греческого языка Софокла — с какой-то разжеванной адаптации,

стоял невидимый, устрашенный. И все же сумел... он провел всех. Всех разом, одна большая публика. Пулитцер, ну конечно. О, и я слишком хорошо знаю, как это звучит; te jude, отец. Но знайте правду: я знал его, от сих до сих, и вот его единственный истинный дар: вот: способность каким-то образом *казаться* гениальным, *казаться* исключительным, скороспелым, одаренным, многообещающим. Да, быть *многообещающим*, они все рано или поздно говорили «беспредельное будущее», ибо таков его дар, и видите ли темное искусство, его гений манипуляции публикой? Его дар — каким-то образом возбуждать у окружающих обожание и завышать оценку, ожидания, вынуждая молиться за его триумф, чтобы он оправдал все те ожидания, избавил не только ее, но всех, кого обдурил и вынудил верить в его беспредельное будущее, от сокрушительного разочарования при виде того, что в действительности он, в сущности, заурядность. Вы видите его извращенный гений? Изысканную пытку? Что он вынудил меня молиться за его триумф? Жаждать упрочения его лжи? И не ради его блага, а ради других? Ради нее? Гениальность некоего весьма конкретного, извращенного и презренного сорта, да? Афиняне звали конкретный дар или гений человека «техно». Или не «техно»? Необычно для «дара». Как оно склоняется в родительном падеже? Что он завлекал всех в свою паутину, беспредельная одаренность, ожидания гениального успеха. Они тем самым не только верили в ложь, но зависели от нее. Целые ряды в вечерних платьях вставали, аплодировали лжи. Моя исправная гордая... надень однажды маску — и лицо подладится под нее. Но впредь беги зеркал... и нет, самое страшное, черная ирония: теперь его жена и дочери околдованы так же, понимаете. Как его мать — он отточил на ней свое искусство. Я вижу это в их лицах, как они душераздирающе смотрят, ловят каждое движение. В их идеальных доверчивых детских глазках, обожающих. А он лишь благополучатель, принимает, небрежно, пассивно, никогда... словно действительно *заслужил* такие... словно нет ничего натуральней. О, как меня тянуло прокричать правду, уличить, разрушить чары, которые он наложил на всех, кто... чары, о которых он сам *не знает*, даже не понимает, что делает, как без усердия околдовывает своих... словно эта любовь — *из-за* него, натуральна, неизбежна, как рассвет, никогда не задумывался, не сомневался ни минуты, что заслуживает ее всю и больше. Мне душно от самой мысли. Сколько лет он отнял у нас. Наш дар. Родительный, творительный, именительный — случайность «дара». Он рыдал у ее одра. Рыдал. Вы представляете? Что у *него* есть право рыдать из-за ее ухода. Что у *него* есть такое право. Я стоял подле него в горьком шоке. Самодовольство. И как она страдала на том одре. Ее последнее слово в здравом уме — ему. Навзрыд. Никогда я не подходил ближе. Pervigilium [50]. Сказать. Правду. Навзрыд, это рыхлое обмякшее лицо раскраснелось и глаза зажмурились, как у ребенка, у которого кончились конфеты, пожраны, лицо как неприличный розовый... рот раскрыт, губы влажные, свисает без призора нитка соплей, и его жена — *его* жена — любящая рука на плече, чтобы утешить его, утешая *его, его* утрату — вообразите. Что теперь даже моя утрата, мои беззастенчивые слезы, утрата единственной... что даже мое горе узурпировано, без единой мысли, ни единого слова, словно он рыдал по праву. Рыдал по ней. Кто ему сказал, что у него есть такое право? Почему только я остался зряч? Что же... какие грехи за мою жалкую долю заслужили такое проклятье — видеть правду и быть бессильным ее высказать? В чем я повинен, что навлек кару сию? Почему никто не спрашивал? Какой прозорливостью они обделены, а я проклят, чтобы спросить, зачем он родился? о, зачем он родился? Правда ее бы убила. Осознать, что вся жизнь отдана на... уступлена лжи. Это бы убило ее на месте. Я пытался. Однажды или дважды был близок, однажды на его свадь... во мне чего-то не хватало. Я искал в себе, и этого не было. Этого конкретного осколка стали, чтобы делать то, что должно и будь что будет. И она умерла, умерла счастливой, уверовав в ложь.

[*ПАУЗА из-за смены техником илеостомического мешка и кожного барьера; осмотр ротовой полости; частичное обтирание губкой.*]

ОТЕЦ: О, но *он* знал. Он знал. Что под маской я его презирал. Мой сын один это знал. Он один меня видел. Я таил от любимых... какой ценой, я пожертвовал жизнью и любовью, чтобы избавить их всех, таить правду... но он один видел все насквозь. Я не мог таиться от того, кого презирал. Этот трепещущий выпирающий глаз взирал на меня и читал ненависть ко лжи, которой я был окован и обременен. Этот скверный экструзивный глаз прозревал тайное отвращение, которое вызывала во мне его отвратительность. Святой отец, вы видите иронию. Она же была слепа ко мне, утрачена. Он один видел, что я один видел его таким, какой он. Нас сплели черные узы, созданные вокруг тайного знания, ибо я знал, что он знал, что я знал, и он что я знал, что он знал, что я знал. Меж нами витала мощь нашего общего знания и сложность этого знания — «Я знаю тебя»; «Да, и я знаю тебя»,— ужасное напряжение в воздухе, когда... если мы оставались наедине, без нее, что было редко; она редко бросала нас наедине. Иногда — редко — однажды — то было при рождении его первой дочери, когда моя жена наклонилась над постелью, обнимая его жену, а я из-за спины смотрел на него, и он сделал вид, словно протягивал мне ребенка, глядел на меня, ловил каждое движение, и правда искрилась туда-сюда меж нами над качающейся головкой этого прелестного дитя, которое он протягивал, словно вручал дар, и я не мог тогда удержаться и не упустить короткий намек на правду в виде изгиба правого уголка губ, мрачной полуулыбки: «Я знаю, что ты такое»,— на что он ответил своей мешковатой полуулыбкой, и, несомненно, все присутствующие сочли это сыновней благодарностью за мои улыбку и благословение, которое я будто бы... теперь вы понимаете, почему я гнушался им? Предельное оскорбление? Что он один знал мое сердце, знал правду, которую я таил от любимых, от которой я умер внутри? Страшный разряд напряжения, моя ненависть к нему и его беспечная радость из-за моей тайной боли колебалась между нами и искажала самый воздух любого пространства, где мы были вдвоем, со времен, скажем, его конфирмации, отрочества, когда он перестал кашлять и залоснился. Хотя все становилось только хуже, пока он рос и набирался сил, и все больше и больше мир сдавался перед... покорялся.

[*ПАУЗА.*]

ОТЕЦ: Но столь редко оставляла она нас в комнате вдвоем. Его мать. Неохотно. Убежден, она не знала, почему. Какое-то инстинктивное беспокойство, интуиция. Она верила, что он и я любим друг друга так же натянуто и неестественно, как все отцы и сыновья, и вот почему мы так мало общаемся друг с другом. Она верила, что любовь бессловесная и такая сильная, что нам обоим неловко. Нежно корила меня в постели за то, что звала «неловкостью» с мальчиком. Она редко покидала комнату, верила, что служит каким-то проводником между нами, цепью под напряжением. Даже когда я его обучал... обучал сложению, она изобретала предлоги сесть за стол, чтобы... она чувствовала, что должна защищать нас обоих. Это разбивало... о... разбивало мне... о о черт боже прошу позвоните...

[*ПАУЗА из-за удаления техником илеостомического мешка и кожного барьера; ОТЕЦ испускает пищеварительные газы; дренаж катетером отечных частиц; умеренное диспноэ; медсестра отмечает переутомление и рекомендует сокращение визита; вспышка гнева ОТЦА в адрес медсестры, техника, старшей медсестры отделения.*]

ОТЕЦ: Что она умерла, не зная моего сердца. Без цельности союза, в котором мы клялись друг другу пред Богом, Церковью, ее родителями и моими матерью и братом, стоявшими рядом. Из-за любви. Так и было, отец. Наш брак ложь, и она не знала, так и не узнала, как я был одинок. Что я крался через нашу жизнь в молчании и одиночестве. Мое решение, избавить ее. Из-за любви. Боже, как я любил. Такое молчание. Я был слаб. Чертовски паршиво, жалко, трагично, что слабос... ибо правда могла ее вернуть; я мог каким-то образом показать его ей. Его истинный дар, чем он был на самом деле. Слабый шанс, учитывая. Малая вероятность. Так и не смог. Был слишком слаб, чтобы рисковать причинить ей боль — боль, которая стала бы его виной. Она вращалась вокруг него, я — вокруг нее. Ненависть к нему ослабила меня. Я познал себя: я слаб. Неполноценен. Теперь в отвращении от собственной неполноценности. Жалкий образчик. Без хребта. Нет хребта и у него, нет, но ему и не требуется, новый вид, не нужно стоять: другие поддержат. Искусная слабость. Мир должен ему любовь. Его дар в том, что мир почему-то тоже в это верит. Почему? Почему *он* не расплачивается за свою слабость? По какому возможному замыслу это справедливо? Кто дал ему жизнь? Какой властью? Потому что и он придет, он придет ко мне сегодня, сюда, позже. Воздать должное, пожать руку, сыграть заботу. Живые цветы, картонные открытки девочек. Его гений. Не пропускал ни дня с тех пор, как я здесь. Лежу. Только он и я знаем, почему. Приводит их смотреть на меня. Любящий сын, говорят здесь все, прекрасная семья, как повезло, надо быть благодарным. Благословения. Приводит девочек, поднимает их, чтобы они ловили каждое мое движение. Над бортиками. Каждое, от борта до кормы. От доски до доски. Зовет их своими зеницами. Он может быть подъезжает в этот самый... в настоящий момент. Подходящее ласкательное. «Зеницы». Он поглощает людей. Иссушает.

Спасибо, что слушаете. Поглотил мою жизнь и бросил на. Я достоин презрения, лежу. Благодарю, что слушаете. Милосердно. Сестра, я прошу об услуге. Я хотел бы... найти силы. Я умираю, я знаю. Это можно почувствовать, знаете ли, узнать, что уже скоро. Странно знакомо, чувство. Старый-старый друг пришел воздать. Я прошу вас об услуге. Я не скажу «снисхождение». Милость. Слушайте. Скоро он придет, и с собой приведет очаровательную девчушку, которая вышла за него, и обожает его, и наклоняет головку, когда он радует ее, и обожает его, и беззастенчиво рыдает при виде меня, лежащего в этих путах трубок, и двух девочек, ради которых разыгрывает такого безупречного любящего... «Очицы моих зеней»... и которые обожают его. Обожают его. Видите, ложь живет. Если я буду слаб, она переживет и меня. Увидим же, есть ли у меня хребет, чтобы причинить девчушке боль, которая верит, что действительно любит его. Чтобы осудили как злодея. Когда я причиню. Жестокий злобный старик. Я достаточно слаб, чтобы отчасти надеяться, что все примут за бред. Вот как слаб я как человек. Что ее любовь ко мне, выбор, и брак, и ребенок от меня могли оказаться ее ошибкой. Я умираю, он грядет, у меня лишь шанс... правда, произнести ее вслух, уличить, сбросить рабство, отринуть чешую, предупредить непричастных, которых он покорил. Пожертвовать мнением о себе во имя правды, из любви к этим невинным детям. Если бы вы видели, как он смотрит на них, на свои маленькие зеницы своим глазом, с самодовольным триумфом, задранным слабым веком, уличающим в нем... ни разу не сомневался, что заслужил этот восторг. Принимает восторг как должное, несмотря. Скоро они будут здесь, стоять здесь. Держать меня за руку, как вы. Сколько времени? Сколько у вас времени? Он на подъезде прямо сейчас, я чувствую. Сегодня он снова посмотрит на меня в этой койке, между бортиками, на интубированного, с недержанием, нечистого, разбитого, борющегося за самое дыхание, и присущее ему отсутствующее выражение снова спрячет для всех глаз, кроме моих, ликование в его глазах, в обоих, из-за моего вида. И он даже не поймет, что ликует, он так слеп к себе, он сам верит лжи. Вот реальное уничижение. Вот его coup de théâtre[51]. Что он тоже покорен, что он тоже верит, будто любит меня, верит, будто любит. И ради него, да, я решусь. Скажу. Разрушу чары, которые он наложил на самое себя. Вот истинное зло — даже не знать, что ты зло, нет? Вы бы могли сказать, спасти его душу. Быть может. Будь у меня хребет. Velleitas. Мог найти сталь. Освобождает, нет? Сделает вас свободными, нет? Разве не это обещано, отец? Ибо говорю вам истинно. Да? Простите меня, ибо я. Сестра, я хочу умиротворения. Замкнуть цепь. Выпустить это в воздух комнаты: что я знаю, кто он. Что он мне омерзителен и презр... отвратителен, и что я презираю его, и что его рождение было пятном, невыносимым. Быть может, да, даже, да, подниму обе руки, когда... черный юмор в том, что я сейчас задыхаюсь, как давно должен был он в той ракете, за которую я платил не уним

[*ПАУЗА.*]

ОТЕЦ: Боже, Эсхил. «Орестея»: Эсхил. За его дверями, ковырял себя во время перевода. Эсхил, не Софокл. Жалкий дурак.

[*ПАУЗА.*]

ОТЕЦ: Ногти мужчин отвратительны. Стричь и ухаживать. Что это мой девиз.

[*ПАУЗА из-за приступа офтальморрагии; техник промокает/промывает правую глазную орбиту; смена повязки на лице.*]

ОТЕЦ: Итак, и так, я рассказал. Исповедь. Вам, милосердные сестры милосердия. Не, не то, чтобы я презирал его. Ибо если бы вы его знали. Если бы вы видели то, что видел я, вы бы уже давно задушили его подушкой, поверьте. Моя исповедь — что из-за треклятой слабости и бестолковой любви я ухожу на небеса, не сказав правды. Запретной правды. Никто даже не говорит вслух, что ее нельзя говорить. Te judice. Если бы я только мог. О, как я презираю утрату сил! Если бы вы знали, больно... как мне... но не плачьте. Не рыдайте. Не возрыдайте. Не обо мне. Я не заслуживаю... почему вы плачете? Не смейте жалеть меня. Мне нужно... жалость от вас мне не нужна. Не почему. Вовсе не... прекратите, не хочу видеть. *Хватит.*

ВЫ [безжалостно]: Но, отец, это же я. Твой собственный сын. Это все мы, стоим здесь и так тебя любим.

ОТЕЦ: Отец, хорошо, потому что мне, мне, мне нужно кое-что от вас. Отец, послушайте. Оно не должно победить. Это зло. Вы слышите... вы слышали правду. Благодарю. Прошу: возненавидьте его за меня, когда я умру. Заклинаю вас. Предсмертная просьба. Пастырское служение. Милосердие. Как вы любите правду, как Бог... ибо я исповедуюсь: я ничего не скажу. Я знаю себя, и уже слишком поздно. Во мне того нет. Лишь фантазия для размышлений. Ибо прямо сейчас он на подъезде, несет дары. Преподнесет зеницы к каждому моему движению. Мечтания, подняться, как Лазарю, с гнусной и презренной правдой всем на... где мой колокольчик? Что они соберутся у постели, и его слабый глаз воззрится на меня посреди подкаблучного щебета его жены. У него будет дитя в руках. Его глаза встретят мои, и его красная влажная лабиальная губа невидимо свернется в тайном признании правды между ним и мной, и я попытаюсь, и попытаюсь, и не смогу поднять рук и разрушить чары на последнем издыхании, чтобы учить... уличить его, одолеть зло, которое он давно возвел, использовав ее, заставив меня помочь ему. Отец judicat orbis. Никогда я раньше не умолял. Теперь на одно колено для... не оставляйте меня. Я заклинаю. Презирайте его за меня. От моего имени. Обещайте, что понесете это далее. Оно должно пережить все. Сам я слаб дабы нести бремя сохрани раба твоего te judice для тебя... не...

[*ПАУЗА из-за серьезного диспноэ; стерилизация и частичная анестезия глазной орбиты; код для вызова дежурного врача.*]

ОТЕЦ: Не перепоручайте меня. Будьте моим колоколом. Недостойная жизнь для всей тебя. Заклинаю. Не умереть в устрашающем молчании. Этот напряженный и чреватый вакуум вокруг. Эта влажная и раскрытая сосущая дыра под тем глазом. Этот ужасный глаз грядет. Такое молчание.

Самоубийство как некий подарок

Жила-была мать, которая переживала действительно очень тяжелый период, эмоционально, внутри.

Сколько она себя помнила, тяжелый период она переживала всегда, даже в детстве. Она помнила не так много конкретики по детству, но что могла вспомнить, так это чувства презрения к себе, ужаса и отчаяния, которые, казалось, были с ней всегда.

С объективной точки зрения было бы недостоверно сказать, что в детстве будущую мать загружали каким-нибудь психологическим дерьмом и что отчасти это дерьмо можно назвать плохим обращением родителей. Детство у нее было не такое уж плохое, хоть и не пикник. Все это, хоть и достоверно, не относится к делу.

А дело в том, что с самого раннего возраста, какой она помнила, будущая мать презирала себя. На все в своей жизни она смотрела с опаской, словно любой случай или возможность были каким-то ужасно важным экзаменом, к которому ей мешали подготовиться лень или глупость. Казалось, словно на каждом таком экзамене нужна отличная оценка, чтобы предотвратить какое-то сокрушительное наказание.[i] Она боялась всего и боялась показать, что боится.

---

[i] Ее родители, кстати говоря, ее не били и никогда даже по-настоящему не наказывали, как и нисколько не давили.

Будущая мать отлично понимала, с самого раннего возраста, что это постоянное ужасное давление — внутреннее. Что винить за него некого. Так, она презирала себя еще больше. Она ждала от себя непогрешимого совершенства, и каждый раз, когда не оправдывала своих ожиданий, ее переполняло невыносимое глубокое отчаяние, грозившее расколоть ее, как дешевое зеркало [ii]. Эти очень высокие ожидания применялись к каждому аспекту жизни будущей матери, особенно к тем, что касались чужого одобрения или неодобрения. Так, в детстве и подростковом возрасте ее считали умной, привлекательной, популярной, впечатляющей; о ней положительно отзывались, ее одобряли. Сверстники, казалось, завидовали ее энергии, драйву, внешности, интеллекту, характеру и безупречной внимательности к потребностям и чувствам других [iii]; у нее было очень мало близких друзей. В течение подросткового возраста такие авторитетные фигуры, как учителя, работодатели, тренеры, пасторы и студенческие консультанты замечали, что юная будущая мать, «кажется [-залось], предъявляет к себе очень, очень высокие ожидания», и, хотя эти замечания часто произносились с тоном благодушного участия или упрека, в них нельзя было не заметить легкую безошибочную нотку одобрения — независимого, объективного суждения и итогового одобрения авторитетных фигур,— и в любом случае будущая мать чувствовала (на тот момент), что ее одобряют. И чувствовала, что ее замечают: у нее были *высокие* стандарты. Она с презрением гордилась своей безжалостностью к себе [iv].

[ii] Ее родители были людьми малого дохода, физически несовершенными и не очень умными — за то, что она замечала эти черты, девочка себя не любила.

[iii] Фразы «не бери в голову» и «расслабься» в то время еще не вошли в обращение (как и, вообще-то, «психологическое дерьмо»; как и «плохое обращение родителей» или даже «объективная точка зрения»).

[IV] Вообще-то единственное объяснение, почему родители будущей матери так мало ее наказывали, по их словам,— дочь настолько безжалостно придиралась к себе из-за любого недостатка или проступка, что наказывать ее было бы, цитата, «почти как пинать собаку».

Достоверно то, что, когда она выросла, будущая мать действительно переживала очень тяжелый внутренний период.

Когда она стала матерью, жизнь оказалась еще тяжелее. Материнские ожидания от ребенка, как оказалось, тоже оказались невозможно высокими. И каждый раз, когда ребенок их не оправдывал, ее естественным рефлексом было его презирать. Другими словами, каждый раз, когда он (ребенок) грозил скомпрометировать высокие стандарты, которые, как казалось матери, были для нее всем, внутри, материнская инстинктивная ненависть к себе, как правило, проецировалась наружу и вниз — на самого ребенка. Эта тенденция усугублялась тем, что в разуме матери между ее личностью и личностью ребенка существовала очень тонкая и незаметная грань. Ребенок в каком-то смысле казался отражением матери в уменьшающем и очень кривом зеркале. Так, каждый раз, когда ребенок был грубым, жадным, грязным, глупым, эгоцентричным, жестоким, непослушным, ленивым, опрометчивым, своевольным или ребячливым, самым глубоким и естественным рефлексом матери было презрение к нему.

Но она не могла его презирать. Ни одна хорошая мать не презирает своего ребенка, не осуждает, не обращается плохо, ни в коем случае не желает ему вреда. Мать это знала. И ее стандарты для себя как матери были, ожидаемо, чрезвычайно высокими. Так, когда бы она не «оскользнулась», «сорвалась», «потеряла терпение» и в итоге выражала (или даже чувствовала) презрение (хотя бы на миг) к ребенку, мать мгновенно впадала в такое самоедство и отчаяние, что, казалось, их невозможно выдержать. Потому мать всегда была в состоянии войны. Ее ожидания находились в фундаментальном конфликте. Конфликте, в котором, как ей казалось, на кону стоит сама ее жизнь: не перебороть инстинктивное недовольство ребенком значило заслужить ужасное, сокрушительное наказание, которое, как она знала, она исполнит сама, внутри. Она была настроена — отчаянно — преуспеть, удовлетворить свои ожидания от себя как матери, любой ценой.

С объективной точки зрения мать в своих попытках самоконтроля добилась поразительного успеха. Во внешнем поведении по отношению к ребенку она была неустанно любящей, сострадающей, сопереживающей, терпеливой, теплой, несдержанной, безоговорочной, никто не замечал в ней способность осуждать, или не одобрять, или сдерживать любовь в любой другой форме. Чем презреннее становился ребенок, тем больше любви требовала от себя мать. Ее поведение, по любым стандартам, которые ожидают от выдающейся матери, было непогрешимым.

В свою очередь, ребенок, пока рос, любил мать больше всего на свете. Если бы у него была способность каким-то образом сказать о себе всю правду, ребенок бы сказал, что чувствовал себя очень скверным, презренным ребенком, которому благодаря незаслуженному благоволению фортуны досталась самая лучшая, самая любящая, терпеливая и прекрасная мать во всем мире.

Внутри, пока ребенок рос, мать переполнилась до краев презрением к себе и отчаянием. Разумеется, казалось ей, в том, что ребенок врал, обманывал и терроризировал домашних зверей округи, виновата она; разумеется, ребенок просто показывает всему миру ее собственные гротескные и жалкие недостатки как матери. Так, когда ребенок украл деньги из классного фонда ЮНИСЕФ или раскрутил кошку за хвост и несколько раз ударил об острый угол кирпичного дома по соседству, она принимала гротескные недостатки ребенка на себя, вознаграждая детские слезы и самоедство безоговорочным любящим всепрощением, почему казалась ребенку единственным прибежищем в мире невозможных ожиданий, безжалостного осуждения и нескончаемого психологического дерьма. Пока он (ребенок) рос, мать вбирала глубоко в себя все, что в нем было неидеального, и несла это бремя, и тем освобождала его, искупляла и обновляла, хотя и пополняла свой внутренний фонд презрения.

Так длилось все его детство и подростковый возраст, и ко времени, когда ребенок уже подрос для различных прав и разрешений, мать почти целиком переполнилась, глубоко внутри, презрением: презрением к себе, к непослушному и несчастному ребенку, к миру невозможных ожиданий и безжалостного осуждения. Она, конечно, не могла ничего из этого выразить. И тогда сын — отчаянно стремящийся, как и все дети, отплатить за идеальную любовь, которую можно ожидать только от матерей,— выразил все за нее.

Короткие интервью с подонками

КИ № 20 12/96
НЬЮ-ХЕЙВЕН, КОННЕКТИКУТ

И да, я влюбился в нее только тогда, когда она рассказала мне о невероятно ужасающем инциденте, когда с ней жестоко обращались, похитили и чуть не убили.

Вопрос.

Позвольте объяснить. Я знаю, на что это похоже, поверьте. Я могу объяснить. В постели в ответ на какое-то напоминание или ассоциацию она рассказала об автостопе и о том, как ее однажды подобрал, как оказалось, психически больной серийный сексуальный маньяк, который затем отвез ее в уединенную местность, изнасиловал и почти наверняка убил бы, если бы она не начала думать по делу под давлением гигантских страха и стресса. Вне зависимости от того, что я думал о качестве и сути мыслительного процесса, который позволил убедить маньяка оставить ее в живых.

Вопрос.

И я тоже нет. Как вообще можно сейчас, в эру, когда у каждого... когда есть коллекционные карточки с психически больными серийными убийцами? В сегодняшнем климате я стараюсь держаться подальше от мысли, что кто-то может, в кавычках, напрашиваться на подобное, давайте даже не будем об этом, но вообще уверяю, что это дает повод призадуматься о способностях оценивать обстановку или как минимум о наивности...

Вопрос.

Только это, пожалуй, чуть менее невероятно в контексте ее типа, а именно того, который можно назвать гранолоедами, или пост-хиппи, нью-эйджерами, как угодно; в колледже, где часто впервые знакомишься с социальной таксономией, мы звали их гранолоедами — термин, который подразумевал прототипные сандалии, неочищенные крупы, сумасбродную парапсихологию, эмоциональное недержание, пышные длинные волосы, безмерную либеральность в социальных вопросах, финансовую поддержку от родителей, которых они поносят, босые ноги, малоизвестные импортные религии, индифферентность к гигиене, ванильный и какой-то избитый лексикон, целиком предсказуемую манеру речи пост-хиппи про мир-и-любовь, которые...

Вопрос.

На огромном уличном концерте-дефис-перформансе в рамках фестиваля арт-сообщества в центральном парке, где... это был пикап и точка. Не буду пытаться представить это чем-то приятней, чем есть, или чем-то предопределенным. И не побоюсь признаться, рискуя показаться меркантильным, что ее прототипная морфология гранолоедки была видима с первого же взгляда, даже с противоположной стороны сцены, и сама по себе диктовала условия подхода и тактику пикапа, и делала все предприятие почти незаконно простым. Половина женщин... среди девушек с образованием это не такой редкий тип, как можно подумать. Вам лучше не знать, что это за фестиваль или почему мы трое на него пришли, уж поверьте. Я проявлю политическое мужество и сознаюсь ради приличий, что классифицировал ее как строго одноразовую цель и что мой интерес почти целиком вызвало то, что она была ничего. Сексуально привлекательна, секси. Тело феноменальное, даже под пончо. Привлекло меня ее тело. Лицо у нее было немного странное. Не приятное, но эксцентричное. По заключению Тэда, она была похожа на реально сексуальную утку. Тем не менее nolo[52] на обвинение, что я заметил ее на пледе во время концерта и плотоядно направился к ней прогулочным шагом, не скрывая одноразовых намерений. И на основании предшествующего опыта общения с родом гранолоедов, в смысле, предшествующего этому, условие одной ночи возникло по большей части из-за мрачной невообразимости *беседовать* с вечно правой фанаткой нью-эйджа больше одной ночи. Одобряете вы меня или нет, думаю, можно допустить, что вы меня понимаете.

Вопрос.

Потому что из-за этой *пушистости* «на-самом-деле-жизнь-просто-пушистый-крольчонок» их сверх всякой меры сложно воспринимать всерьез. Или не чувствовать, будто ты их так или иначе используешь.

Вопрос.

Пушистость, или сумасбродность, или интеллектуальная вялость, или какая-то снобская наивность. Выбирайте сами, что вас меньше оскорбляет. И да, не беспокойтесь, я знаю, на что это похоже, и могу прекрасно представить ваше осуждение из-за характеристики того, что меня к ней привлекло, но если мне действительно надо все объяснить согласно просьбе, то остается только быть безжалостно искренним, а не соблюдать псевдочувствительные приличия эвфемизмов о том, как объективно опытный мужчина с образованием должен смотреть на незаурядно красивую девушку с пушистой, неосмысленной и, если свести к сути, ничтожной жизненной философией. Хочу сделать вам комплимент за то, что не притворяетесь, будто вас волнует, понимаете вы или нет, что я имею в виду, когда говорю о том, как трудно не почувствовать нетерпение или даже презрение... лицемерие, вопиющие противоречия самим себе, и что с самого начала понимаешь, что обязательно будет энтузиазм по поводу тропических лесов и пятнистых сов, творческой медитации, жизнеутверждающей психологии, макробиоза, будет неистовое недоверие ко всему, что, по их мысли, считается властью, при этом там никогда нет даже намека на осмысление форменного авторитаризма, который проявляется в жестком единообразии их, так скажем, нонконформистской униформы, лексикона, настроений. Как человек, проучившийся в вузе и уже два года в аспирантуре, я должен сознаться в почти поголовной... это богатые детки в рваных джинсах, которые протестуют против апартеида бойкотом южноафриканской травки. Сильверглейд обозвал их Внутренне Направленными. Снобская наивность, в кавычках, снисходительное сострадание, которое они чувствуют к людям, в кавычках, запертым или заключенным в ортодоксальном американском образе жизни. И все в таком духе. Это факт — Внутренне Направленные никогда не осмысляют, что именно принципиальность и расчетливость дру...им не приходит в голову, что сами они сами стали дистиллятом всего того, что высмеивают и чему себя противопоставляют, дистиллятом нарциссизма, материализма и самодовольства, и неосознанного конформизма... Ирония в том, что беспечная телеология этого, в кавычках, грядущего Нового Века, Нью-Эйджа — на самом деле точно такая же культурная вседозволенность, какой было Явное предначертание [53], или Рейх, или диалектика пролетариата, или Культурная революция — все одно и то же. И им никогда не приходит в голову, что как раз из-за уверенности, будто они отличаются, они на самом деле такие же, как все.

Вопрос.

Вы бы удивились.

Вопрос.

Ладно, и почти-презрение здесь конкретно из-за того, что можно совершенно обыденно подойти к ней прогулочным шагом, присесть рядом с ее пледом, начать разговор, праздно потеребить бахрому пледа и легко вызвать чувство родства и связи, благодаря которому ее пикапишь и как-то почти презираешь, что так чертовски просто подвести разговор к чувству связи; из-за того, что чувствуешь себя эксплуататором, когда так легко убеждаешь этот тип разглядеть в тебе родственную душу — ты знаешь, что будет сказано, когда она еще даже не открыла свой миленький ротик. Тэд сказал, что она похожа на гладкое пустое идеальное произведение псевдоискусства, которое хочется купить, забрать домой и раздо...

Вопрос.

Нет, совсем нет, я как раз пытаюсь объяснить, что здесь типология диктовала тактику, скажем так, смеси неловкого признания и безжалостной искренности. Как только в беседе установилось подходящее настроение интимности для хотя бы отдаленно правдоподобного момента, так скажем, признания, я изобразил чуткое-слэш-мучительное выражение лица и, в кавычках, признался, что на самом деле не просто проходил мимо ее пледа и почувствовал, хотя мы друг друга не знаем, таинственный, но необоримый импульс просто присесть и сказать «Привет», но нет, теперь что-то в ней, из-за чего-то я почему-то не могу применить ничего, кроме абсолютной честности, вынудило меня признаться, что на самом деле я намеренно подошел к ее пледу и начал разговор, потому что увидел ее от сцены и почувствовал таинственную, но необоримую чувственную энергию, которую излучала как будто самая ее суть, и беспомощно поддался этой энергии, присел, представился и начал разговор, потому что хотел наладить с ней связь и заняться взаимно обогащающей и изысканной любовью, но стыдился признаваться в этом естественном влечении и потому сперва соврал, но теперь какие-то таинственная нежность и великодушие, которые я смог в ней различить, теперь позволили мне обрести душевный покой и признаться, что ранее я соврал. Заметьте риторически специфическую смесь детской манеры, вроде «Привет» и «соврать», с вялыми абстракциями, вроде «обогащающий», «энергия» и «душевный покой». Это универсальный язык Внутренне Направленных. Вообще-то она мне правда понравилась как личность, вдруг обнаружил я,— во время разговора она смотрела с такой улыбкой, что трудно было не улыбнуться в ответ, а непроизвольное желание улыбнуться — одно из лучших доступных нам чувств, разве не так? Еще? Заказать еще выпить, да?

Вопрос...

Да, и предшествующий опыт научил меня, что самка гранолоедов противопоставляет себя тому, что считает неосмысленным и лицемерным поведением, скажем так, буржуазных женщин и, таким образом, по существу оскорбить ее нельзя, она отвергает сам концепт пристойности и оскорбления, считает так называемую честность даже в самом безжалостном или отвратительном виде доказательством искренности и уважения, реальным, в кавычках, ощущением, что ты слишком уважаешь ее личность, чтобы потчевать неправдоподобными домыслами и не проговорить самые основные естественные энергии и желания. Не говоря уже — уверен, сейчас довершу ваше негодование и отвращение ко мне,— что безмерно, заоблачно красивые женщины почти любого типа, по моему опыту, единообразно одержимы этой идеей *уважения* и сделают почти что угодно и где угодно для любого парня, который в достаточной мере позволит им прочувствовать глубокое и проникновенное уважение. Сомневаюсь, что нужно указывать, что это не более чем особенный женский вариант психологической потребности верить, будто другие относятся к тебе так же серьезно, как относишься к себе ты. В этом нет ничего особенно плохого, если говорить о психологических потребностях, но все же мы, конечно, должны помнить, что из-за любой глубоко укорененной потребности относительно других людей мы превращаемся в легкую добычу. Уже по вашему выражению вижу, как *вы* относитесь к безжалостной искренности. Но это факт — у нее было тело, которое мое тело считало сексуально привлекательным и с которым хотело иметь половые отношения, и здесь нет ничего благородного или сложного. А она, должен тут вставить, действительно оказалась прямиком из авангарда гранолоедов. Она отличалась какой-то мономаниакальной ненавистью к американской лесопромышленности, призналась в приверженности одной из околовосточных, переполненных апострофами религий, название которой, готов спорить, невозможно произнести правильно, и горячо верила, что польза витаминов и минералов в форме коллоидной суспензии выше, чем в таблетках, и так далее, а потом, когда под моим флегматичным руководством одно перетекло в другое, она оказалась в моей квартире и мы сделали то, что я и хотел с ней сделать, и обменялись стандартными горизонтальными комплиментами и заверениями, она все распространялась о воззрениях своего неизвестного левантийского вероисповедания касательно энергетических полей, душ и связи между душами благодаря тому, что она называла, в кавычках, фокусом, и несколько раз употребила, да уж, само слово на «Л», в кавычках, причем без иронии или даже зримого понимания, что это слово из-за слишком частого тактического применения стало затасканным и теперь требовало по самой меньшей мере невидимых кавычек, и, полагаю, надо признаться, что я с самого старта планировал дать ей особый фальшивый телефонный номер, когда мы наутро обменялись бы номерами — чего хотят все, за исключением очень незначительного и циничного меньшинства. Обменяться номерами. У двоюродного дедушки, бабушки или кого-то там еще одного парня из учебной группы Тэда по гражданскому праву есть домик под Милфордом, где никогда никто не бывает, и там стоит телефон, но без автоответчика, так что когда человек, которому даешь особый номер, звонит по особому номеру, там просто гудки и гудки, так что пару дней девушке обычно не понятно, что ты ей дал не настоящий номер, и пару дней она может представлять, что, например, ты просто безмерно занят и редко бываешь дома, и, наверное, по этой же зримой причине еще не перезвонил. Что исключает шанс задеть чувства и, следовательно, утверждаю я, хорошо, хотя могу вполне себе пред…

Вопрос.

Такая великолепная девушка, чей поцелуй пьянит, как ликер, хотя она не пила. Кассис, ягоды, леденец, такой горячий и мягкий. В кавычках.

Вопрос…

Да, и, в общем, в своем рассказе она беспечно путешествует автостопом по федеральной трассе, и в этот конкретный день появляется парень, который останавливается почти в тот же момент, когда она поднимает палец — она сказала, будто поняла, что совершила ошибку, в тот же момент, как села. В машину. По одному так называемому энергетическому полю внутри машины, как она сказала, и что страх охватил ее душу в тот же момент, как она села. И в самом деле, парень в машине скоро съехал с шоссе в какую-то уединенную местность — без чего, кажется, не обходится ни один психически больной сексуальный маньяк, не обходится без уединенной местности во всех сообщениях о, кавычки, безжалостных сексуальных надругательствах и кровавых находках неопознанных останков отрядом скаутов или любителем-ботаником, и так далее,— общеизвестные вещи, которые, можно быть уверенным, она вспоминала в деталях, пораженная ужасом, пока поведение парня становилось все более и более жутким и психотическим еще на трассе, а потом он съехал в первую подвернувшуюся уединенную местность.

Вопрос.

Она объяснила, что на самом деле не чувствовала психотическую энергию, пока не захлопнула дверь машины, и они не поехали, а тогда уже было слишком поздно. Она не впадала в мелодраму, но объяснила, что ее буквально парализовал ужас. Хотя вы, когда слышите о подобных делах, наверняка удивляетесь, как и я, почему жертва попросту не выскочит из машины в ту же минуту, когда парень начинает маниакально ухмыляться, эксцентрично себя вести, вскользь рассуждать, как презирает свою мать и мечтает ее изнасиловать клюшкой для песка Женской гольф-лиги и порезать 106 раз, ну и все в таком духе. Но здесь она заметила, что перспектива выскочить из машины, движущейся со скоростью 100 километров в час и упасть прямо на щебень... по самой меньшей мере сломаешь ногу или еще что, а пока будешь ползти с дороги в подлесок, что мешает парню спокойно развернуться за тобой, и, вдобавок, не будем забывать, что теперь, помимо всего прочего, его разозлил отказ, подразумевавшийся в том, что ты предпочитаешь упасть на щебень на скорости в 100 км/ч, лишь бы не остаться в его обществе, и тут надо учитывать пресловуто низкую терпимость к отказам у психически больных сексуальных маньяков, и тому подобное.

Вопрос.

Что-то в его внешности, в глазах, в, кавычки, энергетическом поле машины — она сказала, что в глубине души мгновенно поняла: парень намеревался безжалостно изнасиловать, пытать и убить ее, сказала она. И здесь я ей верю, что можно интуитивно уловить эпифеномены опасности, почувствовать психоз во внешности человека — необязательно верить в энергетические поля или экстрасенсорное восприятие, чтобы допустить обычную смертную интуицию. И даже не буду пытаться описать, как она выглядит, когда рассказывает и вновь все переживает,— она обнаженная, волосы струятся по спине, медитативно сидит, скрестив ноги, среди развороченной постели, и курит «Меритс» ультралегкие, у которых отрывает фильтры, потому что, как она заявляет, в фильтрах полно добавок, и они вредные — вредные, а сама сидит и *смолит* одну за другой, это настолько иррационально, что даже передать не... да, и у нее на ахилловом сухожилии какая-то мозоль, от сандалий, и она наклоняется верхней частью тела, следуя за колебаниями вентилятора, а потому то ныряет, то выплывает из света луны из окна, угол наклона которого сам меняется, пока луна движется за окном вверх и наискосок,— я могу только сказать, что она была прекрасна. Ступни грязные, почти черные. Луна такая полная, словно объелась. Длинные волосы струятся, не просто... чудесные сияющие волосы, благодаря которым понимаешь, зачем женщинам кондиционер. Собутыльник Тэда, Сильверглейд, сказал мне, что кажется, будто у нее волосы отрастили голову, а не наоборот, и все спрашивал, сколько у ее вида длится эструс, хо-хо-хо. Боюсь, у меня память больше вербальная, чем визуальная. Это шестой этаж, и в спальне у меня бывает душно, она ныряла в струю от вентилятора, как в холодную воду, и закрывала глаза, когда тот ее обдувал. И когда психически больной парень съезжает в уединенную местность и наконец открывается и обозначает свои истинные намерения — по всей видимости, детализируя конкретные специфические планы, процедуры и инвентарь,— она ничуть не удивилась, сказала, что безошибочно узнала отвратительно извращенную душевную энергию, в которую попала, когда села в машину, и какой он беспощадный и неумолимый психически больной, и к какого рода интеракции все шло в той уединенной местности, и сделала вывод, что через пару дней сама станет очередной кровавой находкой какого-нибудь ботаника-любителя, если только не сможет сфокусироваться на некой проникновенной духовной связи, чтобы парню было трудно ее убить. Это ее слова, такую псевдоабстрактную терминологию она... но в то же время рассказ меня так захватил, что я просто принял терминологию как какой-то иностранный язык, не осуждал и не требовал ясности — только решил для себя, что фокус — это эвфемизм ее неизвестного вероисповедания для «молитвы» и что в такой отчаянной ситуации кто осмелится осуждать ее, ведь это лишь логичный ответ на шок и ужас, кто бы сказал с уверенностью, уместна тут молитва или нет. Окопы и атеисты, в таком духе. Что я лучше всего запомнил об этом моменте — теперь ее впервые стало легче слушать: у нее оказалась неожиданная способность повествовать так, чтобы отвлечь внимание от себя и перевести максимум внимания на сам рассказ. Должен признаться, что впервые она мне показалась ничуть не скучной. Закажем еще?

Вопрос.

Что она не превращала в мелодраму, свой рассказ, говорила без напускного неестественного спокойствия, как некоторые напускают неестественную небрежность к повествованию, чтобы повысить драматичность истории и/или показаться небрежными и умудренными — и то и другое часто самый раздражающий аспект того, как определенные типы красивых женщин выстраивают рассказ или историю: они привыкли к высоким уровням внимания и должны чувствовать, что они его контролируют, всегда пытаются в точности контролировать тип и степень твоего внимания, а не просто довериться, чтобы ты сам обращал внимание в достаточной степени. Уверен, вы сами часто это замечали в очень привлекательных женщинах — при внимании они тут же занимают позу, даже если эта поза — напускное безразличие, чтобы напустить беспозость. Очень быстро наскучивает. Но она была — или казалась — на удивление беспозой для человека с такой привлекательностью и с такой драматической историей. Я поразился, пока слушал. В повествовании она, казалось, действительно не позирует, открыта ко вниманию, но и не стремится к нему — и не презрительна ко вниманию, и не подделывает надменность или презрение, что я особенно ненавижу. Некоторые красивые женщины... у них что-то не так с голосом, какая-то визгливость или отсутствие интонаций, или смех, как из пулемета, и вот ты бежишь в ужасе. Ее же рассказывающий голос — нейтральный альт без визга, долгой протяжной «О» или без слабого ощущения гнусавой жалобы, которую... еще она милосердно не пересыпала речь словечками, вроде «типа» и «короче», из-за которых с такими людьми можно себе все щеки сжевать. А еще не хихикала. Ее смех был вполне взрослым, полным, ласкал слух. И что тогда я впервые почувствовал намек грусти или меланхолии, пока слушал рассказ с растущим вниманием,— когда обнаружил, что восхищаюсь в ее повествовании теми самыми качествами, к которым отнесся с презрением, когда пикапил ее в парке.

Вопрос.

В первую очередь — и это я без иронии,— что она казалась, в кавычках, искренней, и пусть на деле это могло быть снобской наивностью, но, тем не менее, тогда казалось привлекательным и очень мощным в контексте рассказа о встрече с психопатом, а именно помогло мне почти целиком сфокусироваться на самом рассказе и таким образом представить ужасающе живо и реалистично, *каково* ей — кому угодно — оказаться по чистой случайности на пути в уединенную лесистую местность в обществе смуглого мужчины в джинсовом жилете, который говорит, что он воплощение лично твоей смерти, и попеременно то улыбается с психотическим весельем, то злобно бормочет и, похоже, ловит первые мурашки от кайфа, жутко напевая о различном остром инвентаре в багажнике своего «Катласса» [54] и детализируя, что он делал с другими, и теперь планирует в мельчайших деталях, что сделает с тобой. Надо отдать должное ее... ее странной ненапускной искренности, из-за которой я поймал себя на том, что слушаю выражения вроде, кавычки, «страх охватил душу», все меньше как телевизуальные клише или мелодраму, но больше как искренние, хотя не самые искусные попытки просто описать, каково это — ощущения шока и нереальности происходящего попеременно с волнами чистого ужаса, незамутненной эмоциональной *жестокости* страха подобной магнитуды, как накатывает искушение поддаться кататонии, шоку, бреду — подчиниться, забираясь все глубже в уединенную местность, соблазну идеи, что это какая-то ошибка, что это просто случайность: сесть в алый «Катласс» 1987-го года с паршивым глушителем, который просто первым притормозил на обочине случайной федеральной трассы, и это никак не может привести к смерти не какого-то абстрактного человека, а твоей собственной, причем от рук того, чьи резоны не имеют ровно никакого отношения ни к тебе, ни к твоему характеру, как будто все, что тебе рассказывали об отношениях между характером, намерением и результатом — отъявленная выдумка от начала и до...

Вопрос.

...конца, и потому ты попеременно чувствуешь приступы истерики, диссоциации, затем торгуешься за свою жизнь в духе окопов или хочешь просто кататонически пялиться перед собой и поддаться шуму разветвляющейся в голове идеи, что вся твоя на вид случайная и в чем-то вялая и эгоистичная, но тем не менее сравнительно невинная жизнь все это время как-то соединялась в смертельную цепочку, и в ней кроется объяснение или причинно-следственная связь твоего неотвратимого прихода к этой смертельной нереальной точке, к этому пику, в кавычках, твоей жизни, ее, так сказать, пику или острию, и все эти избитые клише вроде «меня охватил ужас», или «так бывает только с другими», или даже «момент истины», теперь обретают чудовищный нейронный резонанс и жизненность, ведь...

Вопрос.

Не из-за... ты просто остаешься нарративно одиноким в самодостаточности ее повествования и размышляешь, как по-детски *испугался* бы ты, как ты ненавидел бы и презирал эту больную извращенную сволочь, которая сидит рядом и бормочет, которую ты бы убил без колебаний, если б мог, но в то же время непроизвольно чувствовал бы высочайшее уважение, почти почтение... чистая агентивная *сила* человека, который может так тебя напугать, который может довести тебя до такого состояния просто одним желанием, а теперь может, если пожелает, довести тебя еще дальше, превратить в кровавую находку, останки безжалостного надругательства, и то чувство, что ты сделаешь абсолютно что угодно, или скажешь, или отдашь что угодно, лишь бы убедить его просто удовольствоваться изнасилованием и потом тебя отпустить, или даже пыткой, даже можно вынести на обсуждение несмертельную пытку, только бы он удовольствовался мучениями и потом по какой-нибудь причине уехал и бросил тебя, в мучениях, но живого, в кустах, рыдающего под небесами и травмированного без надежды на восстановление вместо вообще *ничего* — да, это клише, но неужели это *все*? это *конец*? и от рук человека, который даже наверняка не окончил Среднюю школу ДПИ и у которого нет ничего похожего на душу или способность к сопереживанию, слепая грубая сила, как гравитация или бешеный пес, и все же это именно *он* пожелал, чтобы все это случилось, и это он обладает силой и уж явно инструментами, чтобы это осуществить,— инструментами, которые он перечисляет в раздражающей песенке о ножах и женах, серпах, малышках и мотыжках, теслах и тяпках, и прочем инвентаре, и она даже не знает таких слов, но все равно они *звучат* точно как...

Вопрос.

Да, и добрая часть нарастающего действия во втором акте рассказа детализирует эту внутреннюю борьбу между капитуляцией перед истерическим страхом и сохранением уравновешенности, чтобы сфокусировать внимание на ситуации и вычислить, что остроумного и убедительного можно сказать сексуальному психотику, пока он все глубже забирается в уединенную местность, зловеще выискивает подходящий уголок и на глазах становится все более и более бессвязным и психотическим, попеременно ухмыляется, бормочет, призывает Бога и память своей жестоко убиенной матери и держится за руль «Катласса» так крепко, что у него посерели костяшки.

Вопрос.

Вот именно, психопат еще и мулат, хотя и с орлиными, почти женственными изысканными чертами,— факт, который она опускала или придерживала добрую половину рассказа. Сказала, ей это не показалось важным. В сегодняшнем климате не захочется строго критиковать человека с таким телом, который садится в странный автомобиль к мулату. В каком-то смысле надо даже восхититься ее широкими взглядами. Я во время рассказа даже не особо заметил, что она так долго опускала этническую деталь, но здесь, придется признать, тоже есть чем восхититься, если только вы не...

Вопрос.

Суть в том, что, несмотря на ужас, она как-то умудряется думать быстро и по делу, и продумывает все, и решает, что единственный шанс пережить эту встречу — установить, в кавычках, связь с, в кавычках, душой сексуального психопата, пока он все глубже забирается в лесистую уединенную местность в поисках того самого уголка, чтобы притормозить и беспощадно приступить. Что ее цель — очень пристально сфокусироваться на психотическом мулате как на одушевленном и прекрасном, хотя и настрадавшемся человеке в своем праве, а не только лишь как на угрозе, или силе зла, или воплощении лично ее смерти. Постарайтесь, если можете, вынести за скобки всю ньюэйджевую ванильку терминологии и сфокусироваться на самой тактической стратегии,— ведь я-то отлично знаю, что она описывает не что иное, как замшелую старую древнюю банальность «Любовь Одолеет Все»,— но на миг вынесите за скобки любое презрение и попытайтесь разглядеть более конкретные разветвления иде... в этой ситуации дело вот в чем: у нее хватает смелости и явной уверенности попытаться, потому что, по ее словам, она верит, что любовь и сфокусированное внимание могут проникнуть даже в психоз и зло, установить, кавычки открываются, духовную связь, кавычки закрываются, и что если мулат почувствует хотя бы толику этой так называемой духовной связи, то есть какой-то шанс, что он не посмеет пойти до конца и действительно ее убить. Что, конечно, на психологическом уровне вовсе не так уж неправдоподобно, ведь хорошо известно, что сексуальные психопаты обезличивают своих жертв и уподобляют объектам или куклам — «Оно», а не «Она», так сказать,— чем часто и объясняют, почему способны без жалости причинять невообразимую боль человеческому существу, а именно что они вовсе не видят человеческих существ, но только лишь объекты психопатических потребностей и намерений. Однако любовь и сопереживание такой связующей магнитуды требуют, сказала она, фокуса, в кавычках, а в этот момент ее, мягко говоря, без меры отвлекали ужас и абсолютно понятные переживания за себя, так что она осознала, что вступала в самую трудную и важную битву в своей жизни, сказала она, битву, которая разворачивалась исключительно внутри нее и ее душевных возможностей, и подобную идею к этому времени я считал уже безмерно интересной и захватывающей, особенно потому, что в рассказчице не видно неискренности, напускного, тогда как «битва за чью-либо жизнь» — обычно неоновая подсветка мелодрамы или манипуляции слушателем, попытка нагнетать, чтобы он сидел как на иголках и все в таком духе.

Вопрос.

Я с интересом наблюдаю, как вы перебиваете, чтобы задать именно те вопросы, с какими я перебивал ее, а это именно то сближение...

Вопрос.

Она сказала, что человеку, который не прошел, видимо, запутанную и длительную серию уроков и упражнений ее вероисповедания, «фокус» лучше всего описать так — вообразить его как предельную концентрацию, которая заостряется, усиливается, пока не превратится в острие, вообразить некую иглу концентрированного внимания, в чьих безмерных тонкости и хрупкости и заключается, разумеется, способность к проникновению, и но есть условие: надо исключить все внешние тревоги и удерживать иглу тонко сфокусированной и остро направленной, и его безмерно трудно выполнить даже в идеальных условиях, какими эти обстоятельства проникновенного ужаса, конечно, не назовешь.

Вопрос.

Таким образом, в машине — не будем забывать, под гигантским напряжением и давлением,— она собирает в кулак свою концентрацию. Она вперяется прямо в правый глаз сексуального психопата — только его она видит на орлином профиле, пока маньяк ведет «Катласс»,— и заставляет себя не спускать с него взгляд все время. Заставляет себя не плакать и не умолять, но только лишь прощупать проникающим фокусом психоз, гнев, ужас и психические страдания сексуального маньяка, сопереживать им и, говорит она, визуализировать, как ее фокус пронзает психотическую пелену мулата и проникает через различные страты гнева, ужаса и бреда, чтобы коснуться красоты и благородства всеобщей человеческой души под психозом и при этом создать зачаточную сострадательную связь между их душами, и она очень пристально фокусируется на профиле мулата и тихо говорит ему, что именно видит в его душе — то есть правду, так она, по крайней мере, говорила мне. Это кульминационная борьба ее духовной жизни, сказала она, при этом с совершенно понятными при тех обстоятельствах ужасом и ненавистью к сексуальному преступнику, грозившими размыть фокус и разорвать связь. И все же воздействие фокуса на лицо этого психопата становилось явным... когда она сумела удержать фокус, проникнуть и удержать духовную связь, мулат за рулем постепенно перестал бормотать и впал в напряженное молчание, словно задумался, и его правый профиль гипертонически напрягся, а пустой правый глаз переполнился тревогой и сомнениями из-за деликатных ростков той самой связи с другой душой, которой он всегда и жаждал, а также, конечно, в самых глубинах своей психики всегда боялся.

Вопрос.

Только то, что широко известно: первичная причина, почему прототипный сексуальный убийца насилует и убивает,— он считает изнасилование и убийство своими единственными жизнеспособными способами установить какую-то содержательную связь с жертвой. Что это базовая человеческая потребность. В смысле, связь — потребность. Но при этом пугающая и легко подверженная бреду и психозу. Это извращенный вид, в кавычках, отношений. Традиционные отношения его ужасают. Но с жертвой, когда он насилует, пытает и убивает, сексуальный психотик может установить некую, в кавычках, связь благодаря своей способности заставить чувствовать обостренные страх и боль, тогда как его восторженное ощущение абсолютного божественного контроля над жертвой — над тем, что она чувствует, чувствует ли вообще, дышит ли, живет,— оно дарит ему некий буфер безопасности в отношениях.

Вопрос.

Просто именно это в ее тактике сразу показалось мне оригинальным и изобретательным, несмотря на сумасбродность терминологии,— что она направлена на центральную слабость сумасшедшего, на его, так сказать, гротескную застенчивость, ужас, что любая традиционная обнажающая душу связь с другим человеком грозит ему поглощением и/или уничтожением — другими словами, что он *сам* станет жертвой. Что вся его космология заключается в простом принципе: «жри или сожрут тебя»,— боже, как это одиноко, чувствуете? — и грубый, жестокий контроль, который он и его острый инвентарь удерживают над жизнью и смертью, позволяет мулату почувствовать стопроцентный полный контроль над отношениями и, таким образом, что связь, которой он так отчаянно жаждет, его не обнажит, не поглотит и не уничтожит. Конечно, он несущественно отличается от мужчины, который оценивает привлекательную девушку, подходит к ней и искусно применяет ту самую, правильную риторику и задевает правильные струны, чтобы побудить ее пойти с ним домой, ни разу не сказав и не сделав ничего без нежности, учтивости и видимого уважения, и нежно, уважительно ведет ее к своей постели под атласными простынями и в свете луны занимается с ней изысканной заботливой любовью, чтобы она кончала снова и снова — пока, в кавычках, не запросит пощады и не окажется под его полным эмоциональным контролем, и не почувствует, что она и он, по-видимому, в этот вечер глубоко и неразрывно связаны, раз все прошло так идеально, взаимно уважительно и удовлетворительно,— и затем он закуривает для нее сигарету, проводит час-другой в псевдоинтимной посткоитальной болтовне, лежа в развороченной постели, и кажется таким родным и удовлетворенным, тогда как на самом деле он хочет только одного — оказаться в абсолютно антиподном от нее уголке,— и думает, как бы всучить особый нерабочий телефонный номер и больше никогда с ней не видеться. И что слишком очевидная причина его холодного, меркантильного и, может, в чем-то виктимизирующего поведения — его ужасает потенциальная проникновенность той самой связи, над которой он так трудится. Знаю, я не говорю сейчас ничего, чего бы вы, как вы думаете, уже не знали. С этой своей тонкой холодной улыбочкой. Вы не единственная разбираетесь в людях, знаете ли. Он дурак, потому что думает, что одурачил ее, так вы думаете. Будто он что-то выиграл. Сатирозавровый сибаритский самец-гетеросапиенс, тип, который вы, стриженые катамениальные сжигательницы лифчиков, видите за версту. И жалкий. Он хищник, уверены вы, и сам себя считает хищником, но на деле это *он* боится, это *он* убегает.

Вопрос.

Я предлагаю вам осмыслить то, что психоз — не в *мотивации*. Психотична только подмена: изнасилование, убийство и умопомрачительный ужас вместо изысканной любви и фальшивого телефонного номера, фальшивость которого видна не сразу, чтобы не поранить чужие чувства и самому не переживать дискомфорт.

Вопрос.

И пожалуйста, знайте, что я вполне знаком с типологией за этими вашими ненапускными выраженьицами, вежливыми вопросиками. Я знаю, что такое экскурс, и знаю, что такое завуалированный сарказм. Не думайте, будто вытягиваете из меня мысли или признания, которых я сам не замечаю. Просто осмыслите такую возможность, что я понимаю больше, чем вы думаете. Хотя если будете еще, то я закажу еще, без проблем.

Вопрос.

Ладно. Еще раз, помедленней. Что буквальное убийство вместо бегства — психотически буквальный метод убийцы разрешить конфликт между своей потребностью в связи и ужасом перед ней. Особенно, да, с женщиной, перед связью с женщиной, которых подавляющее большинство сексуальных психопатов действительно ненавидит и боится, часто из-за извращенных отношений с матерью в детстве. Психически больной сексуальный убийца, таким образом, в кавычках, символически убивает мать, которую ненавидит и боится, но, конечно, не может буквально ее убить, потому что еще не избавился от детской уверенности, что без ее любви и сам почему-то умрет. Отношения психически больного с ней — одновременно и ненависть из-за ужаса, и ужас, и отчаянная тоскливая потребность. Он считает этот конфликт невыносимым и, таким образом, вынужден символически разрешать его через психотические сексуальные преступления.

Вопрос.

Ее манера казалась почти или даже совсем не... она словно просто рассказывала, что случилось, никоим образом не комментируя, не реагируя. Хотя и без абстрагированности или монотонности. В ней чувствовались неискре... невозмутимость, полное самообладание или такой тип безыскусности, который напоминал, напоминает некий тип пристальной концентрации. Это я заметил еще в парке, когда впервые увидел ее, пришел и присел рядом, ведь высокая степень не направленного на себя внимания и концентрации — не совсем стандартная черта роскошной гранолоедки на шерстяном пледе, сидящей напро...

Вопрос.

Хм, ну, это же не что-то эзотерическое, все ведь в наши дни витает в воздухе, общеизвестные вещи в популярной культуре о связи детства и взрослых сексуальных преступлений. Боже, да хоть новости включите. Тут особо не нужно быть фон Брауном, чтобы связать проблемы связи с женщинами и проблемы детских отношений с матерью. Все витает в воздухе.

Вопрос.

Что это была титаническая борьба, говорила она, в том «Катлассе», пока они забирались все глубже в уединенную местность, потому что стоило ужасу хоть на миг ее пересилить или стоило ей по любой причине потерять пристальный фокус на мулате, даже на миг, как ее воздействие отразилось бы очевидным образом на связи между ними — его профиль расслабится в ухмылку и правый глаз снова опустеет и омертвеет, психоз даст рецидив, и мулат тут же снова заладит психотически напевать об инвентаре в багажнике и о том, что он для нее устроит, когда найдет идеальный уединенный уголок, и она понимала, что из-за любой зыби в духовной связи он автоматически вернется к разрешению своих связевых конфликтов единственным способом, который знает. И я ясно помню, как она говорила, что к тому времени, когда стоило поддаться и на миг потерять фокус, как его глаз и лицо вернулись бы к жуткой психотичной бесконфликтной радости, она с удивлением обнаружила, что уже не чувствует парализующего ужаса за себя, но только душераздирающую грусть о нем, о психически больном мулате. И скажу вам, что примерно в этот момент прослушивания истории, еще голый в постели, я признал, что это не только примечательный посткоитальный рассказ, но и что это в каком-то смысле на редкость примечательная женщина, и я почувствовал легкую грусть или тоску, что не заметил в ней этот тип примечательности, когда она впервые привлекла мое внимание в парке. Тем временем мулат нашел уголок, отвечавший его критериям, и, шурша, притормозил на гравии обочины в уединенной местности, и попросил ее, как будто с какими-то извинением или неоднозначностью, выйти из «Катласса», лечь ничком на землю и положить руки за голову в позиции одновременно и полицейских арестов, и бандитских казней — пресловутая позиция, очевидно и без сомнения избранная из-за своих ассоциаций и предназначенная акцентировать одновременно и идею заключения под стражу, и идею насильственной смерти. Она не колеблется и не умоляет. Она уже задолго до того решила, что не поддастся искушению умолять, рыдать, спорить или как-либо сопротивляться. Она все поставила на сумасбродную на первый взгляд веру в связь, благородство и сострадание как более фундаментальные и первичные компоненты души, чем психоз или зло. Замечу, что эта вера кажется уже не такой избитой или вялой, если кто-то готов поставить на нее свою жизнь. Тем временем он приказывает ей лечь ничком в придорожном гравии, а сам идет к багажнику покопаться в своей коллекции инвентаря для пыток. Она говорит, что очень ясно чувствовала, как к этому моменту связывающие силы игольчатого фокуса подпитывались из духовных источников куда более великих, чем ее собственные, потому что, хоть она и лежала ничком, лицом и глазами в клеверах или флоксах, растущих в гравии у машины, с зажмуренными глазами, но все равно чувствовала, как духовная связь между ней и мулатом держится и даже крепнет, слышала внутренний конфликт и растерянность в том, как он шел к багажнику «Катласса». Она раскрыла новые глубины фокуса. Я слушал очень внимательно. Не из-за саспенса. Пока она лежала беспомощная и связанная с ним, говорит она, ее чувства приобрели почти невыносимую пронзительность, ассоциирующуюся с наркотиками или предельными медитативными состояниями. Она отличала запахи сирени и сорго от флокса и лебеды, водянистую мяту первого клевера. На ней были corbeau [55] леотард и широкая хлопковая юбка в сборку, и на одном запястье множество томпаковых браслетов. Она могла вычленить из запаха гравия под носом сырую свежесть весенней почвы под гравием, и различить вес и форму каждого камешка, прижавшегося к лицу и большим грудям сквозь леотар, она чувствовала угол солнца на спине и легкое завихрение прерывистого ветерка, что дул слева направо по легкой пленке пота на шее. Другими словами, то, что можно назвать почти галлюцинаторной акцентуацией деталей, как в некоторых кошмарах вспоминаешь точный размер каждой травинки на лужайке отца в день, когда мать ушла от него и забрала тебя жить к сестре. Вроде бы многие из браслетов на запястье были подарками. Она слышала, как, остывая, щелкает в темпе ларго авто, и пчел, мясных мух и стрекочущих сверчков у отдаленной опушки, тот же спиральный ветерок в деревьях, что чувствовала у затылка, и птиц — представьте искушение отчаяться от пения беспечных птиц и жужжания насекомых в каких-то метрах от тебя, пока ты лежишь, как туша на гамбреле,— нетвердые шаги и дыхание средь лязга инвентаря, чью форму можно вообразить, когда они звякают друг о друга, потревоженные растерянной рукой. Хлопок ее юбки — такой легкий сплошной неочищенный хлопок, что почти газовый.

Вопрос.

Это распорка для мясника. Подвешивают за задние ноги, пока не истечешь. От индийского слова, обозначающего ногу. Ей ни разу не пришло в голову вскочить и сбежать. Определенный процент психически больных подрезает ахилловы сухожилия жертв, чтобы стреножить и не дать сбежать,— возможно, он знал, что с ней это не понадобится, чувствовал, что она не сопротивляется, даже не помыслит о сопротивлении, что она пользуется всей энергией и фокусом для поддержки чувства связи с отчаянным конфликтом в его душе. Она говорит, что теперь чувствовала ужас, но не свой. Она слышала, как мулат наконец извлек из багажника какое-то мачете или боло, затем слышала полузапинку, когда он хотел вернуться вдоль «Катласса» туда, где она лежала ничком, и потом услышала стон и шарканье по гравию, когда он упал на колени и его вырвало. Стошнило. Можете представить. Что теперь уже *его* тошнит от ужаса. Она говорит, что к этому времени что-то ее подпитывало, и она была совершенно сфокусирована. Что к этому времени она сама стала фокусом, слилась с самой связью. Ее голос во мраке без интонаций, но без монотонности — прозаичный, как прозаичен звон колокола. Кажется, будто она снова там, на дороге. Тип скотопии. Что в состоянии повышенного внимания ко всему вокруг, говорит она, клевер пахнет разбавленной мятой, а флокс — скошенным сеном, и она чувствует, что она и клевер, и флокс, и сырая свежесть под флоксом, и мулат, которого рвет на гравий, и даже содержимое его желудка сделаны из одного и того же, связаны чем-то куда более глубоким и изначальным, чем то, что мы ограниченно зовем, в кавычках, любовью, а она со своим бэкграундом зовет связью, и она чувствовала, что парень-психотик чувствует эту истину одновременно с ней, и чувствовала давящий ужас и инфантильный конфликт, которые взбаламутило в его душе чувство связи, и снова констатировала без драмы или самолюбования, что тоже чувствовала этот ужас — не ее, но его. Что когда он пришел к ней с боло или мачете, охотничьим ножом за ремнем и с каким-то ритуальным знаком или глифом, нарисованным на сумрачном лбу кровью или помадой предыдущей жертвы, вроде самеха или перекошенного омикрона, и перевернул ее на гравии в лежачее положение для изнасилования, он плакал и кусал нижнюю губу, как перепуганный ребенок, и потерянно всхлипывал. И что она не отводила от него взгляда, когда он откидывал ее пончо и газовую юбку, срезал трико и нижнее белье и насиловал, а сами представьте, учитывая ту сюрреалистическую четкость чувств, которую она переживала в состоянии абсолютного фокуса, каково это было, когда тебя насилует на гравии хнычущий психопат, и с каждым толчком в тебя тычется рукоятка ножа, и звуки пчел и луговых птиц, и отдаленный шепот трассы и мачете, глухо звякающее о камни с каждым толчком, а она заявляет, ей не стоило труда даже держать его, пока он хныкал и лепетал во время изнасилования, и гладить по затылку, и нашептывать утешающие слоги успокаивающим материнским напевом. К этому времени я обнаружил, что хоть и очень пристально сфокусировался на истории и изнасиловании у дороги, но мой разум и эмоции тоже вихрились, видели связи и ассоциации, например меня поразило, что ее поведение во время изнасилования было неумышленным, но тактически остроумным способом предотвратить его, или преобразить его, изнасилование, превзойти его суть как жестокого нападения или надругательства, ведь если женщина, когда насильник нападает и дико наваливается на нее, может как-то сознательно выбрать *сдаться*, искренне и сочувственно, то над ней уже нельзя истинно надругаться или изнасиловать, нет? Что благодаря какой-то трюку психики теперь она отдается, а не, в кавычках, ее берут силой, и что вот так остроумно, без всякого сопротивления, она отказала насильнику в способности доминировать и брать. И, судя по вашему выражению, нет, я не предполагаю, что это то же самое, как если бы она напрашивалась или решила, что она этого хотела, в кавычках, и нет, изнасилование все равно остается преступлением. И она ни в коем случае не планировала ни использовать покорность или сострадание как тактику, чтобы выхолостить изнасилование от его силы надругательства, ни сам фокус и духовную связь как тактику, чтобы вызвать в нем конфликт, боль, ужас и лепет, так что стоило в какой-то момент во время преображенного и чувственно обостренного изнасилования ей все это осознать, увидеть воздействие фокуса и невероятные достижения сострадания и связи в его психозе и душе, и боль, которую они ему на самом деле причиняли, как все вдруг усложнилось... ее мотивом было только затруднить убийство и обрыв духовной связи, а не причинить страдания, так что как только ее сострадательный фокус узрел не только его душу, но и само воздействие сострадательного фокуса на душу, все разделилось и вдвойне усложнилось, возник элемент самосознания, и теперь он сам стал целью фокуса, словно какое-то преломление или регресс самосознания и осознания самосознания. Она говорила об этом разделении или регрессе исключительно в категориях эмоций. Но оно все продолжалось — разделение. И я, слушая, переживал то же самое. На одном уровне мое внимание пристально сфокусировалось на ее голосе и истории. На другом я... как будто мой разум устроил гаражную распродажу. Я все вспоминал дурацкую шутку с религиоведения на первом курсе, которое нам всем приходилось брать в студенчестве: мистик подходит к продавцу хот-догов и говорит: «Сделай мне один со всем». Это разделение не из-за того, что я отвлекся, как если бы одновременно и слушал, и нет. Я слушал и интеллектуально, и эмоционально. Я... этот религиозный курс пользовался популярностью, потому что профессор был очень ярким и просто идеальным стереотипным образчиком ментальности шестидесятых, несколько раз за семестр он возвращался к теме, что разница между психотическим бредом и некоторыми религиозными прозрениями очень слабая и загадочная, и приводил аналогию с заточенным лезвием, чтобы передать тонкость грани между ними, между психозом и откровением, и в то же время я еще вспоминал с почти галлюцинаторной детальностью тот уличный концерт, и весь фестиваль, и расположение людей на траве и пледах, и парад лесбийских фолк-певиц на сцене с паршивым усилком, даже расположение облаков над головой и пену в чашке Тэда, и запах различных традиционных и неаэрозольных репеллентов от насекомых, и одеколон Сильверглейда, и барбекю, и обгоревших на солнце детей, и что, когда я впервые увидел ее в сокращенной перспективе со спины, между ног продавца вегетарианских кебабов, она ела яблоко из супермаркета с еще приклеенным маленьким супермаркетовым ценником, и как я наблюдал за ней с отстраненным интересом, хотел увидеть, съест она ценник, не отклеивая, или нет. Удовлетворения он достигал очень и очень долго, и все это время она обнимала его и смотрела с любовью. Если бы я задал вопрос в вашем стиле, например правда ли она *любила* мулата, который ее насиловал, или только лишь *вела себя, как будто любит*, она бы поглядела на меня с отсутствующим видом и не поняла, о чем это я вообще. Помню, как в детстве плакал на фильмах про зверей, даже если некоторые звери были хищниками, то есть не самыми симпатичными персонажами. На другом уровне я провел связь с тем, как первым делом на фестивале заметил ее индифферентность к гигиене и сделал выводы и суждения, основываясь только на этом. Прямо как сейчас вы делаете выводы, основываясь на начале того, что я объясняю, и они уже не дают вам дослушать до конца, что я пытаюсь объяснить. А вот благодаря ее влиянию мне больше грустно за вас, чем обидно за себя. И все это происходило одновременно. Мне было все грустнее и грустнее. Я выкурил первую сигарету за два года. Лунный свет переместился с нее на меня, но я еще мог разглядеть ее профиль. Влажный круг на простыне с тарелку величиной высох и исчез. Вы из тех слушателей, для которых риторы придумали эксордий. Лежа на гравии, она подвергает психически больного мулата пресловутому Женскому Взгляду. И говорит, что выражение его лица во время изнасилования — самое душераздирающее зрелище. Что это было не столько выражение, сколько антивыражение, пустое от всего, ведь она непреднамеренно украла у него единственный способ, каким он мог хоть с кем-то связаться. Его глаза были как дыры в мире. Она наблюдала с душераздирающим чувством, сказала она, осознавая, что ее фокус и связь причиняли психотику больше боли, чем он мог в принципе причинить ей. Вот как она назвала разделение — дыра в мире. Я во мраке нашей комнаты почувствовал ужасную печаль и страх. Я чувствовал, что в этом анти-изнасиловании было куда больше подлинных эмоций и связи, чем в любом так называемом занятии любовью, на которое я убивал свое время. Теперь я уверен, что вы понимаете, о чем я. Теперь мы на вашей терра фирма. Прототипный мужской синдром. Эрик Волочит Сару За Волосы в Типи. Пресловутая Привилегия Субъекта. Не думайте, будто я не знаю вашего языка. Закончила она уже в темноте, и я мог увидеть ее только в памяти. Пресловутый Мужской Взгляд. Ее сидячая поза протофеминного контрапоста — одно бедро на никарагуанском пледе с сильным запахом неочищенной шерсти, как бы подвернуто сбоку — можете мне поверить — *потрясающие* ножки, так что ее вес был на одной руке, напряженной руке позади, а в другой руке она держала яблоко... я нормально объясняю? получается предс... тюлевая юбка, волосы почти до пледа, плед темно-зеленый, с желтой филигранью и какой-то тошнотворно фиолетовой бахромой, льняная майка и жилет из синтетической оленьей кожи, сандалии в ротанговой сумке, босые ноги с феноменально грязными пятками, запредельно грязными, с ногтями, как на руках рабочего. Представьте способность утешать человека, который плачет из-за того, что делает с вами, пока вы его утешаете. Это чудесно или нездорово? Вы когда-нибудь слышали о куваде? Без парфюма, легкий запах какого-то неочищенного мыла вроде таких старых караваев насыщенно-желтого хозяйственного мыла, которым тетя пыталась... я осознал, что никогда не любил. Что, затасканно? Избитая фраза? Вы видите, как я раскрылся? И кому вообще не лень готовить кебабы с одними овощами? Надо было уважать границы ее пледа, при знакомстве. Нельзя просто свалиться как снег на голову и усесться на чужой шерстяной плед. Границы для такого типа — важный момент. Я выбрал уважительные корточки прямо у бахромы, опершись на кулаки, так что галстук свисал между нами, как противовес. Пока мы обыденно трепались, и я применил тактику болезненного-признания-об-истинном-мотиве, я наблюдал за ее улыбкой и чувствовал, будто она знает, что я делаю и зачем, и ее это позабавило, но не смущало, я видел, что она почувствовала между нами мгновенное родство, ауру связи, и мне грустно вспоминать, как я воспринял ее покорность, факт ее согласия, с легким разочарованием, что это было так просто — ее простота одновременно разочаровывала и освежала,— что она была не из тех сногсшибательных девушек, которые уверены, что слишком красивы для нормального общения, и автоматически видят в любом мужчине просителя или сладострастного болвана, не из холодных, для которых необходима скорее тактика изнурения, чем притворного родства — а его, должен сказать, душераздирающе просто изобразить, если знаешь женские типологии. Я могу повторить, если хотите, если вам нужно все точно. Ее описание изнасилования, определенная логистика, которую я опускаю, была продолжительной, детальной и риторически невинной. Мне становилось все грустнее и грустнее, пока я слушал, пытаясь представить, что именно ей удалось совершить, и становилось все грустнее и грустнее, что по дороге из парка я почувствовал крошечный укол разочарования, может, даже злости, когда жалел, что она не оказалась задачкой потруднее. Что ее воля и желания не противостояли моим сильнее. Это, кстати, называется аксиомой Вертера, по которой, в кавычках, интенсивность желания D обратно пропорциональна легкости удовлетворения этого самого D. Также она известна как Романтика. И было грустнее и грустнее, что ни разу — вам это понравится,— что раньше мне ни разу не приходило в голову, какой пустой этот подход к женщинам, в конечном итоге. Не злой, не хищный, не сексистский — пустой. Смотреть и не видеть, есть и не наедаться. Не просто чувствовать себя пустым, но и *быть* пустым. А тем временем в самом повествовании она — еще глубоко внутри психотика, чей член все еще внутри нее,— бросает взгляд на узор его большого пальца, пока он нерешительно пытается погладить ее голову в ответ, видит свежий порез и осознает, что парень пометил лоб собственной кровью. Причем, как я понял, вовсе не руной или глифом, но простым кругом, протобездной, нулем, той аксиомой романтики, которую мы еще зовем математикой, чистой логикой, где один не равняется и не может равняться двум. И что, в кавычках, кофейный цвет насильника и орлиные черты могли быть браминскими, а не негроидными. Арийскими, другими словами. Эти и другие детали она умолчала — с чего ей было мне доверять. Также я не могу... хоть убей, так и не помню, съела она ценник или нет, ни что вообще стало с яблоком, выкинула она его или что. Термины вроде любовь, душа и искупление, которые, как я был уверен, можно использовать только в кавычках, затертые клише. Поверьте, я почувствовал бездонную грусть мулата, в конечном итоге. Я...

Вопрос.

Не самое подходящее слово, знаю. Это не просто, кавычки, грусть, какой можно загрустить на похоронах или фильме. В ней больше давящего. Безвременного. Как свет зимой перед самым закатом. Или как — ну ладно — как, скажем, на пике занятия любовью, на самой вершине, когда она начинает кончать, когда она по-настоящему тебе отвечает, и видишь в ее лице, что она начинает кончать, ее глаза расширяются одновременно от удивления и узнавания, это ни одна женщина не может симулировать или сыграть, если реально пристально смотреть в глаза и реально ее *видеть*, вы знаете, о чем я, этот апикальный момент максимума человеческой сексуальной связи, когда чувствуешь себя ближе всего к ней, *вместе с* ней, настолько ближе, реальней и экстатичней, чем когда сам кончаешь, ведь это все равно больше похоже на то, как отпускаешь человека, который тебя схватил, чтобы ты не упал, только лишь нейронный чих, и близко не того почтового индекса, как *ее* экстаз, и — и я знаю, о чем ты сейчас подумаешь, но все равно скажу — но даже в этом моменте максимальной связи, общего триумфа и радости от того, что они начинают кончать, есть эта бездна пронзительной грусти, утраты в глазах, когда их глаза расширяются до самого широкого предела и потом, когда начинают закрываться, запираться, глаза, ты чувствуешь эту знакомую иголочку грусти внутри восторга, пока они выгибаются и их глаза закрываются, а ты чувствуешь, что они закрыли глаза, чтобы не впускать тебя, теперь ты посторонний, теперь их союз — с самим чувством, с оргазмом, что за опущенными веками глаза теперь закатываются до упора и пристально вглядываются в противоположную сторону, внутрь, в какую-то бездну, куда ты, кто их туда отправил, последовать не можешь. Хрень какая-то. Все я неправильно рассказываю. Не могу передать то, что сам чувствовал. Ты все превратишь в «Самец-Нарцисс Хочет, Чтобы Женщина Во Время Оргазма Смотрела На Него», знаю-знаю. Ну, а мне не страшно сказать, что я расплакался, на кульминации рассказа. Не навзрыд, но все же. Мы уже не курили. Оба сидели у подголовника лицом в одну сторону — хотя под конец истории, когда я плакал, помню, сидели спина к спине. Память — странная штука. Помню, как ждал, что она обратит внимание, как я плачу. Мне было стыдно — не за слезы, но за то, что так сильно хотелось знать, как она это воспримет, вызову ли я сочувствие или покажусь эгоистом. Она пролежала там, где он ее бросил, весь день, на гравии, плакала, сказала она, и благодарила принципы и силы своей конкретной религии. Тогда как — ты-то это, конечно, предвидела,— я плакал из-за себя. Он бросил нож и уехал на своем «Катлассе» без глушителя, бросил ее там. Может, сказал ей не двигаться и ничего не предпринимать в течение конкретного интервала. Если да — знаю, она подчинилась. Она сказала, что все еще чувствовала его в своей душе, мулата,— прервать фокус было трудно. Я не сомневался, что сумасшедший уехал где-нибудь покончить с собой. С самого начала рассказа было ясно, что кто-нибудь умрет. Эмоциональное впечатление истории казалось проникновенным и беспрецедентным, и даже не буду пытаться тебе его описать. Она сказала, что плакала, так как поняла, что, когда ловила машину, психически больного к ней привели духовные силы ее религии, что он послужил инструментом для роста в рамках ее веры и для способности фокусировать и изменять энергетические поля посредством сострадания. Говорит, она плакала из благодарности. Нож он оставил по рукоятку в земле рядом с ней — похоже, с отчаянной дикостью десятки раз втыкал в землю. Она ни слова не сказала о моих слезах и что они для нее означали. Я показал куда больше чувств, чем она. Она сказала, что в тот день с сексуальным маньяком узнала о любви больше, чем на любой другой стадии своего духовного пути. Давай выпьем по последней и пойдем. Что в самом деле вся ее жизнь неумолимо вела к тому моменту, когда автомобиль остановился, и она села, что это в самом деле было чем-то вроде смерти, но совсем не в том смысле, как она боялась, когда они въезжали в уединенную местность. И это реально единственный комментарий, который она себе позволила, в самом конце рассказа. Мне все равно, правда это, в кавычках, или нет. Смотря что иметь в виду под правдой. Мне просто все равно. Меня это тронуло, изменило — хочешь верь, хочешь нет. Мой разум как будто несся на, кавычки, скорости света. Мне было так грустно. И неважно, случилось или нет то, что, как она верила, случилось,— мне ее история казалась похожей на правду, даже если это было не так. И пусть ее теология о фокусированной духовной связи — просто катахрезическая нью-эйджевая ванилька: вера в нее спасла ей жизнь, так что ванилька это или нет, уже нерелевантно, да? Понимаешь ты, почему это — осознание этого — может вызвать внутренний конфликт... осознание, что вся моя сексуальность и сексуальная история и вполовину не были такими подлинными, я не знал такой связи или чувства, которое я почувствовал, пока просто лежал и слушал, как она рассказывает, что лежала и понимала, как ей повезло, что к ней снизошел какой-то ангел в обличии психотика и показал, что она молилась всю жизнь не зря? Ты думаешь, я сам себе противоречу. Но можешь хотя бы представить, каково это было? Видеть ее сандалии в другом конце комнаты и помнить, как я о них думал всего пару часов назад? Я все повторял ее имя, и она спрашивала «Что?», и я снова повторял ее имя. Мне плевать, на что это похоже, по твоему мнению. Мне теперь не стыдно. Но если бы ты поняла, как я... ты же видишь, что после всего этого я ну никак не мог просто ее отпустить? Почему я чувствовал апикальную печаль и страх при мысли, что она возьмет свои сумку, сандалии и нью-эйджевый плед и уйдет, и еще посмеется, когда я вцеплюсь в подол и буду умолять не уходить, и твердить, что люблю ее, а она спокойно закроет дверь, и босоногой пройдет по коридору, и я больше никогда ее не увижу? Почему неважно, что она пушистая или не слишком умная? Ничего не важно. Она привлекла все мое внимание. Я влюбился. Я верил, что она может меня спасти. Знаю, на что это похоже, поверь. Знаю я твой тип и знаю, что теперь ты не можешь не спросить. Спрашивай. Вот твой шанс. Я сказал, что чувствовал, что она может меня спасти. Ну спрашивай. Давай. Я стою тут перед тобой весь голый. Суди меня, стерва холодная. Сука, лесба, стерва, шлюха, пизда. Что, рада? Все подтвердилось? Ну и радуйся. Мне плевать. Я знал, что могла. Я знал, что любил. И точка.

Очередной пример проницаемости некоторых границ (XXIV)

Между холодным кухонным окном, матовым от влажного жара плиты и нашего дыхания, выдвинутым ящиком и позолоченной ферротипией одинаковых мальчиков, висящих в квадратной нише над столиком для радио, по бокам от слепого и занятого отца, в колеблющейся жаре стояла мама и стригла мои длинные волосы. На обнажившейся шее сзади — дыхание, сырость тел и сила горячей плиты; полоумный треск от блуждания радио по городским станциям — папаня искал хороший прием. Я не мог пошевелиться: полотенца вокруг прижали волосы к коже плеч, и мама кружила у стула, щелкая вдоль края миски тупыми ножницами. На одном пределе зрения висел ящик для посуды, на другом — начало папани, склонившего голову набок, к пальцу у светящейся шкалы. А прямо передо мной и точно посередине за сиянием клеенки на столе, языком меж зубов открытых дверей чулана, висело лицо брата. Я не мог отвернуться: вес миски и полотенец, мамины ножницы и направляющая рука — а мама, опустив глаза, была сосредоточена на своем грубом труде, не видела лица брата, возникшего из тьмы чулана. Приходилось сидеть спокойно, навытяжку, как оловянному гренадеру, и наблюдать, как его лицо принимало — мгновенно и с искренностью, характерной для чистейшей жестокости,—

все выражения, которые выдавало мое собственное обнажившееся лицо.

Висящее лицо в щели смазанных петель, я вял, лицо без шеи, парившее без поддержки в расколе приоткрытых дверей, сконцентрировавшись где-то между игрой и оскорблением, лохматая голова папани склонена и незряча у шкалы, две нити антенн искажены бурей, обрывки голосов находятся и теряются вновь; и мама сосредоточена на моем черепе и не видит обрамленное светлыми волосами лицо, воспроизводящее мой лик, копирующее меня — так мы это звали, «копировать», и он знал, как это меня злит,— только для меня одного. И с такой интенсивностью и таким быстрым откликом, что лицо уже не подражало, а передразнивало мое, моментально раздувало до непристойности конфигурацию моих черт.

И как все стало хуже потом, на той кухне из меди, кафеля, сосны, запаха жженого торфа, помех и волн мороси в окно, в студеном передо мной и палящем позади воздухе: пока я все больше волновался из-за копирования, волнение отражалось — я чувствовал — на моем лице, и лицо брата стало повторять и передразнивать это волнение; тогда я чувствовал растущее беспокойство из-за этой идеальной имитации стресса, а он отражал и искажал этот новый стресс, и я все более волновался под тканью, которую мама повязала мне на рот, чтобы я не возражал против утверждения ножницами истинной формы моего лица. Все накапливалось уровнями: образ папани, склонившего голову набок в свечении от парада шкалы, ящик с утварью, выдвинутый за границу равновесия, бестелесное лицо брата, повторяющего и искажающего мои отчаянные попытки одним лишь выражением заставить маму оторваться от стрижки и увидеть его, я, уже не столько чувствовавший движение мышц лица, сколько видевший их на корчащейся белой роже, проступавшей на черном фоне чулана, мои глаза навыкате и щеки, надутые до упора у кляпа, мама, присевшая у стула, чтобы подровнять возле ушей, мое лицо перед нами обоими, все дальше и дальше выходившее из-под моего контроля, когда я видел в лице близнеца то же, что видят вымазанные в сладостях чада под ручку в зеркалах комнаты смеха — мерзкое и безжалостное *сходство*, искажение, в котором — малостью, в самом центре,— проступает какая-то жестокая истина о нас самих, кто лыбится и пырится на тощие шеи и бугорчатые черепа, выпученные глаза, набухшие до орбит,— когда мимикрия превзошла уровень отражения и наконец-таки стала бурлеском влажной истерики с налепленными на влажный белый лоб отрезанными прядями, удушенные всхлипы заткнуты тряпкой, рокот грома, шипение электричества и бормотанье папани на фоне лепета ножниц для стрижки ягнят, невидимый припадок, в котором я поднимал глаза вновь и вновь навстречу их собственным шокированным белкам, зная наперед, что лицо близнеца покажет то же самое и передразнит,— пока последним прибежищем не стала апатия: целиком испустить дух ради бессмысленного взгляда пустой апатичной маски с кляпом — невидимого и невидящего — в зеркало, без которого я не мог познать или прочувствовать себя. Нет, больше никогда.

Примечания переводчика

1. Несравненные (*лат.*)

2. Жмурки в бассейне.

3. Как говорится (*фр.*)

4. Унизительный (*лат.*)

5. Смесь «пока дышу, (надеюсь)» (*лат.*) и «жизнелюбие» (*фр.*)

6. Drang — порыв, натиск (*нем.*)

7. Камень преткновения (*лат.*)

8. Смесь двух латинских синонимичных высказываний: «от начала мира до конца» и «от яйца до яблок».

9. Слава раку (лат.)

10. Философские сказки (*фр.*)

11. «Пятнадцатиминутки», в переносном смысле — короткий опыт (*фр.*)

12. Буквальный перевод названия модели «Аккорд» — «согласие».

13. Из Матфея 19:5: «...будут двое одной плотью».

14. Букв. Probe — «вставлять, прощупывать».

15. Имеется в виду книга Эллен Фейн и Шерри Шнайдер «The Rules: Time-tested Secrets for Capturing the Heart of Mr. Right» (Правила: проверенные временем секреты, как завладеть сердцем мужчины мечты), впервые вышедшая в 1995 году и выдержавшая множество переизданий.

16. Песня из популярной рекламы духов «Энджоли» из 80-х, где героиней была независимая женщина, директор компании и домохозяйка в одном лице.

17. Синдикация — продажа прав на показ телепродукта нескольким каналам. В США принцип синдикации распространен больше всего в мире, большинство каналов предпочитает покупать существующие передачи, чем производить свои.

18. Чтобы понимать контекст рассказа, нужно в общем представлять историю американского телевидения — тему, к которой Уоллес возвращался неоднократно, в том числе в романе «Бесконечная шутка». Если говорить вкратце, с 1920-х годов в США существует эфирное телевидение (broadcast television), бесплатное и распространявшееся сигналом с вышек (например, телесети NBC и CBS, переквалифицировавшиеся из радиостанций). Их вещание изначально не было круглосуточным и ограничивало зрителей в выборе контента. В 40-х появились кабельные каналы (cable television) с ежемесячной подпиской — сперва они распространяли программы эфирного телевидения в удаленных областях, но с начала 70-х (время действия рассказа) начали использовать спутниковые технологии и завоевали огромную популярность, в том числе за счет контента — например, синдикации известных телесериалов, таких как MASH, и собственного уникального контента (например, спортивного, вроде соревнований крупных бейсбольных и баскетбольных Лиг; старейший кабельный канал HBO транслировал «Триллер в Маниле» — бой Али и Фрейзера). На сегодняшний день процент их совокупного просмотра выше, чем у эфирных телесетей.

19. SE — South Eastern university, Юго-Восточный университет.

20. Университет Южной Калифорнии.

21. «Ра-Ра» и «Сис-бум-ба» — старинные англоязычные кричалки. «Сис-бум-ба» имеет корни в ономатопеи XIX века, обозначающей взлет ракеты.

22. Организация медицинского страхования.

23. Написание названия издания Variety на латинский манер.

24. Единый высший (*лат.*)

25. Реально существовавшая реклама так называемой «Хельсинкской формулы» против облысения.

26. Имеется в виду рейтинг Нильсена, система измерения количества аудитории.

27. Создатель компании Turner Broadcasting System, запустивший первый кабельный канал — WTCG, а также первый круглосуточный новостной канал CNN. ESP, ныне ESPN — глобальный канал кабельного и спутникового вещания, посвященный спорту и получивший широкое распространение благодаря покупке прав на показ спортивных мероприятий университетского уровня. «Супер 9» — канал WGN-TV, одна из первых «суперстанций» кабельного и спутникового вещания.

28. В утробе (*лат.*)

29. Проповеди, рекламы с индейцами против мусора — классические решения телестанций занять эфир в период, когда они отключались и включались каждую ночь.

30. Минус (*лат.*)

31. Плюс (*лат.*)

32. Большая театральная компания Британии.

33. Отсылка к популярной телеведущей и актрисе Ванне Уайт.

34. *ФГ* — фокус-группа.

35. Рафаэль Холиншед — английский хронист.

36. И отца, и дочь (*лат.*)

37. У. Шекспир, «Отелло». Акт III, сцена 3.

38. Ал-Анон — анонимная организация для родственников людей, страдающих от зависимости.

39. «Приятель» (*исп.*)

40. Спортивная организация университетов Америки. На данный момент она называется Pacific-12 Conference, то есть Pac-12.

41. Настоящий (*лат.*)

42. Беррес Фредерик Скиннер — американский психолог-бихевиорист.

43. В сутки (*лат.*)

44. Легко судить мир (*лат.*)

45. Отсылка к классическому фильму «Эта чудесная жизнь», где говорилось, что каждый раз, когда звенит колокольчик, ангел получает крылья.

46. Философский термин, который можно перевести как «слабовольное желание», «желание иметь волю» (*лат.*)

47. Преступление против короля (*фр.*)

48 *Боудин-колледж* — частный университет в городе Брансуик, штат Мэн.

49. Неоконченное «рожден для славы» (*лат.*)

50. Ночное бдение (*лат.*)

51. Театральный успех (*лат.*)

52. *Nolo contendere* — в судебной практике США отказ оспаривать обвинение без признания себя виновным (*лат.*)

53. Название философии, оправдывавшей американский экспансионизм на рубеже XIX—XX веков.

54. Буквальный перевод названия модели «Катласс» — «сабля».

55. Цвета воронова крыла (*фр.*)

Содержание

Литературно-художественное издание
әдеби-көркемдік баспа

Серия «Великие романы»

18+

Дэвид Фостер Уоллес

КОРОТКИЕ ИНТЕРВЬЮ С ПОДОНКАМИ

Ведущий редактор *Николай Кудрявцев*
Художественный редактор *Юлия Межова*
Технический редактор *Валентина Беляева*
Компьютерная верстка *Ольги Савельевой*
Корректор *Валентина Леснова*

Подписано в печать 04.02.2020.
Формат 60x90$^{1}/_{16}$. Усл. печ. л. 22,0.
Печать офсетная. Бумага офсетная.
Гарнитура Baltica.
Доп. тираж 3000 экз. Заказ 1246.

Отпечатано с готовых файлов заказчика
в АО «Первая Образцовая типография»,
филиал «УЛЬЯНОВСКИЙ ДОМ ПЕЧАТИ»
432980, Россия, г. Ульяновск, ул. Гончарова, 14

Произведено в Российской Федерации
Изготовлено в 2020 г.

Изготовитель: ООО «Издательство АСТ»
129085, Российская Федерация, г. Москва,
Звездный бульвар, д. 21, стр. 1,
комн. 705, пом. I, этаж 7
Наш электронный адрес: WWW.AST.RU
Интернет-магазин: book24.ru

Общероссийский классификатор продукции
ОК-034-2014 (КПЕС 2008);
58.11.1 - книги, брошюры печатные

Өндіруші: ЖШҚ «АСТ баспасы»
129085, Мәскеу қ., Звёздный бульвары, 21-үй, 1-құрылыс,
705-бөлме, I жай, 7-қабат
Біздің электрондық мекенжайымыз: www.ast.ru

Интернет-магазин: www.book24.kz
Интернет-дүкен: www.book24.kz
Импортер в Республику Казахстан ТОО «РДЦ-Алматы».
Қазақстан Республикасындағы импорттаушы
«РДЦ-Алматы» ЖШС.
Дистрибьютор и представитель по приему претензий
на продукцию в республике Казахстан:
ТОО «РДЦ-Алматы»
Қазақстан Республикасында дистрибьютор
және өнім бойынша арыз-талаптарды қабылдаушының
өкілі «РДЦ-Алматы» ЖШС, Алматы қ., Домбровский көш.,
3«а», литер Б, офис 1.
Тел.: 8 (727) 2 51 59 89,90,91,92
Факс: 8 (727) 251 58 12, вн. 107;
E-mail: RDC-Almaty@eksmo.kz
Тауар белгісі: «АСТ» Өндірілген жылы: 2020
Өнімнің жарамдылық мерзімі шектелмеген.
Өндірген мемлекет: Ресей